D1481393

EMMANUELLE

EMMANUELLE ARSAN

EMMANUELLE

Première édition intégrale

Postface de Jean-Jacques Pauvert

LAFFONT/JEAN-JACQUES PAUVERT

© Robert Laffont, S.A., Paris, et Jean-Jacques Pauvert, 1988

ISBN : 2-266-02868-5

Ou si les femmes dont tu gloses
Figurent un souhait de tes sens fabuleux...

MALLARMÉ
(« L'après-midi d'un faune »).

à Jean

Nous ne sommes pas encore au monde
Il n'y a pas encore de monde
Les choses ne sont pas encore faites
La raison d'être n'est pas trouvée.

Antonin ARTAUD.

1

LA LICORNE ENVOLÉE

> *Vénus a mille manières de prendre ses*
> *ébats, mais la plus simple, la moins fati-*
> *gante, c'est de rester à demi penchée sur le*
> *côté droit.*
>
> OVIDE (« *L'art d'aimer* »).

EMMANUELLE prend à Londres l'avion qui doit la conduire à Bangkok. L'odeur de cuir neuf, semblable à celle que conservent, après des années d'usage, les autos britanniques, l'épaisseur et le silence des moquettes, un éclairage d'un autre monde sont d'abord tout ce qu'elle peut saisir de ce décor où elle pénètre pour la première fois.

Elle ne comprend pas ce que lui dit l'homme souriant qui la guide ; pourtant, elle ne s'en inquiète pas. Peut-être son cœur bat-il plus vite, mais ce n'est pas d'appréhension — à peine de dépaysement. L'uniforme bleu, les marques d'attention, l'autorité du personnel chargé de l'accueillir et de l'initier, tout concourt à l'installer dans un sentiment de sécurité et d'euphorie. Les rites qu'on lui a fait accomplir, devant des guichets dont elle n'a même pas cherché à percer le mystère, elle sait qu'ils avaient pour objet de lui donner accès à l'univers qui va être le sien pendant douze heures de sa vie : un univers avec ses lois différentes des codes connus, plus contraignantes aussi, mais, par là même, plus délectables peut-être. Cette architecture de métal ailé, courbe et close sur le transparent début d'après-midi de l'été anglais, montre leur borne à la fois aux gestes usuels et à la volonté. Au qui-vive de la liberté succèdent les loisirs et les quiétudes de la sujétion.

On lui désigne une place : la plus proche de la cloison. Mais celle-ci est uniformément tendue d'étoffe, sans hublots ; la voyageuse ne verra pas au-delà de ce mur soyeux. Que lui importe ! Elle ne désire rien d'autre que de se livrer aux pouvoirs de ces profonds fauteuils, s'engourdir entre leurs bras laineux, contre leur épaule de mousse et sur leurs jambes de sirènes.

Elle n'ose cependant encore s'allonger, comme le steward l'y invite, lui montrant les leviers sur lesquels il faut agir pour faire basculer le dossier. Il presse un bouton et le faisceau lilliputien trace une ellipse lumineuse sur les genoux de la passagère.

Une hôtesse survient, dont les mains s'envolent, disposant dans un compartiment situé au-dessus des sièges la légère trousse de cuir couleur de miel qu'Emmanuelle a emportée pour tout bagage de cabine, car elle ne pense pas avoir à changer de costume en cours de voyage et elle n'a l'intention ni d'écrire ni même de lire. L'hôtesse parle français et l'impression de demi-étourdissement qu'éprouve depuis deux jours l'étrangère (elle n'est arrivée à Londres que de la veille) se dissipe.

La jeune fille est penchée sur elle et sa blondeur fait paraître plus nocturne encore la longue chevelure d'Emmanuelle. Toutes deux sont vêtues presque de même : jupe d'ottoman bleu et chemisier blanc, ou étroite jupe de soie sauvage et blouse de shantung. Pourtant, le soutien-gorge aperçu à travers la chemisette de l'Anglaise suffit, si léger qu'il est, à priver sa silhouette de la mobilité à laquelle on devine que la poitrine d'Emmanuelle est nue sous sa blouse. Et,

14

tandis que le règlement de la compagnie contraint la première à fermer haut l'échancrure de son col, le corsage de la seconde est assez entrouvert pour qu'un spectateur attentif puisse découvrir un profil de sein par la chance d'un geste ou la complicité d'un courant d'air.

Emmanuelle est heureuse que l'hôtesse soit jeune et que ses yeux soient pareils aux siens — semés de minces copeaux d'or.

La cabine, l'entend-elle dire, est la dernière de l'avion, la plus proche de l'empennage. Cette place exposerait Emmanuelle à des secousses dans tout autre appareil, mais (et la voix de la jeune fille s'infléchit d'orgueil), à bord de la *Licorne envolée,* le confort est partout le même — du moins (se reprend-elle) dans les cabines de luxe, car, évidemment, les passagers de classe touriste ne bénéficient ni d'autant d'espace autour d'eux, ni de sièges aussi doux, ni de l'intimité des rideaux de velours entre chaque rangée de fauteuils.

Emmanuelle n'a pas honte de ces privilèges, ni de la fortune qu'il a fallu dépenser pour les lui procurer. Au contraire, elle éprouve une douceur presque physique à la pensée de l'excès d'égards dont elle est l'objet.

L'hôtesse vante maintenant l'aménagement des salons de toilette, qu'elle fera visiter à sa passagère dès que le vol aura commencé. Ils existent en nombre suffisant à divers endroits de l'appareil pour qu'Emmanuelle n'ait pas à craindre d'être importunée par des allées et venues. Si elle le veut, elle n'aura pratiquement à rencontrer que les trois personnes qui vont partager sa cabine. Mais qu'elle préfère, au contraire, un peu de société, alors il lui sera aisé de lier connaissance avec d'autres voyageurs, en se promenant le long des couloirs ou en s'asseyant au bar. Désire-t-elle avoir de la lecture ?

— Non, dit Emmanuelle. Je vous remercie, vous êtes très gentille. Je n'ai pas envie de lire pour le moment.

Elle cherche ce qu'elle pourrait demander pour faire plaisir. S'intéresser à l'avion ? A quelle vitesse vole-t-il ?

— A plus de mille kilomètres à l'heure de moyenne ; et son rayon d'action lui permet de ne se poser que toutes les six heures.

Avec une unique escale intermédiaire, le voyage d'Emmanuelle durera donc à peine plus de la moitié d'un jour. Mais, parce qu'elle va perdre du temps (en apparence) en tournant dans le même sens que la Terre, elle n'arrivera pas avant neuf heures du lendemain à Bangkok, heure locale. Au total, elle n'aura guère le temps de faire autre chose que de dîner, dormir et s'éveiller.

Deux enfants, garçon et fille, si semblables qu'on ne peut que les imaginer jumeaux, écartent le rideau. Emmanuelle note d'un coup d'œil leur tenue conventionnelle et disgracieuse d'écoliers anglais, leur blondeur presque rousse, leur expression de froideur affectée et la hauteur avec laquelle ils s'adressent, par mots brefs et crachés des lèvres, à l'employé de la compagnie. Bien qu'ils n'aient pas, semble-t-il, plus de douze à treize ans, la sûreté de leurs gestes assure, entre celui-ci et eux, une distance que le premier ne songe pas à réduire. Ils se carrent posément dans les sièges que le couloir sépare d'Emmanuelle. Avant que celle-ci ait pu les examiner en détail, entre le dernier des quatre passagers auxquels est réservée cette cabine et l'attention de la jeune femme se reporte sur lui.

Plus grand qu'elle d'au moins une tête, nez et menton résolument modelés, noir de moustache et de cheveu, il sourit à Emmanuelle, penché légèrement au-dessus d'elle pour installer une serviette de cuir souple et sombre, qui sent bon. Son costume ambré, sa chemise d'illion plaisent à Emmanuelle. Elle le juge élégant et bien élevé, ce qui constitue, en somme, l'essentiel des qualités qu'on attend d'un voisin de cabine.

Elle essaye de deviner son âge : quarante, cinquante ans ? Il doit avoir bien vécu, à cause de ces plis d'indulgence à l'angle des yeux... Sa présence a plus d'agrément, pense-t-elle, que celle des prétentieux petits collégiens. Mais elle se moque aussitôt, à part soi, de cette sympathie et de cette aversion hâtives. Inutiles, aussi : pour une nuit !...

Bientôt, elle a suffisamment oublié les enfants et l'homme pour qu'émerge la sensation d'agacement qui, depuis un moment, flottait entre les eaux de sa conscience, lui gâtant en partie le plaisir du départ : l'hôtesse, profitant du mouvement qu'ont créé les arrivants, s'est éloignée et Emmanuelle aperçoit, par l'entrebâillement du rideau, sa hanche bleue pressée contre un voyageur invisible. Elle s'en veut de sa jalousie, essaye de détourner les yeux. Une phrase venue d'elle ne sait où rôde dans sa tête sur un air de plain-chant désolé : « *Dans la solitude et dans l'abandon.* » Elle secoue l'obsession, ses cheveux noirs fouettent ses joues, coulent sur son visage... Mais la jeune Anglaise se redresse ; elle se tourne vers l'arrière de l'appareil ; elle apparaît entre les draperies, dont elle écarte des deux mains les jambes paresseuses ; elle est auprès d'Emmanuelle.

— Voulez-vous que je vous présente vos compagnons de voyage ? demande-t-elle ; et, sans attendre de réponse, elle annonce le nom de l'homme.

Emmanuelle croit comprendre « Eisenhower », ce qui la met en gaieté et lui fait manquer le nom des jumeaux.

Maintenant, l'homme lui parle. Comment savoir ce qu'il dit ? L'hôtesse voit l'embarras d'Emmanuelle, interroge ses compatriotes, rit en découvrant un bout de langue.

— C'est bien ennuyeux, se moque-t-elle. Aucun de ces trois voyageurs ne sait le moindre mot de français. Belle occasion pour vous de rafraîchir votre anglais !

Emmanuelle veut protester, mais déjà la jeune fille a pirouetté, remuant les doigts à l'adresse de ses passagers, en un signe hermétique et gracieux. Emmanuelle retrouve son délaissement. Elle a envie de bouder, de se désintéresser de tout.

Son voisin persévère et s'applique, articulant des phrases dont le vain bon-vouloir la fait sourire. Elle a une moue de regret, confesse d'une voix enfantine : « Je ne comprends pas ! » et il se résigne à se taire.

D'ailleurs, un haut-parleur s'anime, caché dans quelque repli de tenture. Après que l'annonceur anglais s'est tu, Emmanuelle reconnaît, parlant français (*pour elle*, se dit-elle), la voix de son hôtesse, à peine faussée par l'amplificateur. Elle souhaite la bienvenue aux passagers de la *Licorne*, donne l'heure, la liste des membres de l'équipage, avertit que le décollage aura lieu dans quelques minutes, que les ceintures de sécurité doivent être bouclées (un steward surgit à point pour se charger lui-même d'ajuster celle d'Emmanuelle) et que les passagers sont invités à ne pas fumer ni se déplacer aussi longtemps que la lumière rouge restera allumée.

A peine plus qu'un murmure, un frisson des cloisons insonorisées, traduit l'éveil des réacteurs. Emmanuelle ne s'aperçoit même pas que l'avion roule le long de la piste. Il lui faudra assez longtemps avant de comprendre qu'elle vole.

Elle ne le devine, en fait, que lorsque le signal rouge s'éteint et que l'homme, s'étant levé, lui offre, par gestes, de la débarrasser de sa veste de tailleur — qu'elle a gardée, elle ne sait pourquoi, sur ses genoux. Elle le laisse faire. Il lui sourit encore, ouvre un livre et ne la regarde plus. Un serveur, déjà, apparaît, portant un plateau de verres. Emmanuelle choisit un cocktail qu'elle croit reconnaître à la couleur, mais ce n'est pas celui auquel elle s'attendait, et il est plus fort.

Ce qui, au-delà des cloisons de soie, devait être un après-midi passa sans qu'Emmanuelle eût le temps de faire rien d'autre que de croquer des pâtisseries, boire du thé, feuilleter, sans le lire, un magazine que l'hôtesse lui avait prêté (elle refusa d'en accepter un second, pour ne pas être distraite de la nouveauté de « voler »).

Un peu plus tard, on installa devant elle une petite table et on lui servit, dans des récipients de formes insolites, des plats nombreux et difficiles à identifier. Un quart de champagne était fixé dans une cavité du plateau et Emmanuelle s'en servit des rasades dans une flûte miniature. Cette dînette lui parut durer des heures, mais elle n'avait pas hâte qu'elle s'achevât, tant la découverte de ce jeu lui plaisait. Il y eut des desserts multiples, du café dans des tasses de poupées et des liqueurs dans des verres immenses. Lorsqu'on vint enlever les tables, Emmanuelle avait acquis la certitude de bien profiter de son aventure, de savourer la douceur de la vie.

Elle se sentait légère et un peu endormie. Elle constata qu'elle avait même perdu ses préventions à l'égard des jumeaux. L'hôtesse allait et venait, ne manquant pas de lui lancer, au passage, un mot joyeux. Lorsqu'elle était absente, Emmanuelle ne s'impatientait pas.

Elle se demanda quelle heure il pouvait être et s'il était temps de dormir. Mais, en réalité, n'avait-on pas la liberté de dormir n'importe quand, dans ce berceau ailé, si loin déjà de la surface de la terre, ayant atteint cette partie de l'espace où il n'y a plus ni vents ni nuages et où Emmanuelle n'était pas sûre qu'il y eût même encore un jour et une nuit.

Les genoux d'Emmanuelle sont nus sous la lumière dorée qui tombe des diffuseurs. Sa jupe les a découverts et les yeux de l'homme ne les quittent plus.

Elle a conscience que ses genoux sont levés vers ce

regard pour qu'il y prenne son plaisir. Mais peut-elle se donner le ridicule de les recouvrir — et puis, comment le ferait-elle ? Sa jupe ne se laissera pas allonger. Pourquoi, d'ailleurs, aurait-elle tout à coup honte de ses genoux, elle qui aime jouer d'habitude à les laisser dépasser de sa robe ? Sous le nylon invisible, le mouvement de leurs fossettes troue d'ombres agiles la couleur de pain brûlé de leur peau. Elle connaît le trouble qu'ils font naître. A force de les regarder, plus nus d'être serrés l'un contre l'autre comme au sortir d'un bain de minuit sous le faisceau d'un projecteur, elle-même, en ce moment, sent ses tempes battre plus vite et ses lèvres se charger de sang. Bientôt, ses paupières se ferment et Emmanuelle se voit, non plus partiellement nue mais tout entière, livrée à la tentation de cette contemplation narcissique, devant laquelle elle sait qu'elle sera, une fois de plus, sans défense.

Elle résista, mais ce n'était que pour mieux goûter, par degrés, les délices de l'abandon. Celui-ci s'annonça par une langueur diffuse, une sorte de conscience tiède de tout son corps, un désir de relâchement, d'ouverture, de plénitude, sans rêverie précise encore, ni émotion identifiable : rien qui fût très différent de la satisfaction physique qu'elle aurait éprouvée à s'étirer au soleil sur une plage de sable chaud. Puis, peu à peu, en même temps que la surface de ses lèvres devenait plus brillante, que ses seins gonflaient et que ses jambes se tendaient, attentives au moindre contact, son cerveau essaya des images, au début presque sans formes, longtemps sans liens, mais qui suffisaient à humecter ses muqueuses et à cambrer ses reins.

Quasi imperceptibles, mais sans défaillances, les vibrations amorties de la coque de métal accordaient Emmanuelle à leur fréquence, cherchant des harmoniques dans les rythmes de son corps. Une onde montait le long de ses jambes, partant des genoux (épicentres chimériques de ce tremblement de sensations sans contours), résonnant inexorablement, à la surface des cuisses, toujours plus haut, secouant Emmanuelle de frissons.

Désormais, les fantasmes accouraient, obsédants : lèvres qui se posaient sur sa peau, organes d'hommes et de femmes (dont les visages restaient ambigus), phallus, pressés de la toucher, de se frotter contre elle, de se frayer un passage entre ses genoux, forçant ses jambes, ouvrant son sexe, la pénétrant avec des efforts, un labeur qui la comblaient. Leur mouvement était celui d'un progrès continu : ils ne revenaient pas en arrière ; l'un après l'autre, ils s'enfonçaient dans l'inconnu du corps d'Emmanuelle, par l'étroite voie qu'ils ne se lassaient pas de reconnaître, paraissant ne jamais trouver de limites à leur course, cheminant indéfiniment à l'intérieur d'elle, la rassasiant de chair et, à n'en plus finir, se vidant en elle de leurs sucs.

L'hôtesse crut Emmanuelle endormie et elle fit, avec précaution, basculer le dossier, transformant le siège en couchette. Elle étendit une couverture de cachemire sur les longues jambes alanguies, que le glissement du fauteuil avait découvertes à mi-cuisses. L'homme, alors, se leva et fit lui-même la manœuvre qui plaçait son siège au niveau de celui de sa voisine de cabine.

Les enfants s'étaient assoupis. L'hôtesse souhaita bonne nuit à la cantonade et éteignit les plafonniers. Seules, deux veilleuses mauves empêchèrent les objets et les hommes de perdre toute forme.

Emmanuelle s'était abandonnée sans ouvrir les yeux au soin que l'on prenait d'elle. Sa rêverie, toutefois, n'avait rien perdu de son intensité ni de son urgence, au cours de ces mouvements. Sa main droite rampait maintenant le long de son ventre, très lentement, se retenant, finissant par atteindre le niveau du pubis, sous la couverture légère que sa progression faisait onduler. Mais, dans cette pénombre, qui pouvait la voir ? Du bout des doigts, elle explorait, creusait la soie souple de sa jupe, dont l'étroitesse s'opposait à ce que ses jambes s'entrouvrissent : elles tendaient l'étoffe dans leur effort pour s'écarter ; elles y réussirent suffisamment, enfin, pour que les doigts sentissent, à travers la minceur du tissu, le bouton de chair en érection qu'ils cherchaient et sur lequel ils pressèrent avec tendresse.

Pendant quelques secondes, Emmanuelle laissa l'ovation de son corps s'apaiser. Elle essayait de retarder l'issue. Mais, bientôt, n'y tenant plus, elle commença, avec une plainte étouffée, de donner à son médius l'impulsion minutieuse et douce qui devait amener l'orgasme. Presque aussitôt, la main de l'homme se posa sur la sienne.

Le souffle perdu, Emmanuelle sentit ses muscles et ses nerfs se nouer, comme si un jet d'eau glacée l'avait fouettée en plein ventre. Elle resta immobile, non point vidée de sensations, mais toutes sensations et toute pensée arrêtées, à la manière d'un film dont on suspend le déroulement sans obscurcir l'image. Ni elle n'eut peur, ni elle ne fut, à proprement dire, choquée. Elle n'eut pas, non plus, le sentiment d'être prise en faute. En vérité, elle n'était capable, à ce moment-ci, de formuler de jugement ni sur le geste de l'homme, ni sur sa propre conduite. Elle avait enregistré l'événement, puis sa conscience s'était figée. Maintenant, de toute évidence, elle attendait ce qui allait prendre la suite de ses songes écroulés.

La main de l'homme ne remuait pas. Elle n'était pas, pour autant, inactive. Par son simple poids, elle exerçait une pression sur le clitoris, sur lequel appuyait la main d'Emmanuelle. Rien d'autre ne se produisit pendant assez longtemps.

Puis Emmanuelle perçut qu'une autre main soulevait la couverture et la rejetait, pour se saisir à l'aise d'un de ses genoux et en tâter les creux et les reliefs. Elle ne s'attarda d'ailleurs pas et remonta, d'un mouvement

22

lent, le long de la cuisse, débordant bientôt l'ourlet du bas.

Quand la main toucha sa peau nue, pour la première fois Emmanuelle eut un sursaut, et elle tenta d'échapper à l'envoûtement. Mais, en partie parce qu'elle ne savait pas exactement ce qu'elle voulait accomplir, en partie parce que les deux mains de l'homme lui semblaient trop fortes pour qu'elle eût la moindre chance d'échapper à leur prise, elle ne fit guère que soulever maladroitement le buste, rapprocher de son ventre, comme pour le protéger, la main qu'elle avait libre, et se tourner à demi sur le côté. Elle se rendait bien compte qu'il eût été aussi simple et plus efficace de serrer les jambes l'une contre l'autre, mais, sans qu'elle pût s'expliquer pourquoi, ce geste lui paraissait tout d'un coup si inconvenant et si risible qu'elle n'osait le faire et qu'elle finit tout bonnement par renoncer à dominer une situation qui la confondait, se laissant derechef gagner par la paralysie qu'elle n'était parvenue à surmonter que pour un court instant et de façon bien dérisoire.

Comme si elles voulaient tirer pour l'édification d'Emmanuelle la leçon de cette vaine révolte, les mains de l'homme l'abandonnèrent d'un coup... Mais elle n'eut même pas le temps de se demander ce que signifiait ce soudain revirement, car, déjà, elles étaient de nouveau sur elle, cette fois au niveau de la taille, sûres, rapides, dégrafant le gros-grain de sa jupe, faisant glisser la fermeture éclair, tirant l'étoffe sur les hanches, jusqu'aux genoux. Puis elles remontèrent. L'une d'elles pénétra sous le slip d'Emmanuelle (léger et transparent, comme tous les sous-vêtements qu'elle a l'habitude de porter — peu nombreux, à vrai dire : un porte-jarretelles, parfois un jupon, sous ses jupes amples, jamais de soutien-gorge ni de gaine, bien que, dans les boutiques du faubourg Saint-Honoré où elle achète sa lingerie, elle se fasse essayer, par l'une ou l'autre des vendeuses blondes, brunes, belles, à demi réelles, qui s'agenouillent à ses pieds en découvrant leurs longues jambes, d'innombrables modèles de bustiers, de guêpières, de culottes ou de cache-sexe, que leurs doigts gracieux font monter le long de ses seins ou de ses cuisses, et dont elles la caressent, patiemment, avec des gestes répétés et souples, jusqu'à ce que les yeux d'Emmanuelle se ferment et qu'elle ploie doucement les genoux, se posant sur le sol jonché de nylon comme une voile qu'on amène, ouverte, chaude et livrée à la parfaite et assouvissante habileté des mains et des lèvres).

Le corps d'Emmanuelle retomba dans la position d'où son ébauche de résistance l'avait momentanément dérangé. L'homme caressa de la paume, comme on flatte une encolure de pur-sang, son ventre plat et musclé, juste au-dessus du haut renflement du pubis. Ses doigts coururent le long des plis de l'aine, puis au-dessus de la toison, traçant les côtés du triangle dont ils semblaient estimer l'aire. L'angle inférieur en était très ouvert, disposition assez rare, qu'ont néanmoins perpétuée les sculpteurs grecs.

Lorsque la main qui parcourait le ventre d'Emmanuelle se fut rassasiée de proportions, elle força les cuisses à s'écarter davantage ; la jupe roulée autour des genoux entravait leurs mouvements : elles se soumirent, cependant, s'ouvrant autant qu'elles le pouvaient. La main prit dans son creux le sexe chaud et gorgé, le caressant comme pour l'apaiser, sans hâte, d'un mouvement qui suivait le sillon des lèvres, plongeant — d'abord légèrement — entre elles, pour passer sur le clitoris dressé et venir se reposer sur les boucles épaisses du pubis. Puis, à chaque nouveau passage entre les jambes, qui, repoussant la jupe, se séparaient plus largement, les doigts de l'homme allèrent prendre plus loin en arrière leur départ, s'enfoncèrent plus profondément entre les muqueuses humides. Par moments, toutefois, soit caprice, soit calcul, ils ralentissaient leur progression, feignant d'hésiter, à mesure que la tension d'Emmanuelle croissait. Se mordant les lèvres pour endiguer le sanglot qui montait de sa gorge, les reins arqués, elle pantelait du désir du spasme dont l'homme semblait vouloir la rapprocher sans cesse sans le lui laisser jamais atteindre.

D'une seule main, il jouait de son corps au rythme et sur le ton qu'il lui plaisait, dédaigneux des seins, de la bouche, ne semblant friand ni d'embrasser ni d'étreindre, restant, au milieu de la volupté incomplète qu'il dispensait, nonchalant et distant. Emmanuelle agita la tête de droite et de gauche, fit entendre une série de gémissements étouffés, des sons qui ressemblaient à une prière. Ses yeux s'entrouvrirent et cherchèrent le visage de l'homme. Ils commençaient à briller de larmes.

Alors, la main s'immobilisa, gardant serrée en elle toute la partie du corps d'Emmanuelle qu'elle avait enflammée. L'homme se pencha un peu vers la passagère et prit, de son autre main, une des siennes, qu'il attira vers lui et introduisit à l'intérieur de son vêtement. Il l'aida à se refermer sur la verge rigide et guida ses mouvements, réglant leur amplitude et leur cadence au mieux de son goût, les modérant ou les accélérant selon le degré de son excitation, jusqu'à ce qu'il eût acquis la conviction qu'il pouvait s'en remettre à l'intuition et au désir de bien faire d'Emmanuelle et la laisser achever à sa manière la manipulation à laquelle elle n'avait d'abord apporté qu'un esprit noyé et une docilité enfantine, mais qu'elle perfectionnait peu à peu avec une sollicitude imprévue.

Emmanuelle avait avancé le buste de façon que son bras remplît mieux son office et l'homme, à son tour, se rapprocha, pour qu'elle pût être aspergée par le sperme qu'il sentait sourdre du fond de ses glandes. Longtemps encore, pourtant, il réussit à se contenir, tandis que les doigts serrés d'Emmanuelle montaient et descendaient, moins timides à mesure que la caresse se prolongeait, ne se bornant plus à un élémentaire va-et-vient, mais s'entrouvrant, soudain experts, pour glisser le long de la grosse veine gonflée, sur la cambrure de la verge, plongeant (en griffant imperceptiblement la peau de leurs ongles limés) le plus bas possible — aussi près des testicules que l'étroitesse du pantalon le permettait, puis revenant, avec une torsion lascive, jusqu'à ce que les plis de peau mobile au creux de la paume moite eussent recouvert la pointe du membre, qu'elle semblait ne devoir jamais atteindre tant celui-ci grandissait. Là, serrant de nouveau très fort, la main repartait vers le bas de la hampe, tendant le prépuce, tour à tour étranglant la chair tumescente ou relâchant son étreinte, frôlant à peine la muqueuse ou la harcelant, massant à grands mouvements de poignet ou agaçant à petits coups sans merci... Le gland, doublant de taille, s'embrasait, menaçant à chaque instant, pensa-t-elle, d'éclater.

Emmanuelle reçut, avec une exaltation étrange, le long de ses bras, sur son ventre nu, sa gorge, son visage, sur sa bouche, dans ses cheveux, les longs jets blancs et odorants que dégorgeait enfin le membre satisfait. Ils paraissaient ne devoir jamais se tarir. Elle croyait les sentir couler dans sa gorge, qu'elle les buvait... Une griserie inconnue la prenait. Une délectation sans pudeur. Lorsqu'elle laissa retomber son bras, l'homme saisit du bout des doigts le clitoris d'Emmanuelle et la fit jouir.

Un bourdonnement indiqua que le haut-parleur allait être utilisé. La voix de l'hôtesse, volontairement assourdie pour que les passagers ne fussent pas trop brusquement réveillés, annonça que l'appareil se poserait à Bahreïn dans une vingtaine de minutes. Il en redécollerait à minuit, heure locale. Une collation serait servie à l'aéroport.

La lumière renaissait progressivement dans la cabine, imitant la lenteur d'un lever du jour. Emmanuelle se servit de sa couverture (qui avait glissé à ses pieds) pour éponger le sperme dont elle avait été éclaboussée. Elle remonta sa jupe, recouvrit ses hanches. Lorsque l'hôtesse entra, Emmanuelle, assise sur la couchette, dont elle n'avait pas relevé le dossier, essayait encore de mettre de l'ordre dans sa toilette.

— Vous avez bien dormi ? interrogea gaiement la jeune fille.

Emmanuelle acheva d'agrafer sa ceinture :

— Mon chemisier est tout froissé, fit-elle.

Elle regardait les taches humides qui s'étalaient de part et d'autre de l'échancrure du col. Elle roula vers l'extérieur les revers du corsage et le bout incarnat d'un de ses seins apparut. L'encolure resta ouverte de la sorte et les regards des quatre Anglais étaient rivés au profil saillant du sein nu.

— N'avez-vous pas de quoi vous changer ? questionna l'hôtesse.

— Non, dit Emmanuelle.

Elle ébaucha une moue. Elle se retenait ostensiblement de rire. Les yeux des deux femmes se rencontrèrent et reconnurent leur complicité ; leur trouble était égal. L'homme les observait. Son costume ne présentait pas un faux pli, sa chemise était aussi nette qu'au départ, sa cravate n'était pas dérangée.

— Venez avec moi, décida l'hôtesse.

Emmanuelle se leva, contourna son voisin (la place ne manquait pas) et suivit la jeune Anglaise dans le cabinet de toilette, tout en glaces, en poufs, en garnitures de cuir blanc, en tablettes chargées de cristaux et de lotions.

— Attendez-moi !

L'hôtesse s'éclipsa, revint après quelques minutes, apportant une petite valise ; elle en souleva le couvercle, tira d'un compartiment minuscule un pull-over couleur de feuille morte, tissé de fils d'orlon, de laine et de soie si légers qu'il tenait tout entier dans sa main fermée. Lorsqu'elle le secoua, il se gonfla soudain comme un ballon de caoutchouc devant Emmanuelle émerveillée.

— Vous me le prêtez ? demanda-t-elle.

— Non, c'est un cadeau que je vous fais. Je suis sûre qu'il va très bien vous aller : c'est votre genre.

— Mais...

L'hôtesse posa un doigt sur les lèvres qui s'arrondissaient devant elle pour protester. Ses yeux tendres scintillaient. Emmanuelle ne pouvait les quitter du regard. Elle approcha vers eux son visage. Mais l'hôtesse avait déjà virevolté ; elle tendait une eau de toilette :

— Frictionnez-vous avec cela, c'est un parfum d'homme.

La voyageuse se rafraîchit le visage, les bras et le cou, plongea entre ses seins le tampon d'ouate qu'elle avait imprégné du liquide musqué, puis, se ravisant, détacha rapidement les derniers boutons de sa blouse.

Des deux bras renversés en arrière, elle fit tomber sur le tapis blanc sa chemisette de soie et respira à pleins poumons, subitement étourdie par sa demi-nudité. Elle se tourna vers l'hôtesse et la contempla avec une jubilation candide. Celle-ci se pencha pour glaner la blouse chiffonnée ; elle la pressa contre son visage :

— Oh! ce que ça sent bon! s'écria-t-elle, riant de malice.

Emmanuelle perdit contenance. L'évocation de l'incroyable scène de l'heure précédente lui paraissait hors de propos en ce moment. Sa seule pensée, qui tournait dans sa tête comme dans une cage, c'était de se défaire de sa jupe, de ses bas, d'être entièrement nue pour cette belle fille. Ses doigts jouaient avec la fermeture de sa ceinture.

— Comme vos cheveux sont épais et noirs! s'extasia l'hôtesse, s'amusant à faire glisser une brosse le long des vagues d'Emmanuelle, qui recouvraient jusqu'au-dessous de la taille son dos nu. Quels reflets! Ce qu'ils sont soyeux! Je voudrais bien avoir d'aussi beaux cheveux.

— Mais j'aime les vôtres, contesta Emmanuelle.

Oh ! si seulement sa compagne voulait, elle aussi, se dévêtir ! Elle le désirait tant que sa voix s'enrouait. Elle implora :

— Est-ce qu'on ne peut pas prendre de bain, dans cet avion ?

— Bien sûr que si. Mais il vaut mieux que vous attendiez : les salles de bains de l'escale sont encore plus confortables. Et, d'ailleurs, vous n'auriez pas le temps, nous allons nous poser dans cinq minutes.

Emmanuelle ne parvenait pas à se résigner. Ses lèvres tremblaient. Elle tira sur la glissière de sa jupe.

— Dépêchez-vous de mettre mon sweet petit jumper, réprimanda la jeune Anglaise, en tendant le lainage à Emmanuelle.

Elle l'aida à passer la tête par l'encolure étroite. Le tricot élastique était si moulant et si fin que les pointes des seins se détachaient en relief, aussi visibles que si, au lieu d'avoir été revêtues d'un chandail, elles avaient simplement été peintes en roux. L'hôtesse sembla les remarquer pour la première fois.

— Ce que vous êtes séduisante ! s'exclama-t-elle.

Et elle appuya le bout de l'index, en riant, sur un des mamelons aigus, un peu comme elle eût pressé le bouton d'une sonnerie. Les yeux d'Emmanuelle pétillèrent :

— Est-ce vrai, demanda-t-elle, que les hôtesses de l'air sont toutes vierges ?

La jeune fille éclata d'un rire d'oiseau chanteur, puis, avant qu'Emmanuelle ait eu le temps de réagir, ouvrit la porte, entraînant sa passagère.

— Vite ! Regagnez votre place. La lumière rouge est allumée, nous allons atterrir.

Mais Emmanuelle rechignait. Elle n'avait pas la moindre envie, de surcroît, de se retrouver côte à côte avec son voisin de cabine.

**
*

L'escale lui parut ennuyeuse. A quoi bon savoir qu'on est dans une île arabe, si l'on n'en voit rien ? L'aéroport, aseptique et chromé, trop crûment illuminé, réfrigéré, étanche, insonorisé, ressemblait singulièrement à l'intérieur du satellite artificiel que montraient, à ce moment même, les actualités télévisées sur l'écran du salon où attendaient les voyageurs. Emmanuelle se baigna ; but du thé ; grignota des gâteaux en compagnie de quatre ou cinq passagers, parmi lesquels se trouvait le « sien ».

Elle le regardait avec étonnement, essayant de comprendre ce qui s'était passé entre eux une heure auparavant. Cet épisode ne cadrait pas avec le reste de l'histoire d'Emmanuelle. Était-elle même sûre qu'il eût réellement existé ? Oh, puis, penser à cela était trop compliqué ! Trop risqué, en outre. Le plus simple et le plus prudent était de se refuser à y réfléchir davantage. Elle s'appliqua à faire le vide dans toute la partie de son cerveau qui persistait à se poser des questions.

Au moment où le mouvement des autres, plutôt que la voix incompréhensible du haut-parleur, lui indiqua qu'il fallait regagner le bord, elle avait réussi à ne plus très bien savoir ce qu'elle mettait tant de soin à oublier.

Lorsque les passagers eurent regagné l'avion, ils virent qu'il avait été nettoyé, remis en ordre, ventilé. Un parfum frais avait été vaporisé dans les cabines. Les couchettes étaient garnies de couvertures neuves. De gros oreillers, d'une blancheur lumineuse, gonflés de duvet, rendaient plus tentant encore le velours bleu de nuit sur lequel ils étaient posés. Le steward vint demander si l'on désirait des boissons. Non ? Eh bien ! bonne nuit ! L'hôtesse apporta à son tour ses vœux pour le sommeil. Tout ce cérémonial ravissait Emmanuelle. Elle se sentit redevenir heureuse — de manière positive, avec élan, avec certitude. Elle voulait que le monde fût exactement ce qu'il était. Tout, sur terre, était définitivement bien.

Elle s'étendit sur le dos. Elle n'avait pas peur, cette fois, de montrer ses jambes ; elle avait envie de les remuer. Elle les souleva tour à tour, pliant et dépliant les genoux, faisant jouer les muscles de ses cuisses, frottant, avec un doux crissement de nylon, ses chevilles l'une contre l'autre. Elle goûta en détail le plaisir physique que lui causait cet exercice de ses membres. Pour pouvoir mieux bouger, elle releva sa jupe plus haut encore, délibérément, sans se cacher, en tirant des deux mains sur l'étoffe.

« Après tout, soliloqua-t-elle, ce ne sont pas seulement mes genoux qui valent la peine d'être regardés, ce sont mes jambes en entier. Il faut reconnaître qu'elles sont vraiment jolies ; on dirait deux petites rivières couvertes de feuilles sèches et toutes gonflées de mauvais esprit qui s'amusent à passer l'une par-dessus l'autre. Et ce n'est pas la seule chose que j'ai de bien. J'aime aussi ma peau, qui se dore au soleil comme un grain de maïs, sans jamais rougir ; et j'aime aussi mes fesses. Et les toutes petites framboises au bout de mes seins, avec leur collerette de sucre rouge. Je voudrais tellement pouvoir les lécher. »

Les plafonniers déclinèrent et elle tira sur elle, avec un soupir de bien-être, la couverture imprégnée d'une senteur d'aiguilles de pin que la compagnie aérienne lui offrait pour protéger ses rêves.

Quand il ne resta plus d'allumé que les veilleuses, elle se tourna sur le côté et chercha à distinguer son compagnon de cabine, qu'elle n'avait pas osé regarder franchement depuis qu'elle se trouvait de nouveau allongée près de lui. A sa surprise, elle rencontra le propre regard de l'homme posé sur elle et qui semblait l'attendre, visible malgré la presque totale obscurité. Quelque temps, ils restèrent ainsi, les yeux dans les yeux, sans autre expression que celle d'une parfaite tranquillité. Emmanuelle reconnaissait l'étincelle d'affection un peu amusée, un peu protectrice, qu'elle avait remarquée au moment où ils s'étaient rencontrés pour la première fois (quand, au juste ? était-ce à peine sept heures plus tôt ?), et elle se disait que c'était cela, en lui, qu'elle aimait bien.

Parce que ce voisinage, de façon imprévue, lui devenait ainsi agréable, elle sourit en fermant les yeux. Elle avait confusément envie de quelque chose — mais ne savait quoi. Elle ne trouva d'autre solution que de recommencer à se réjouir d'être belle : sa propre image tournait dans sa tête comme un refrain favori. Le cœur battant, elle cherchait en pensée la crique invisible qu'elle savait enfouie sous son promontoire d'herbes noires, au confluent des deux rivières : elle sentait leur courant venir lécher ses bords. Lorsque l'homme se souleva sur un coude et se pencha vers elle, elle ouvrit les paupières et le laissa l'embrasser. Le goût des lèvres sur ses lèvres avait la fraîcheur et le sel de la mer.

Elle redressa le buste et leva les bras, afin de lui faciliter la tâche lorsqu'il voulut lui retirer son maillot. Elle savoura le trouble de voir jaillir de dessous la laine rousse ses seins que la pénombre faisait paraître plus ronds et volumineux encore que de jour. Pour lui laisser intact le plaisir de la déshabiller, elle ne l'aida pas lorsqu'il chercha la fermeture de sa jupe ; cependant, elle souleva les hanches pour qu'il pût la faire glisser sans peine. Cette fois, l'étroit fourreau ne resta pas entortillé autour de ses genoux : elle en fut complètement délivrée.

Les mains actives de l'homme la débarrassèrent de son mince slip. Après qu'elles eurent aussi décroché le porte-jarretelles, Emmanuelle roula elle-même ses bas et les envoya rejoindre sa jupe et son sweater au pied de la couchette.

Seulement lorsqu'elle fut ainsi entièrement dévêtue, il la serra contre lui et commença de la caresser, des cheveux aux chevilles, n'oubliant rien. Elle avait maintenant tant envie de faire l amour que le cœur lui faisait mal et que sa gorge était nouée : elle croyait qu'elle ne pourrait jamais plus respirer, revenir au jour. Elle avait peur, elle aurait voulu appeler, mais l'homme la tenait trop étroitement enlacée, une main dans le sillon de ses fesses, dilatant la petite crevasse tremblante, un doigt tout entier englouti. En même temps, il l'embrassait avidement, léchant sa langue, buvant sa salive.

Elle se plaignait, à petites plaintes, sans qu'elle sût exactement pourquoi cette peine. Était-ce le doigt qui la fouillait, si loin au fond de ses reins ? Ou la bouche qui se nourrissait d'elle, avalant chaque souffle, chaque sanglot ? Était-ce le tourment du désir ou la honte de sa luxure ? Le souvenir de la longue forme cambrée qu'elle avait tenue au creux de sa main la hantait, magnifique et dressée, rogue, dure, rouge, sûrement brûlante à ne pouvoir le supporter. Elle gémit si fort que l'homme eut pitié : elle sentit enfin le membre nu, fort comme elle l'avait attendu, se poser sur son ventre, et elle se pressa contre lui de toute la douceur de son corps.

Ils restèrent un long moment ainsi, sans bouger ; puis l'homme, brusquement, l'enleva dans ses bras et la fit passer par-dessus lui, de sorte qu'elle était désormais allongée sur la couchette qui se trouvait du côté du couloir. Moins d'un mètre la séparait des enfants anglais.

Elle avait oublié jusqu'à leur existence. Elle se rendit compte tout d'un coup qu'ils ne dormaient pas et qu'ils la regardaient. Le garçon était le plus proche, mais la fillette s'était blottie contre lui pour mieux voir. Immobiles et le souffle retenu, ils fixaient Emmanuelle de leurs pupilles élargies, où elle ne put rien lire d'autre qu'une curiosité fascinée. A la pensée d'être possédée sous leurs yeux, de se livrer, elle, Emmanuelle, à cet excès de débauche, elle éprouva une sorte de vertige. Mais, en même temps, elle avait hâte que cela se fît et qu'ils pussent tout voir.

33

Elle était couchée sur le côté droit, les cuisses et les genoux repliés, les reins offerts. L'homme la tenait aux hanches, par-derrière. Il glissa une jambe entre celles d'Emmanuelle et s'introduisit en elle par une poussée rectiligne, irrésistible, que rendaient facile l'absolue rigidité de son pénis aussi bien que l'humidité de la chair d'Emmanuelle. Ce n'est qu'après avoir atteint le point le plus profond de son vagin et s'y être arrêté, le temps de soupirer d'aise, qu'il commença de faire aller et venir son membre à grands coups réguliers.

Emmanuelle, délivrée de son angoisse, pantelait, plus liquide et plus chaude à chacune des ruées du phallus. Comme s'il se nourrissait d'elle, celui-ci augmentait de taille et ses mouvements, d'amplitude et d'allant. A travers la brume de sa félicité, elle réussit à s'émerveiller que la course de ce bélier pût être aussi longue dans son ventre. Ses organes, s'amusa-t-elle à se représenter, ne semblaient pas s'être atrophiés, pendant tant de mois qu'ils n'avaient pas été stimulés par un aiguillon masculin. Cette volupté retrouvée, elle souhaitait maintenant en profiter le plus complètement et le plus longtemps possible.

Le voyageur ne paraissait pas, de son côté, près de se lasser de forer le corps d'Emmanuelle. Elle aurait aimé savoir, à un moment donné, depuis combien de temps il était en elle ; mais aucun point de repère ne lui permettait d'en juger.

Elle se retenait de céder à l'orgasme, sans que cela lui coûtât d'effort ni de frustration, car elle s'était entraînée, depuis l'enfance, à prolonger le plaisir de l'attente et elle appréciait plus encore que le spasme cette sensitivation croissante, cette extrême tension de l'être qu'elle savait à merveille se procurer seule lorsque ses doigts effleuraient pendant des heures, avec une légèreté d'archet, la corde tremblante de son clitoris, refusant de se rendre à la supplication de sa propre chair, jusqu'à ce qu'enfin la pression de sa sensualité l'emportât, s'échappant en tornades effrayantes comme les convulsions de la mort, mais dont Emmanuelle renaissait sur-le-champ plus alerte et dispose.

Elle regardait les enfants. Leurs visages avaient perdu tout air de morgue. Ils étaient devenus humains. Non point excités, ni ricanants, mais attentifs et presque respectueux. Elle essaya d'imaginer ce qui se passait dans leur tête, le désarroi où devait les plonger l'événement dont ils étaient témoins, mais les idées s'effilochèrent en elle, sa pensée était traversée d'éblouissements et elle était bien trop heureuse pour se soucier vraiment d'autrui.

Quand, à l'accélération des mouvements, à une certaine raideur des mains qui agrippaient ses fesses et, aussi, à une brusque enflure et aux pulsations de l'organe qui la traversait, elle comprit que son partenaire allait éjaculer, elle-même se laissa entraîner. Le fouet du sperme porta au paroxysme son plaisir. Pendant tout le temps qu'il se vidait en elle, l'homme se maintint très loin au fond de son vagin, abuté, de ce fait, au col de sa matrice. Et, même au milieu de son spasme, Emmanuelle gardait assez d'imagination pour jouir du tableau qu'elle se faisait du méat dégorgeant des coulées crémeuses — qu'aspirait, active et gourmande comme une bouche, l'ouverture oblongue de son utérus.

Le voyageur acheva son orgasme et Emmanuelle se calma à son tour, envahie par un bien-être sans remords, à quoi la moindre chose contribuait : le glissement du mâle qui se retirait, le contact de la couverture qu'elle sentait qu'il étendait sur elle, le confort de la couchette et l'opacité montante et tiède du sommeil qui la recouvrit.

**
**

L'avion avait franchi la nuit comme un pont, aveugle aux déserts de l'Inde, aux golfes, aux estuaires, aux rizières. Lorsque Emmanuelle ouvrit les yeux, une aube qu'elle ne pouvait voir irisait les contours de la chaîne birmane, cependant qu'à l'intérieur de la cabine la lueur mauve des veilleuses ne laissait rien deviner du dépaysement ni de l'heure du jour.

La couverture blanche était tombée de la couchette, et Emmanuelle était étendue, nue, sur le côté gauche, pelotonnée comme un enfant frileux. Son vainqueur dormait.

Emmanuelle, reprenant conscience par degrés, restait immobile. Rien de ce qu'elle pouvait penser ne se laissait lire sur son visage. Au bout d'un temps assez long, elle étira lentement les jambes, cambra les reins, se retourna sur le dos, tâtonnant de la main pour se recouvrir. Mais son geste resta suspendu : un homme, debout dans le couloir, la regardait.

L'inconnu, dans la position qu'il occupait par rapport à elle, lui parut d'une stature gigantesque et la jeune femme se dit aussi qu'il était invraisemblablement beau. C'est sans doute cette beauté qui fit qu'elle oublia sa nudité, ou du moins n'en fut pas gênée. Elle pensait : c'est une statue grecque. Un tel chef-d'œuvre ne peut être vivant. Un fragment de poème la traversa, qui n'était pas grec : *Déité du temple en ruine...* Elle aurait voulu des primevères, des herbes jaunies, à foison au pied du dieu, des feuillages en vrille autour de son socle et qu'un souffle de vent fît remuer les courts cheveux d'agneau qui bouclaient sur ses oreilles et sur son front. Le regard d'Emmanuelle longea l'arête rectiligne du nez, se posa sur les lèvres ourlées, sur le menton de marbre. Deux tendons fermes sculptaient la ligne du cou jusqu'à la chemise entrouverte sur une poitrine sans toison. Les yeux de la femme poursuivirent leur étude. Une saillie démesurée tendait le pantalon de flanelle blanche, près du visage d'Emmanuelle.

L'apparition se pencha et prit la jupe et le pull-over qui gisaient à terre. Elle ramassa aussi le slip et le porte-jarretelles, les bas et les escarpins éparpillés, puis se redressa et dit :

— Venez.

La voyageuse s'assit sur sa couchette, posa les pieds sur la moquette du sol et prit la main qui se tendait. Puis, s'étant levée d'un souple effort, elle avança, nue, comme si elle avait changé de monde dans l'altitude et dans la nuit.

L'inconnu la conduisit dans le salon de toilette où elle était déjà venue avec l'hôtesse. Il s'adossa à la cloison capitonnée de soie et disposa Emmanuelle de sorte qu'elle lui fît face. Elle faillit laisser échapper un cri lorsqu'elle vit le reptile herculéen qui se dressait devant elle hors de sa broussaille dorée. Parce qu'elle était sensiblement plus petite que l'homme, le gland trigonocéphale atteignait jusqu'entre ses seins.

Le héros saisit Emmanuelle à la taille et la souleva sans peine. La jeune femme entoura de ses doigts croisés la nuque masculine, dont elle sentit les muscles durcir sous ses paumes, et elle disjoignit ses jambes pour que le membre écarlate sur lequel son ravisseur la faisait retomber pût la pénétrer. Des larmes coulèrent sur ses joues, tandis que l'homme entrait en elle avec précaution, la déchirant. Emmanuelle, s'appuyant des genoux contre le mur et sur les hanches de son partenaire, aidait de son mieux le serpent fabuleux à ramper au tréfonds de son corps. Elle se tordait, griffant le cou auquel elle s'accrochait, sanglotant, criant des râles et des mots inintelligibles. Elle ne fut même pas consciente, dans son égarement, que l'homme jouissait, vite, avec une poussée si sauvage de son bassin qu'il semblait vraiment vouloir s'ouvrir une voie à travers elle, jusqu'à son cœur. Lorsqu'il se retira, le visage éclairé, il la garda debout, pressée contre lui. Le phallus mouillé rafraîchissait la peau endolorie d'Emmanuelle.

— Tu as aimé ? demanda-t-il.

Emmanuelle posa la joue sur la poitrine du dieu grec. Elle sentait sa semence bouger en elle.

— Je vous aime, murmura-t-elle.

Puis :

— Voulez-vous me prendre encore ?

Il sourit.

— Tout à l'heure, dit-il. Je reviendrai. Habille-toi, maintenant.

Il se pencha, posa au milieu de ses cheveux un baiser si chaste qu'elle n'osa plus rien dire. Avant même qu'elle eût compris qu'il la quittait, elle se retrouva seule.

Avec des gestes ralentis, comme s'il s'agissait d'une cérémonie (ou parce qu'elle n'avait pas encore entièrement retrouvé le rythme du réel), elle fit couler sur elle l'eau de la douche, couvrit son corps de mousse, se rinça avec minutie, frotta sa peau de serviettes chaudes et odorantes qu'elle tira d'un distributeur, vaporisa sur sa nuque et sa gorge, sous ses aisselles et sur la fourrure de son pubis un parfum qui évoquait la verdeur d'un sous-bois, brossa ses cheveux. Son image lui était rendue de trois côtés par de longs miroirs : il lui parut qu'elle n'avait jamais été si fraîche ni resplendi de plus de beauté. L'inconnu allait-il revenir, comme il l'avait promis ?

Elle attendit jusqu'à ce que le haut-parleur annonçât l'approche de Bangkok. Alors, avec une moue de dépit, le cœur brouillé, elle s'habilla, regagna la cabine, retirant son sac et sa jaquette du filet à bagages et les posant sur ses genoux, comme elle s'asseyait dans le fauteuil dont une main prévenante avait de nouveau modifié la forme et auprès duquel avaient été placés une tasse de thé et un plateau de brioches. Son voisin, sur lequel elle jeta un regard distrait, eut une réaction de surprise.

— *But... aren't you going on to Tokyo ?* s'enquit-il, une nuance de contrariété dans la voix.

Emmanuelle devina assez aisément ce qu'il avait voulu dire et secoua négativement la tête. Le visage de l'homme s'assombrit. Il posa une autre question, qu'elle ne comprit pas et, d'ailleurs, elle n'avait guère l'esprit à lui répondre. Elle regardait droit devant elle avec une expression de chagrin.

Le voyageur avait sorti un carnet et il le tendit à Emmanuelle, lui faisant signe d'y écrire. Sans doute voulait-il qu'elle lui laissât son nom, ou une adresse où il pût la retrouver. Mais elle refusa d'un nouveau hochement de tête, le front buté. Elle se demandait si l'inconnu au visage de lierre et à l'odeur de pierre chaude, si le génie fantasque du temple en ruine quitterait avec elle l'avion à Bangkok, ou s'il s'envolerait vers le Japon... Même en ce cas, allait-elle du moins le revoir à l'escale...

Elle le chercha des yeux parmi les passagers qui, descendus de l'appareil, attendaient, groupés sous ses ailes, dans le matin de l'aéroport tropical, qu'on les conduisît aux bâtiments de ciment et de verre dont la silhouette futuriste se détachait sur un ciel déjà blanc de chaleur. Mais elle ne reconnut personne qui eût sa taille et ses cheveux d'automne. L'hôtesse lui souriait : elle la vit à peine. Déjà, on la poussait vers les grilles de la douane. Quelqu'un franchit un barrage, montrant un laissez-passer, et appela Emmanuelle. Elle courut en avant et se jeta, avec un cri de joie, dans les bras tendus de son mari.

2

VERT PARADIS

Est-ce que je vous conseille de tuer vos
[sens ?
Je vous conseille l'innocence des sens.

NIETZSCHE
(« *Ainsi parlait Zarathoustra* »).

LE bassin de mosaïque noire et d'eau rose où dansent
les chevilles d'Emmanuelle est celui du Royal Bangkok
Sports Club. Les épouses et les filles admises à ce cercle
viril viennent, les samedis et dimanches après-midi,
montrer leurs jambes et leurs seins à travers la transpa-
rence de leur robe au pesage du champ de courses et, à
découvert, sur le pourtour de la piscine, les autres jours
de la semaine.

Le visage au creux de ses bras repliés, allongée près
d'Emmanuelle (qui sent par moments la caresse des
cheveux courts sur le flanc de sa cuisse), une jeune
femme au corps de pouliche, que l'affleurement des
muscles sous la peau cuivrée dessine à la sanguine dans
le soleil comme un croquis de sculpteur, parle. Son rire
heureux résonne à la surface de l'eau. La beauté de sa
voix pare ses confidences.

— Gilbert croit de bon ton de jouer l'outragé depuis
le passage du Flibustier : il me fait grief de mes trois

nuits de fugue. Dieu sait pourtant si je suis revenue sagement au logis la quatrième — une fois le Flibustier parti !

Emmanuelle savait que celle-ci était Ariane, femme du comte de Saynes, conseiller de l'ambassade de France, et qu'elle avait vingt-six ans.

— Quelle mouche a donc piqué ton mari ? s'enquit une autre, occupée à peigner, sur une chaise longue de toile rouge, une chienne blasée qu'elle appelait O. Ses principes fléchiraient-ils ?

— Ce qui lui a déplu, ce n'est pas que je passe ces nuits dans la cabine du commandant, mais que je ne l'en aie pas averti. Il croit s'être rendu ridicule en me cherchant partout, jusques et y compris à la police.

Les filles bourdonnèrent. Étalées sur le gril des dalles, dans une torpeur quasi stupéfiée (si entraînées qu'elles fussent à subir cette cuisson), elles formaient une étoile de chair brûlante autour d'Ariane à plat ventre et d'Emmanuelle assise. Cette dernière les entendait plus qu'elle ne les voyait, les reflets de berlingot de l'eau tiède autour de ses jambes l'intéressant, pour l'instant, plus que le spectacle de leurs corps rissolés.

— Où voulait-il que tu sois ? Ce n'était pas bien sorcier à deviner.

— Pour une fois que ce pays offrait une chance de distractions !

— D'autant qu'il avoue m'avoir vue pour la dernière fois à la fin de cette fête à bord : sans armure ni défense entre deux fiers gabiers qui semblaient résolus à se partager ma dépouille.

— Ils l'ont fait ?

— Comment le saurais-je ?

Elle redressa le buste pour interpeller Emmanuelle. Celle-ci ne put se défendre d'admirer une fois de plus l'aisance et la rouerie avec lesquelles ces baigneuses de céramique dénouaient dans leur dos la bride de leur soutien-gorge, soi-disant pour ne pas risquer de rayure claire sur leur hâle, en réalité afin d'enrôler au service de leur silhouette les lois de la pesanteur lorsque, avec une apparente innocence, elles se soulevaient sur les coudes pour saluer un ami qui passait près d'elles.

— Ma chère, lui révéla Ariane, vous avez raté l'occasion du siècle, car il ne se présente pas deux occasions par siècle à Bangkok, comme Chouffie vient de le faire remarquer. Un petit bateau de guerre tout choupinet est venu mouiller, le week-end dernier, dans la rivière, sous prétexte de rendre je ne sais quelle politesse à la marine siamoise. J'aurais voulu que vous voyiez cela : un équipage de chèvre-pieds ! Le commandant — dionysiaque ! Il n'y a eu, pendant trois jours, que cocktails, dîners, danses — et le reste !

L'indiscrétion, le ton désinvolte, le rire aigu des jeunes Françaises qui l'entouraient intimidaient Emmanuelle : elle s'étonnait que son expérience de Parisienne lui fût de si peu de secours pour affronter cette société excessive. Le désœuvrement et le luxe de ces déracinés lui semblaient plus démesurés que le temps le plus perdu, l'argent le moins modeste d'Auteuil et de Passy. Leur oisiveté même, elles la vivaient avec intensité, dans une parade sans improvisation ni relâche. Et tout paraissait indiquer qu'elles n'avaient d'autre souci au long des jours, quel que fût le lieu et quel que fût leur âge, leur apparence, leur condition, que de séduire ou être séduites.

L'une d'elles, dont la crinière fauve s'enchevêtrait avec une profusion de mirage sur les épaules et jusqu'aux hanches, nonchalamment se leva et vint au bord de la piscine, où elle resta debout, s'étirant et bâillant, les jambes en V, l'entrejambe, étroit comme un lacet, de son bikini blanc laissant fuser la touffe ensoleillée de ses poils de lionceau et, aux yeux soudain attentifs d'Emmanuelle, découvrant la moulure du sexe : un sexe fort, exercé, dont la pureté de visage et la grâce de lignes de la jeune fille aggravaient l'impudeur.

— Jean n'est pas si sot, avisa-t-elle. Il s'est informé du départ du Flibustier avant de faire venir sa femme.

— Dommage, constata Ariane, d'un ton de regret sincère. Elle aurait eu un succès fou.

— Pourtant, je ne vois pas très bien comment il pouvait croire Emmanuelle plus en sécurité à Paris, ironisa une des filles demi-nues. Elle ne devait pas y être négligée !

Ariane regarda Emmanuelle avec, semblait-il, un intérêt accru. Une des acolytes commenta avec flegme :

— C'est vrai. Son mari ne doit pas être jaloux, pour l'avoir laissée ainsi un an toute seule.

— Pas un an, six mois ! rectifia Emmanuelle.

Elle scrutait le relief ourlé de la vulve, si près d'elle qu'elle aurait pu, en se penchant de côté, la toucher des lèvres.

— Je pense qu'il a bien fait de ne pas vous demander de venir ici en même temps que lui, intervint la maîtresse d'O. Il a passé presque tous les derniers mois dans le Nord ; il n'avait pas encore de maison et devait loger à l'hôtel chaque fois qu'il était à Bangkok. Ce n'aurait pas été une vie pour vous.

Et elle ajouta aussitôt :

— Comment trouvez-vous votre villa ? J'ai entendu dire qu'elle était ravissante.

— Oh ! elle est à peine terminée : il manque encore des meubles. Ce que j'aime surtout, c'est le jardin, avec ses grands arbres. Il faudra que vous veniez voir, acheva poliment Emmanuelle.

— N'allez-vous pas tout de même être seule à Bangkok les trois quarts de l'année ? se renseigna quelqu'un du cortège d'Ariane.

— Mais non, répliqua Emmanuelle avec un peu d'irritation. Maintenant que les ingénieurs sont installés, Jean n'a plus besoin d'aller à Yarn Hee : il aura assez à faire au siège. Il restera tout le temps avec moi.

— Bah ! fit la comtesse avec un rire rassurant, la ville est grande.

Comme Emmanuelle n'avait pas l'air de comprendre à quoi cette étendue pouvait servir, Ariane expliqua :

— Le travail va accaparer ses journées, vous verrez. Vous aurez tout l'espace et le loisir voulus pour faire manœuvrer vos galants. C'est encore une chance que les hommes valides de ce pays ne soient pas tous aussi occupés que nos époux ! Vous conduisez vous-même ?

— Oui, mais je n'ose pas me lancer dans ce labyrinthe de rues impossibles. Jean me laisse le chauffeur, jusqu'à ce que j'aie appris à me repérer.

— Vous aurez vite fait de connaître l'essentiel. Et je vous piloterai.

— Autrement dit, Ariane se charge de vous débaucher !

— Billevesées ! Emmanuelle n'a pas besoin de moi pour cela. J'ai plutôt envie qu'elle me raconte ses propres fredaines : Minoute a raison, il n'y a vraiment qu'à Paris que l'on peut rôtir le balai à gogo.

— Mais je n'ai rien à raconter, objecta faiblement Emmanuelle.

Par chance, le langage panaché d'Ariane l'égayait ; sinon, elle se serait sentie presque misérable.

— Soyez tranquille, affirma celle qui se montrait la plus anxieuse de connaître ses secrets. Vous pouvez nous faire les confidences les plus impudiques : nous sommes des tombeaux !

— Que voulez-vous que je vous dise ? Pendant tout le temps que je suis restée en France, affirma Emmanuelle avec une force et une sérénité soudaines, je n'ai jamais trompé mon mari.

Pendant un moment, le silence régna parmi les femmes. Elles semblaient évaluer la portée de cette déclaration. L'accent de sincérité d'Emmanuelle les avait impressionnées. La comtesse regardait la nouvelle venue avec un peu de dégoût. Cette petite était-elle une prude ? Pourtant, à en juger par son costume...

— Depuis combien de temps êtes-vous mariée ? interrogea-t-elle.

— Presque un an, répondit Emmanuelle.

Et elle ajouta, pour les rendre jalouses de sa jeunesse :

— Je me suis mariée à dix-huit ans.

Brusquement, elle dit encore, de peur de leur laisser reprendre l'avantage :

— Un an de mariage dont la moitié de séparation ! Vous pensez si je suis heureuse d'avoir retrouvé Jean.

Ses yeux, à sa propre surprise et avant qu'elle ait eu le temps de les détourner, s'embuèrent.

Les jeunes femmes hochèrent la tête, comme pour exprimer leur sympathie. En réalité, elles pensaient : « Celle-ci n'appartient pas à notre camp. »

— Aimeriez-vous venir à la maison prendre un milk-shake ?

Emmanuelle n'a pas remarqué plus tôt celle qui vient de se lever, d'un saut. Mais déjà, la mine de fermeté, l'assurance presque protectrice du nouveau visage l'amusent — parce que ce visage est en même temps celui d'une petite fille.

Pas si petite que ça, corrige-t-elle, tandis que l'adolescente se campe, semblant la prendre sous sa garde. Dans les treize ans, sans doute, mais presque aussi grande qu'elle-même. La différence est dans la maturité de leur corps : celui-ci a quelque chose d'encore brut, d'incomplètement délié. Peut-être est-ce, d'ailleurs, par le grain de la peau qu'il se rattache le plus à l'enfance : une peau sur laquelle la patine du soleil ne prend pas — qui n'est pas chaude de ton, civilisée, élégante comme celle d'Ariane. Emmanuelle la juge même, à première vue, un peu rugueuse... Mais pas vraiment : plutôt picotée, comme d'une très fine chair de poule. Sur les bras, surtout. Elle paraît plus vernie sur les jambes. De belles jambes de garçon — à cause de leurs chevilles aux tendons en relief, de leurs genoux et de leurs mollets durs, de leurs cuisses nerveuses. Plaisantes à voir pour leurs proportions réussies et leur force légère plutôt que pour l'émotion un peu trouble que font généralement naître les jambes de femmes. Celles-ci, Emmanuelle les imagine plus aisément courant sur le sable ou se détendant sur le tremplin d'un plongeoir que, défaites par la caresse d'une main, ouvrant à un corps impatient la porte d'un corps docile.

Elle reçoit la même impression du ventre de sportive, concave, creusé par l'entrain, palpitant comme un cœur, de tout le tonus de ses muscles alignés, et que l'exiguïté du triangle d'étoffe — pas plus que ne porte à la scène une danseuse nue — ne parvient même pas à rendre indécent.

Les petits seins pointus ne le sont pas davantage, si peu dissimulés qu'ils sont eux-mêmes par le symbolique ruban du bikini. « C'est joli, se dit Emmanuelle, mais, vraiment, pourquoi ne reste-t-elle pas le torse nu, ce serait encore mieux, et je suis bien tranquille que cela ne donnerait de mauvaises pensées à personne » (à la réflexion, elle n'en est plus aussi sûre). Elle se demande quelle peut être la sensualité d'aussi jeunes seins, puis elle se remémore les siens et les plaisirs qu'elle en tirait lorsqu'ils marquaient à peine encore son profil, pas même aussi saillants, reconnaît-elle, que ceux-là, car, à mesure qu'elle les regarde mieux, ils lui paraissent moins négligeables. Il se peut que ce soit le contraste de ceux d'Ariane qui ait d'abord influencé son jugement. Ou bien les hanches étroites, ou la taille d'écolière...

Ou peut-être aussi les longues nattes épaisses qui jouent sur cette poitrine rose. Ces nattes, voilà qui enchante Emmanuelle. Elle n'a jamais vu de cheveux pareils. Si blonds, si fins qu'ils en sont presque invisibles — ni paille, ni lin, ni sable, ni or, ni platine, ni argent, ni cendres... A quoi les comparer ? A certains écheveaux de soie grège, mais non pas tout à fait blanche cependant, dont on se sert pour broder. Ou au ciel d'aurore. Ou au pelage du lynx des neiges... Emmanuelle rencontre les yeux verts et elle oublie tout le reste.

Obliques, allongés, se relevant vers les tempes d'un mouvement si rare qu'on les croirait fourvoyés sur ces joues claires d'Européenne — mais si verts, il est vrai ! si lumineux ! Emmanuelle y voit passer, comme surgit et vire le faisceau d'un phare, tour à tour des lueurs d'ironie, de sérieux, de raison, d'extraordinaire autorité, puis, soudain, de sollicitude, voire de compassion, et, encore, de malice rieuse, de fantaisie, d'ingénuité, de complicité : des feux d'ensorcellement.

« Les yeux de Lilith ! », songe Emmanuelle.

Bien sûr, elle ne revoit pas en cette jeune fille la belle démone, l'oiseau de nuit diffamé, mais la femme qui précéda Ève dans l'histoire des commencements. A peine créée, elle s'envola. L'obéissant, dévot et incurieux Adam l'avait déçue. Depuis ce temps, elle n'a cessé de revivre fabuleusement dans les cœurs mortels. Maintenant même, Emmanuelle la retrouve telle que l'inventaient ses rêveries d'enfance — sœur nécessaire, scandale juste, exemple — haussant en riant ses épaules d'ange. Et le ciel de Siam, au-dessus d'Emmanuelle, autour d'elle, s'anime en secret de bruissements d'ailes. Par la grâce d'un regard couleur de feuilles naissantes, est-ce la Merveille revenue qui transparaît soudain dans l'air aveuglant ? Est-ce ainsi qu'aux premiers matins du Soleil l'arbre de la connaissance du bien et du mal a verdi et qu'ont été bravées les défenses ? Une minceur androgyne et une voix indocile vont-elles à nouveau déranger le paradis terrestre ? Une promesse jamais tenue servira-t-elle enfin à innocenter les désirs ?

— Je m'appelle Marie-Anne.

Et, sans doute parce qu'Emmanuelle, tout à sa vision, a oublié de lui répondre, elle répète son invitation :

— Voulez-vous m'accompagner chez moi ?

Cette fois, Emmanuelle lui sourit et, à son tour, se lève. Elle explique qu'elle ne peut accepter aujourd'hui, parce que Jean va venir la chercher au club et l'emmener faire des visites. Elle ne rentrera qu'assez tard. Mais elle serait tellement heureuse que Marie-Anne vînt la voir le lendemain. Sait-elle où elle habite ?

— Oui, dit brièvement Marie-Anne. D'accord. A demain après-midi !

Emmanuelle profite de la diversion pour échapper à la bande. Elle prétexte qu'elle ne veut pas faire attendre son mari. Elle se hâte vers sa cabine.

**
*

— Crois-tu que la chambre d'amis pourra être prête dans quelques jours ? demanda à Emmanuelle son mari lorsqu'ils se mirent à table.

Les murs escamotables, en ce moment repliés, s'ouvraient sur un rectangle d'eau, où des lotus, le matin roses, mauves, blancs ou bleus, dodelinaient le soir leurs calices verts.

— On peut s'en servir dès maintenant, si l'on veut. Il n'y manque que des rideaux et les coussins multicolores que je veux mettre sur le lit. Ah ! oui, aussi une lampe.

— J'aimerais bien que la pièce soit tout à fait en état dimanche en huit.

— Sûrement, elle le sera. Il ne faut pas dix jours pour installer ça. Quelqu'un doit venir ?

— Oui : Christopher. Tu sais... Il a la Malaisie. Depuis un mois. Avant que tu n'arrives, je l'ai invité. Il vient de répondre. Tout s'arrange au mieux : la maison elle-même l'envoie faire un tour en Thaïlande. Il pourra passer plusieurs semaines avec nous. Cela va faire trois ans que je ne l'ai pas revu. Tu verras, c'est un type bien.

— C'est lui, n'est-ce pas, qui est resté avec toi à Assouan, après la construction du barrage ?

— Oui, le seul qui ne s'est pas dégonflé.

— Je me souviens, maintenant. Tu m'as raconté comme il est sérieux...

Jean rit de la moue de sa femme.

— Sérieux, d'accord, mais tout de même pas sinis-

tre ! Je l'aime bien. Et je suis sûr qu'il te plaira, à toi
aussi.

— Quel âge a-t-il ?

— Six ou sept ans de moins que moi. Il sortait à
peine d'Oxford, à l'époque.

— Il est anglais ?

— Non. Enfin, oui, à moitié. Par sa mère. Mais son
père est l'un des fondateurs de la société. Ne t'imagine
cependant pas qu'il est du genre fils à papa. Au
contraire, c'est un bûcheur. On peut lui faire confiance.

Emmanuelle était un peu déçue de devoir déjà
partager l'intimité retrouvée. Néanmoins, elle résolut
sur-le-champ de bien accueillir ce visiteur si cher à son
mari. Elle se souvenait de photos où Christopher
apparaissait en explorateur athlétique et bronzé, au
sourire rassurant, et elle se dit qu'à tout prendre, elle
aimait mieux l'avoir pour hôte que les vieux P.-D.G.
bedonnants qu'il lui faudrait sûrement, plus tard,
guider à travers les curiosités de la ville, en les
protégeant de l'insolation et des moustiques.

Elle s'enquit d'autres détails, avide d'images des
années dangereuses, au temps où elle ne connaissait pas
encore Jean. S'il avait été tué alors, elle ne serait jamais
devenue sa femme : cette pensée lui serrait le cœur.
Elle ne pouvait plus manger.

Le boy circulait autour de la table, apportant des
noix de coco fourrées de flan d'œuf et de caramel, après
le riz glacé et les beignets de fleurs que la vieille
cuisinière aux dents rouges avait mis trois jours à
préparer en l'honneur de la nouvelle maîtresse. Il
avançait en se détendant alternativement sur la pointe
des pieds, prenant chaque fois élan comme pour
bondir. Emmanuelle en avait un peu peur. Il faisait
trop peu de bruit, il était trop fort et trop souple, trop
bien ajusté, trop toujours là — trop comme un chat.

**
*

Marie-Anne arriva dans une voiture américaine blanche, qu'un chauffeur indien à turban et à barbe noire conduisait. Il repartit aussitôt après l'avoir déposée.

— Tu pourras me reconduire, Emmanuelle ? demanda Marie-Anne.

Emmanuelle fut saisie par le tutoiement. Elle remarqua aussi, mieux que la veille, combien la voix était en harmonie avec les tresses et la peau. Elle eut, dans une impulsion, envie d'embrasser l'enfant sur les deux joues, mais quelque chose l'en retint. Peut-être les petits seins pointus sous le chemisier bleu ? Ou les yeux verts ? C'était absurde ! Marie-Anne se tenait tout près d'elle.

— Ne fais pas attention à ce que racontent ces idiotes, dit-elle. Ce sont des vantardes. Elles ne font pas le dixième de ce qu'elles prétendent.

— Bien sûr ! convint Emmanuelle, après une seconde d'incompréhension : Marie-Anne, d'évidence, se référait à ses aînées de la piscine. Voulez-vous que nous allions sur la terrasse ?

Aussitôt, elle regretta le « vous », instinctivement employé. Marie-Anne accepta l'offre d'un mouvement de tête. Elles montèrent à l'étage. En passant devant la porte de sa chambre, Emmanuelle se rappela subitement la grande photo nue que Jean gardait d'elle à son chevet. Elle hâta le pas, mais Marie-Anne s'était déjà arrêtée devant le grillage moustiquaire qui séparait la pièce du palier.

— C'est ta chambre ? dit-elle. Je peux voir ?

Elle poussa le panneau, sans attendre la réponse. Emmanuelle la suivit. La visiteuse pouffa de rire.

— Quelle immensité de lit ! Combien tenez-vous là-dedans ?

Emmanuelle rougit.

— Ce sont deux lits, en réalité. Ils sont joints l'un contre l'autre.

Marie-Anne regardait la photo.

— Tu es belle, dit-elle. Qui t'a prise ?

Emmanuelle voulut mentir, dire que c'était Jean, mais elle n'y parvint pas.

— Un artiste, un ami de mon mari, convint-elle.

— Tu as d'autres photos ? Il n'a pas dû prendre que celle-ci. N'en as-tu pas où tu es en train de faire l'amour ?

La tête d'Emmanuelle lui tourna légèrement. Quelle sorte de petite fille était-ce là, qui la regardait de ses grands yeux clairs, avec ce sourire de fraîcheur, en posant sur un ton de camaraderie, sans émotion apparente, d'aussi étonnantes questions ? Et le pire était que, peut-être à cause de ce regard, Emmanuelle sentait qu'elle-même ne pourrait faire autrement que de dire la vérité et que cette enfant avait le pouvoir de lui arracher, si elle le voulait, les aveux les plus secrets. Elle ouvrit brusquement la porte, comme si ce geste avait dû la défendre.

— Vous venez ? dit-elle.

Une fois de plus, elle avait oublié le « tu ».

Marie-Anne sourit fugitivement. Elles débouchèrent sur une terrasse, qu'une tente rayée de jaune et blanc abritait du soleil. La rivière proche faisait courir une brise tiède. Marie-Anne s'exclama :

— Quelle chance tu as ! Il n'y a pas d'autre maison à Bangkok qui ait une situation pareille. Quelle vue merveilleuse et comme on se sent confortable !

Elle resta un moment immobile devant le paysage de cocotiers et de flamboyants. Puis, d'un geste naturel, elle dégrafa la haute ceinture de raphia qui serrait sa taille et la lança sur un des fauteuils de rotin. Sans autre délai, elle fit glisser la fermeture de sa jupe bariolée, qui tomba d'un coup à ses pieds. La jeune fille sauta hors du cercle que l'étoffe dessinait sur le carrelage. Sa blouse s'arrêtait aux hanches, plus bas que ne montait l'échancrure latérale du slip, de sorte qu'on ne voyait de celui-ci, devant et derrière, qu'un étroit bandeau vertical cramoisi orné de dentelle. Elle s'affala sur une des chaises longues, s'empara d'un magazine, ne perdant pas une minute.

— Il y a un siècle que je n'ai pas eu de revues françaises. D'où sort celle-là ?

Elle s'arrangea à son aise, les jambes allongées sagement côte à côte. Emmanuelle poussa un soupir, chassa les pensées confuses qui l'assaillaient, s'installa face à Marie-Anne. Celle-ci éclata de rire.

— Qu'est-ce que c'est que cette histoire : « *L'Huile de Hibou* » ? Cela ne t'ennuie pas que je la lise maintenant ?

— Mais non, Marie-Anne.

La visiteuse se plongea dans sa lecture. Le volume ouvert cachait son visage.

Elle ne resta pas longtemps immobile : déjà, son corps s'animait de soubresauts rapides, pareils aux écarts d'un jeune cheval. Elle releva un genou, et sa cuisse gauche, quittant le plan où elle s'était tenue auparavant, serrée contre l'autre, vint mollement s'appuyer à l'accoudoir du siège. Emmanuelle tenta de glisser un regard par l'entrebâillement du slip. Une main de Marie-Anne quitta le livre et vint, sans hésitation, entre les jambes disjointes, écarter le nylon et chercher, très bas, un point qu'elle sembla trouver et sur lequel elle se fixa pour un instant. Puis elle remonta, découvrant après son passage l'entaille entre les chairs bordées. Elle joua sur le renflement qui tendait l'étoffe, puis redescendit, se glissa sous les fesses et recommença son périple. Mais, cette fois-ci, seul le médius était abaissé, les autres doigts, soulevés avec grâce, l'encadrant comme des élytres ouverts : il effleura la peau, jusqu'à ce que le poignet, brusquement ployé, se reposât. Emmanuelle sentait son cœur battre si fort qu'elle craignait qu'on ne l'entendît. Sa langue pointait entre ses lèvres.

Marie-Anne continua son jeu. Le maître-doigt appuya plus profondément, écartant la chair. De nouveau, il s'arrêta, traça un cercle, hésita, tapota, vibra d'un mouvement presque invisible. Un son incontrôlé sortit de la gorge d'Emmanuelle. Marie-Anne abaissa son livre et lui fit un sourire.

— Tu ne te caresses pas ? s'étonna-t-elle. Elle pencha la tête sur son épaule, le regard futé. Moi, je me caresse toujours quand je lis.

Emmanuelle approuva de la tête, incapable de parler. Marie-Anne posa sa lecture, cambra les reins, porta ses mains aux hanches et, d'un geste vif, fit descendre le slip rouge sur ses cuisses. Elle agita les jambes en l'air, jusqu'à ce qu'elle en fût libérée. Puis elle se détendit, ferma les yeux et, de deux doigts, sépara les muqueuses roses.

— C'est bon, à cet endroit, dit-elle. Tu ne trouves pas ?

Emmanuelle opina de nouveau du chef. Marie-Anne disait, sur un ton de conversation banale :

— J'aime mettre très longtemps. C'est pourquoi je ne touche pas trop le haut. Il vaut mieux faire des va-et-vient dans la fente.

Le geste illustrait le précepte. A la fin, ses reins ébauchèrent un arc et elle laissa passer une faible plainte.

— Oh ! dit-elle, je ne peux plus m'empêcher !

Son doigt tressaillait sur le clitoris comme une libellule. La plainte devint cri. Ses cuisses s'ouvrirent violemment, se refermèrent d'un coup sur la main prisonnière. Elle cria longtemps, de façon presque déchirante, et retomba, pantelante. Puis, le souffle retrouvé en quelques secondes, elle ouvrit les yeux.

— C'est vraiment trop bon ! ronronna-t-elle.

Et, la tête derechef inclinée, elle introduisit le médius dans son sexe, précautionneusement, délicatement. Emmanuelle se mordait les lèvres. Lorsque le doigt eut disparu jusqu'au bout, Marie-Anne poussa un long soupir. Elle rayonnait de santé, de bonne conscience, de satisfaction du devoir accompli.

— Caresse-toi aussi, encouragea-t-elle.

Emmanuelle hésita, comme à la recherche d'une issue. Mais ce désarroi ne dura guère. Elle se leva brusquement et ouvrit son short. Elle le fit glisser le long de ses jambes. Elle ne portait rien dessous. Son pull orangé faisait ressortir le lustre de son pubis noir.

Quand Emmanuelle fut de nouveau étendue, Marie-Anne vint s'asseoir à ses pieds, sur un pouf de peluche touffue. Elles étaient maintenant toutes deux dans le même appareil, le buste vêtu, le bas-ventre et les fesses nus. Marie-Anne regardait de tout près le sexe de son amie.

— Comment aimes-tu te caresser ? demanda-t-elle.

— Mais comme tout le monde ! dit Emmanuelle, que le souffle léger de Marie-Anne sur ses cuisses égarait.

La main de la petite fille, si elle s'était posée sur elle, l'aurait délivrée de la tension de ses sens et aussi de sa gêne. Mais Marie-Anne ne la touchait pas.

— Fais-moi voir, dit-elle seulement.

Du moins la masturbation fut-elle pour Emmanuelle un soulagement immédiat. Il lui sembla qu'un rideau se tendait entre elle et le monde et, à mesure que ses doigts accomplissaient entre ses jambes leur mission familière, la paix s'installa en elle. Elle ne chercha pas, cette fois, à prolonger le régal de l'attente. Elle avait besoin de retrouver vite une assise, un terrain connu ; et elle n'en connaissait aucun mieux que l'éblouissant refuge de l'orgasme.

— Comment as-tu appris à jouir, Emmanuelle ? demanda Marie-Anne, lorsque son amie eut recouvré ses esprits.

— Toute seule. Ce sont mes mains qui ont découvert ça d'elles-mêmes, dit Emmanuelle, riant.

Elle se sentait de bonne humeur et, désormais, le cœur à bavarder.

— Est-ce que tu savais déjà faire, à treize ans ? interrogea Marie-Anne, avec doute.

— Tu penses bien, depuis longtemps ! Pas toi ?

Marie-Anne s'abstint de répondre et poursuivit son enquête.

— Et à quel endroit préfères-tu te caresser?

— Oh! à plusieurs. La sensation est différente à la pointe, ou sur la tige, ou près de la base : là. Est-ce que ça n'est pas la même chose, avec toi?

Marie-Anne, de nouveau, ne tint pas compte de la question. Elle dit :

— Caresses-tu seulement ton clitoris?

— Non, quelle idée! La toute petite ouverture, tu sais, juste au-dessous : l'urètre. C'est aussi très sensible. Il suffit que je la touche du bout des doigts pour que je jouisse tout de suite.

— Qu'est-ce que tu fais encore?

— J'aime à me caresser en dedans des lèvres, où c'est le plus mouillé.

— Avec tes doigts?

— Et aussi avec des bananes (la voix d'Emmanuelle eut un accent de fierté); je les fais pénétrer jusqu'au bout. Je les pèle, d'abord. Il ne faut pas qu'elles soient mûres. Les longues, vertes, qu'on trouve ici au marché flottant — ce que c'est bon!

D'évoquer cette volupté, elle se sentait défaillir. Elle était si captivée par les images de ses délectations solitaires qu'elle en avait presque oublié la présence d'une autre. Ses doigts pétrirent sa vulve. Elle aurait voulu que quelque chose, en ce moment, s'y enfonçât. Elle se tourna sur le côté, vers Marie-Anne, les paupières closes, les jambes grandes écartées. Il lui fallait absolument de nouveau jouir. Elle frotta de ses doigts joints le versant intérieur des lèvres de son sexe, à grands mouvements rapides, très réguliers, pendant plusieurs minutes, jusqu'à ce qu'elle fût assouvie.

— Tu vois, je peux me caresser plusieurs fois de suite, coup sur coup.

— Tu le fais souvent?

— Oui.

— Combien de fois par jour?

56

— Ça dépend. Tu comprends, à Paris, j'étais dehors le plus clair du temps : à la Fac, ou à courir les magasins. Je ne pouvais presque jamais me faire jouir plus d'une ou deux fois le matin : en me réveillant, en prenant mon bain. Et puis deux ou trois fois le soir, avant de m'endormir. Et, encore pendant la nuit, lorsque je m'éveillais. Mais, quand je suis en vacances, je n'ai rien d'autre à faire : je peux me caresser beaucoup plus. Et, ici, ça va être tout le temps les vacances !

Elles restèrent ensuite sans rien dire, proches l'une de l'autre, savourant l'amitié qui naissait de leur franchise. Emmanuelle était heureuse d'avoir pu parler de ces choses, d'avoir surmonté sa timidité. Heureuse surtout, sans oser tout à fait se l'avouer, de s'être masturbée devant cette fille qui aimait à regarder, qui savait jouir. Elle la parait déjà dans son cœur de tous les mérites. Et elle la trouvait maintenant si jolie ! Ces yeux d'elfe... Et cette coupure songeuse qui dessinait une moue au visage d'en bas, aussi expressive, aussi distante, aussi charnue que l'autre ! Et ces cuisses ouvertes, sans gêne, insoucieuses de leur nudité... Elle demanda :

— A quoi penses-tu, Marie-Anne ? Tu as l'air si grave !

Et, pour jouer, elle tira une des nattes.

— Je pense aux bananes, dit Marie-Anne.

Elle plissa le nez et toutes deux rirent à en perdre le souffle.

— C'est pratique de ne plus être vierge, commenta l'aînée. Autrefois, pas de bananes ! Je ne savais pas ce que je manquais.

— De quelle façon as-tu commencé avec les hommes ? enquêta Marie-Anne.

— C'est Jean, dit Emmanuelle, qui m'a déflorée.

— Tu n'avais eu personne, avant ? se récria Marie-Anne, si manifestement scandalisée que son interlocutrice prit un ton d'excuse.

— Non. Enfin, pas vraiment. Naturellement, les garçons me caressaient. Mais ils ne savaient pas trop bien s'y prendre.

Elle retrouva son assurance pour dire :

— Jean, lui, m'a fait l'amour tout de suite. C'est pour cela que je l'ai aimé.

— Tout de suite ?

— Oui, le deuxième jour que je l'ai connu. Le premier, il est venu chez moi ; il était un ami de mes parents. Il m'a regardée tout le temps, d'un air amusé, comme s'il voulait me faire enrager. Il s'est arrangé pour se trouver seul avec moi, m'a posé des questions sur tout : combien j'avais eu de flirts, si j'aimais faire l'amour. J'étais terriblement embarrassée, mais je ne pouvais pas m'empêcher de lui dire la vérité. Un peu comme à toi ! Et lui aussi voulait avoir toutes sortes de précisions. Le lendemain après-midi, il m'a invitée à faire une promenade dans sa belle voiture. Il m'a dit de m'asseoir tout contre lui et il a immédiatement caressé mes épaules, puis mes seins, tandis qu'il conduisait. Finalement, il a arrêté l'auto dans un chemin de la forêt de Fontainebleau et il m'a embrassée pour la première fois. Il m'a dit, d'un ton qui, je ne sais pourquoi, me rassurait complètement sur ce qui allait arriver : « Tu es vierge, je vais te prendre. » Et nous sommes restés longtemps là, sans parler ni bouger, serrés l'un contre l'autre. Mon cœur a fini par battre un peu moins fort. J'étais heureuse. Cela arrivait exactement de la façon dont j'aurais pu rêver (bien qu'en réalité je n'y aie jamais rêvé). Jean me dit de retirer moi-même ma culotte et je me hâtai de lui obéir, car je voulais coopérer à ma défloraison, pas la subir passivement. Il me fit étendre sur la banquette de l'auto, dont la capote était abaissée : je voyais la tête verte des arbres. Lui se tenait debout dans l'ouverture de la portière. Il n'a pas commencé par me caresser. Il est entré en moi tout de suite, de telle manière, pourtant, que je ne me rappelle pas avoir eu mal. Au contraire, j'ai tellement joui que je me suis évanouie — ou endormie, je ne sais plus. En tout cas, je ne me souviens plus de rien jusqu'au restaurant dans la forêt, où nous avons dîné tous les deux. C'était merveilleux ! Jean a ensuite demandé une chambre. Et nous avons continué de faire l'amour jusqu'à minuit. J'ai eu vite fait d'apprendre !

— Qu'ont dit tes parents ?

— Oh ! rien ! Le lendemain, je criais partout que je n'étais plus vierge et que j'étais amoureuse. Ils ont eu l'air de trouver ça normal.

— Et Jean t'a demandée en mariage ?

— Certainement pas ! Ni lui ni moi n'avions l'idée de nous marier. Je n'avais même pas dix-sept ans. Je venais juste de passer mon bac. Et j'étais bien trop contente d'avoir un amant, d'être la « maîtresse » d'un homme.

— Pourquoi t'es-tu mariée, alors ?

— Un beau jour, Jean m'a annoncé, tranquillement comme toujours, que sa société l'envoyait au Siam. J'ai cru que j'allais tomber par terre de chagrin. Mais il ne m'en a pas laissé le temps. Il a continué, sans plus de préambule :

— Je vais t'épouser avant de partir. Tu viendras me rejoindre plus tard, lorsque j'aurai une maison où t'installer.

— Quelle impression cela t'a fait ?

— Ça m'a paru féerique, trop beau pour être vrai. Je riais comme une folle. Un mois après, nous étions mariés. Mes parents avaient jugé tout naturel que je sois la maîtresse de Jean, mais ils ont poussé les hauts cris quand il a parlé de m'épouser. Ils ont tenté de lui prouver qu'il était trop vieux, que j'étais trop jeune, « trop innocente », même ! Comment trouves-tu ça ? Mais c'est lui qui les a convaincus. Je voudrais bien savoir ce qu'il a pu leur dire. Mon père a dû être coriace : il ne pouvait se résigner à ce que je laisse tomber math sup.

— Quoi ? dit Marie-Anne.

— L'année de mathématique que j'avais commencée à la fac.

Marie-Anne éclata de rire.

— Quelle idée !

Emmanuelle eut l'air contrariée :

— Je ne vois pas ce que ça a de si drôle. Je voulais être astronome.

Une rêverie éclair l'enleva, quelques secondes, dans le ciel physique dont elle avait abandonné l'étude pour répondre à une autre attirance. Lorsqu'elle parla à nouveau, sa voix révéla la nostalgie de ces espaces à venir, mais aussi sa détermination de ne pas y renoncer pour toujours.

— Je le veux encore. Dès que je serai installée, je me remettrai à la poursuite des étoiles. Il doit bien y avoir un observatoire, dans ce pays. Et des profs qui sauront m'apprendre à manier les parsecs.

D'un geste expéditif, Marie-Anne fit comprendre que ce sujet n'était pas inscrit à son ordre du jour. Elle ramena à ses classes terrestres l'écolière buissonnière :

— Comment se sont passés tes débuts de femme mariée ? interrogea-t-elle.

— Jean devait partir après notre mariage. Mais, par chance, il a été retardé de six mois. Grâce à quoi nous n'avons pas été séparés tout de suite. J'ai pu être sa femme légitime aussi longtemps que j'avais été son amante. Et j'ai trouvé que c'était aussi amusant d'être mariée que d'être pécheresse. Quoique, au début, ça m'ait paru drôle de faire l'amour la nuit.

— Et après ? Où as-tu vécu, pendant son absence ? Chez tes parents ?

— Mais non ! Dans son appartement, enfin *notre* appartement, rue du Docteur-Blanche.

— Il n'avait pas peur de te laisser comme ça, toute seule ?

— Peur ? De quoi ?

— Comment, de quoi ? Que tu le trompes !

Emmanuelle parut juger l'hypothèse saugrenue.

— Je ne suppose pas. Nous n'en avons jamais parlé. Ça n'a pas dû lui venir à l'esprit. Ni à moi non plus.

— Mais tu l'as bien tout de même fait, ensuite ?

— Pourquoi ? Non. Des tas d'hommes couraient après moi. Je les trouvais ridicules...

— Alors, ce n'est pas de la blague, ce que tu as dit aux filles ?

— Aux filles ?

— Hier, tu ne te rappelles déjà plus ? Tu leur as déclaré que tu n'avais jamais couché avec un autre homme que ton mari.

Emmanuelle hésita, une fraction de seconde. Il n'en fallut pas plus pour qu'instantanément Marie-Anne fût en alerte. Elle pivota, se mit à genoux, se pencha par-dessus l'accoudoir, dardant le soupçon.

— Il n'y a pas un mot de vrai dans tout cela, dénonça-t-elle, justicière. Il n'y a qu'à regarder ta figure. Tu devrais voir comme tu as l'air franche !

Emmanuelle essaya, sans conviction, de se dérober.

— D'abord, je n'ai jamais dit une chose pareille...

— Quoi ! Tu n'as pas dit à Ariane que tu ne trompais pas ton mari ? C'est même pour cela que j'ai voulu te parler. Parce que je ne te croyais pas. Heureusement !

Emmanuelle maintint sa casuistique :

— Eh bien ! tu as tort. Et je te répète que je n'ai pas dit ça de la façon dont tu le racontes. J'ai simplement dit que j'étais restée fidèle à Jean tout le temps que j'ai été à Paris. Voilà.

— Qu'est-ce que ça veut dire : voilà ?

Marie-Anne scruta le visage d'Emmanuelle, qui se forçait à la désinvolture. Abruptement, la jeune fille changea de tactique. Sa voix se fit câline.

— D'ailleurs, pourquoi aurais-tu été fidèle, je me le demande ? Il n'y avait pas de raison que tu te prives.

— Je ne me privais pas . je n'avais envie de personne. C'est simple.

Marie-Anne fit une moue, réfléchit, puis questionna :

— Donc, si tu avais eu envie de quelqu'un, tu aurais fait l'amour avec lui ?

— Mais oui.

— Qu'est-ce qui le prouve ? défia Marie-Anne, la voix acide comme un enfant chamailleur.

Emmanuelle la regarda d'un air indécis, puis, soudain, dit :

— Je l'ai fait.

Marie-Anne fut électrisée. Elle se leva d'un bond, se rassit, croisa les jambes en tailleur, posa les deux mains sur ses genoux.

— Tu vois, moralisa-t-elle, la mine outrée, l'accent blessé. Et tu essayais de faire croire que non !

— Je ne l'ai pas fait *à Paris,* expliqua Emmanuelle, d'un ton de patience. *Dans l'avion.* L'avion qui m'amenait ici. Tu comprends ?

— Et avec qui ? pressa Marie-Anne, qui affichait de ne plus vouloir se fier à rien.

Emmanuelle prit son temps, puis dévoila :

— Avec deux hommes, dont je ne sais pas le nom.

Si elle pensait faire sensation, elle dut déchanter, car Marie-Anne ne broncha pas ; elle poursuivit son interrogatoire :

— Ils ont joui en toi ?

— Oui.

— Ils étaient très profond, en dedans de toi ?

— Oh ! oui.

Emmanuelle porta instinctivement la main à son ventre.

— Caresse-toi, en me racontant, ordonna Marie-Anne.

Mais Emmanuelle secoua négativement la tête. Elle semblait soudain frappée d'aphasie. Marie-Anne l'examina d'un œil critique.

— Va, intima-t-elle, parle !

Emmanuelle obéit, d'abord à contrecœur et avec embarras, puis, bientôt, excitée par sa propre histoire, sans plus se faire prier et, au contraire, s'efforçant de n'oublier aucun détail. Elle s'arrêta après avoir dit comme la statue grecque l'avait ravie. Marie-Anne l'avait écoutée d'un air studieux, changeant plusieurs fois de posture... Elle affecta pourtant de n'être pas particulièrement impressionnée.

— Tu l'as dit à Jean ? s'informa-t-elle.
— Non.
— Tu as revu ces deux hommes ?
— Évidemment pas !

Il sembla que, pour le moment, Marie-Anne n'eût plus rien à demander.

Emmanuelle appela une petite servante — tout droit sortie, noire chevelure fleurie, corps ocre et sarong écarlate, d'un rêve de Gauguin — pour qu'elle leur fît du thé. Elle remit son short et Marie-Anne son slip. La jupe multicolore resta sur le sol. La jeune fille réclama ensuite de voir toutes les photos d'Emmanuelle nue et celle-ci alla les lui chercher. Aussitôt, Marie-Anne retrouva son mordant.

— Écoute ! Tu ne vas pas me dire que tu n'as rien fait avec le photographe ?

— Mais enfin, se rebella Emmanuelle, il ne m'a même pas touchée !

Et elle ajouta, jouant le dépit :

— D'ailleurs, je n'avais aucune chance, il était pédéraste.

Marie-Anne fit une moue. Elle restait sceptique. Elle étudia à nouveau les épreuves.

— Je trouve, communiqua-t-elle, qu'un artiste devrait toujours faire l'amour avec son modèle avant de faire son portrait. Tu as eu une idée gâteuse de t'adresser à quelqu'un qui n'aimait pas les femmes.

— Je ne l'ai pas choisi, attesta Emmanuelle, qui commençait à se sentir vexée pour de bon. C'est lui-même qui a proposé de me photographier. Je te l'ai dit, c'est un ami de Jean.

Marie-Anne eut un geste comme pour balayer ce passé.

— Il faudrait vraiment te faire peindre par quelqu'un de bien. Ce sera trop tard quand tu seras vieille.

L'image de ce que Marie-Anne devait entendre par « quelqu'un de bien » et celle de l'imminence de sa propre décrépitude donnèrent le fou rire à Emmanuelle.

— Je n'aime pas poser. Même pour une photo. Alors, tu penses, pour un tableau !

— Et, depuis que tu es ici, tu n'as rien fait avec des hommes ?

— Tu es folle ! s'indigna Emmanuelle.

Marie-Anne apparut soucieuse, presque découragée.

— Il faudra pourtant bien que tu te trouves, un jour ou l'autre, un amant, soupira-t-elle.

— Est-ce tellement indispensable ? fit Emmanuelle, plutôt amusée.

Mais son interlocutrice ne se montrait nullement d'humeur à plaisanter. Elle haussa les épaules avec agacement.

— Tu es drôle, Emmanuelle, dit-elle.

Puis, après un silence :

— Tu n'as tout de même pas l'intention de continuer à vivre comme une vieille fille ?

Et elle répéta, prise d'une sorte de colère :

— Tu es drôle, vraiment !

— Mais, plaida Emmanuelle timidement, je ne suis pas une vieille fille, j'ai un mari !

Cette fois, Marie-Anne se contenta de répondre par un regard froid. Selon toute apparence, l'argument la navrait. Elle renonçait visiblement à discuter davantage. C'était Emmanuelle, maintenant, qui n'avait pas envie de changer de sujet de conversation. Elle tenta de recréer l'atmosphère :

— Tu ne veux pas retirer ta culotte, Marie-Anne ?

Celle-ci secoua ses tresses.

— Non, il va falloir que je parte. (Elle se leva.) Tu me raccompagnes ?

— Tu es si pressée ? s'alarma Emmanuelle.

Mais elle avait déjà compris que les décisions de Marie-Anne étaient sans appel.

Dans la voiture, la jeune fille fit peser sur elle un regard concerné.

— Tu sais, dit-elle, je ne veux pas que tu perdes ta vie, tu es trop jolie. C'est tout à fait bête que tu sois prude comme tu es.

Emmanuelle partit d'un grand éclat de rire. Marie-Anne ne lui laissa pas le temps d'ironiser.

— C'est incroyable que tu aies pu parvenir à ton âge sans autre chose que ces petites aventures de rien du tout sur ton avion sans fenêtres. Tu t'es vraiment conduite comme une cruche.

Elle hocha la tête avec tristesse.

— Je t'assure, tu n'es pas normale.

— Marie-Anne...

— Oh ! non. Enfin, ce n'est pas la peine de se lamenter sur ce qui est ancien.

Le phare vert émit un rayonnement de souveraineté :

— A partir de maintenant, feras-tu au moins ce que je te dirai ?

— Mais quoi, au juste ?

— *Tout* ce que je te dirai.

— Peuh ! fit Emmanuelle, fascinée.

— Tu le jures ?

— Oh ! bon. Si ça t'amuse.

Elle continuait de rire, mais Marie-Anne ne se laissa pas détourner de ses responsabilités.

— Veux-tu que je te donne un conseil ?

— Non, merci !

L'œil d'elfe analysa la gravité du cas. Emmanuelle jouait l'impertinence, sans s'illusionner sur ses chances de tenir tête à Marie-Anne. Lorsque la voiture s'arrêta devant l'immeuble de la banque que son père dirigeait, celle-ci dit :

65

— Ce soir, à minuit juste, caresse-toi encore. Je le ferai à la même heure.

Emmanuelle battit des cils, en signe de connivence. Elle se pencha pour envoyer un baiser à la jeune fille. Celle-ci lui cria de loin :

— N'oublie pas !

Ce n'est qu'après son départ qu'Emmanuelle se rendit compte qu'elle-même n'avait pu poser à Marie-Anne la moindre question. Si la petite fille aux nattes savait désormais tout de la vie intime de sa nouvelle amie, celle-ci ignorait complètement ce que pouvait être la sienne. Elle avait même oublié de lui demander si elle était vierge.

*
**

Le soir, lorsque son mari, après sa douche, entre dans la chambre, il trouve Emmanuelle qui l'attend, assise sur ses talons, toute nue, au bord du grand lit bas. Elle entoure ses hanches de ses bras et prend sa verge dans sa bouche. A peine l'a-t-elle sucée quelques secondes que la hampe gonfle et se redresse. Emmanuelle la fait aller entre ses lèvres jusqu'à ce qu'elle soit très dure. Puis elle la lèche sur toute sa longueur en penchant la tête, pressant le vaisseau bleuté qui court à fleur de peau et dont la congestion et le relief augmentent sous son baiser. Jean lui dit qu'elle a l'air de grignoter un épis de maïs et elle le mordille de ses petites dents pour achever la ressemblance. Vite, elle se rachète en aspirant doucement dans sa bouche la peau satinée des testicules, les soulève dans ses mains, fait glisser la pointe de sa langue sous elles, caresse une autre veine, se gorge du sang chaud qu'elle sent battre plus fort au toucher de ses lèvres, explore de plus en plus intimement, fouille, va, vient, remonte brusquement au bout du phallus, le pousse au fond de sa gorge, si loin qu'elle manque de s'étrangler ; là, sans le retirer, irrésistiblement elle pompe d'un lent mouvement, tandis que sa langue enveloppe et masse.

Ses bras enlacent les reins de son mari avec une passion qui croît à mesure qu'elle tète plus régulièrement sa verge et que l'excitation de ses lèvres et de sa langue se communique à ses seins et à son sexe. Elle sent que coule entre ses cuisses serrées un liquide abondant comme la salive dont elle humecte en ce moment dans sa bouche chaude le membre apoplectique. Pour pouvoir gémir de volupté et laisser un orgasme partiel la soulager et lui permettre de poursuivre sa fellation, elle fait ressortir un moment le pénis de ses lèvres, sans cesser de caresser le méat entrouvert de tendres petits coups de sa langue. Puis elle engloutit à nouveau le pont de chair palpitante qui les relie.

Jean a pris entre ses mains les tempes de sa femme, mais ce n'est pas pour guider ses mouvements ni en régler le rythme. Il sait qu'il a meilleur compte de se fier à elle et de la laisser à sa guise raffiner leur commun plaisir. Le style qu'elle donnera à cette étreinte la distinguera une fois de plus de toutes les autres. Certains jours, Emmanuelle joue à faire languir son mari : elle ne se fixe nulle part, butine d'un point sensible à l'autre, tire de la gorge de sa victime des plaintes, des prières dont elle n'a cure, la fait sursauter, panteler, la pousse au délire, jusqu'au moment où, d'un dernier geste, précis et vif, elle parfait son œuvre. Mais, aujourd'hui, elle se veut dispensatrice de satisfaction plus sereine. Sans tenir trop serrée la verge vibrante, elle ajoute la pression de ses doigts et le mouvement régulier de sa main à la succion de ses lèvres — appliquée à délivrer harmonieusement l'organe de sa semence, à le vider le plus totalement possible. Lorsque Jean se rend, elle avale par lentes gorgées la substance savoureuse qu'elle a réussi à tirer du fond de lui ; mais, le dernier jet, elle le laisse en ronronnant fondre sur sa langue amoureuse.

Elle est elle-même engagée si avant dans l'orgasme

qu'il suffit que son mari serre son clitoris entre ses lèvres pour qu'elle achève de jouir.

— Tout à l'heure, je te prendrai, dit-il.

— Non, non ! Je veux te boire encore une fois ! Promets ! Promets-moi que tu reviendras dans ma bouche. Oh ! tu couleras encore dans ma bouche, dis, dis, s'il te plaît ! C'est tellement bon ! J'aime tant !

— Tes amies t'ont-elles aussi bien caressé que moi, lorsque je n'étais pas là ? lui demande-t-elle plus tard, lorsque tous deux se reposent.

— Comment voudrais-tu ? Il n'existe pas une femme qui puisse t'être comparée.

— Même les Siamoises ?

— Même elles.

— Ne dis-tu pas cela pour me faire plaisir ?

— Tu sais bien que non. Si tu n'étais pas la meilleure des amantes, je te l'avouerais — pour t'aider à le devenir. Mais, vraiment, je ne vois pas ce que tu peux apprendre de plus. Il doit tout de même y avoir une limite à l'art d'aimer.

Emmanuelle reste songeuse.

— Je ne sais pas.

Ses sourcils se rapprochent. Le son de sa voix témoigne que son doute n'est pas feint.

— En tout cas, j'en suis sûrement encore loin !

Jean se récrie.

— Qu'est-ce qui te fait penser cela ?

Elle ne répond pas. Il insiste :

— Tu ne me crois pas bon juge ?

— Oh ! si.

— Pas bon professeur, alors ? On dirait, tout d'un coup, que tu n'es pas satisfaite de ton éducation amoureuse. Peut-être n'aurais-tu pas dû te limiter à mes classes.

Elle se hâte de le rassurer.

— Mon chéri ! personne au monde ne pouvait m'apprendre mieux que toi. Mais c'est difficile à expliquer…

J'ai l'impression qu'il doit y avoir, en amour, quelque chose de plus important, de plus intelligent que de simplement bien savoir faire.

— Tu veux dire le dévouement, la sympathie, la tendresse ?

— Non, non ! Ce quelque chose d'important, je suis tout à fait sûre que ça a trait à l'amour physique. Mais ça ne veut pas dire que ce soit affaire de connaissances supplémentaires, ni de plus d'habileté, ni de plus d'ardeur : c'est peut-être plutôt un état d'esprit, une mentalité.

Elle reprend son souffle :

— Je ne sais pas, au fond, si c'est une question de limite. Si c'était, au contraire, une question d'angle, de manière de voir ?

— Une façon différente d'envisager l'amour ?

— Pas seulement l'amour. Tout !

— Ne peux-tu t'expliquer plus clairement ?

Elle ourle les lèvres, piteusement, enroule autour de ses ongles nacrés les boucles de sa toison, comme pour s'aider à méditer.

— Non, conclut-elle. Ce n'est pas clair dans ma tête. Il y a certainement un progrès que je dois faire, quelque chose à trouver, qui me manque encore pour être une vraie femme, vraiment ta femme. Mais je ne sais pas quoi !

Elle se désole :

— Je croyais connaître tant de choses, mais que sont-elles à côté de ce que j'ignore ?

Elle plisse le front avec impatience :

— Ce qu'il faut, d'abord, c'est que je devienne plus intelligente. Tu vois, je ne sais rien, je suis trop innocente. Je suis trop pucelle. C'est affreux, ce soir, ce que je peux me sentir pucelle ! Pucelle de partout, toute hérissée de pucelage : à en avoir honte.

— Mon ange pur !

— Oh ! non, pas pur ! Pas pur du tout. Une pucelle, ce n'est pas forcément pur. Mais c'est forcément bête.

Il l'embrasse, enchanté d'elle. Elle persiste :

— C'est plein de préjugés.

— Comme c'est adorable de t'entendre te plaindre de ton innocence, alors qu'on vient d'être ravi par tes chastes lèvres !

Elle se déride, mais est-elle convaincue ?

— Ah ! si c'est vraiment par là que l'esprit doit venir aux filles, dit-elle avec un grand soupir, je ne vais plus laisser passer une minute sans le tirer de toi.

L'évocation produit sur Jean un effet qu'Emmanuelle n'est pas longue à découvrir ; déjà, elle veut mettre sa promesse à exécution, elle se lève et darde sa langue entre ses dents humides... Mais lui la retient.

— Qui t'a dit que c'était seulement par cette bouche-là qu'entrait l'esprit ? Souviens-toi : il souffle où il veut.

Il se couche sur elle et elle a tout de suite autant envie d'être prise que lui de la prendre. Elle ouvre elle-même son sexe, du bout des doigts. Elle guide le gland, l'aide à plonger en elle. Ses genoux se soulèvent, encadrent le corps masculin, s'écartèlent, tandis que l'organe durci s'enfonce dans son ventre comme il l'avait fait, tout à l'heure, dans sa gorge. Pour elle, qui voudrait en même temps le sentir dans sa bouche, l'exubérance de l'imagination supplée au réel et ses lèvres, que sa langue lèche, croient goûter la douceur du sperme ; elle rêve qu'elle boit, le plaisir de son ventre emplit sa gorge ; elle implore :

— Jouis en moi !

Elle sent que l'orifice de sa matrice s'est soudé au phallus et l'aspire comme un suçoir. Elle a envie que Jean éjacule, elle tente, de toute la persuasion de son ventre et de ses fesses, de lui arracher sa liqueur : chaque muscle de son corps concourt à faire d'elle un animal élastique et agile, qui se colle à l'homme et le fait trembler de plaisir. Mais Jean veut la vaincre, la faire jouir la première ; il la poignarde à coups rapides, violents, de toute la longueur et de toute la grosseur de sa verge, sans ménagement, les dents serrées, avide de l'entendre qui râle, de la sentir parfumée et chaude, et de la voir qui se débat, bondit comme sous le fouet, lui griffe le dos, crie enfin, crie si fort, si longtemps, que la voix et le souffle finissent par lui manquer et qu'elle se calme et se tait soudain, étourdie, matée, sereine, sentant à peine encore son corps, mais déjà désireuse que l'excitation renaisse dans son esprit et que son cerveau se congestionne et palpite à nouveau comme un sexe.

Elle désire, pour un moment, qu'il ne bouge plus. Il le sait et se tient immobile. Elle murmure :

— Je voudrais m'endormir, comme cela, avec toi dans moi.

Il pose sa joue contre la sienne. La marée des cheveux de nuit caresse ses lèvres. Ils restent ainsi ils ne savent combien de temps. Puis, il l'entend qui halète dans son oreille :

— Est-ce que je suis morte ?

— Non. Tu vis de moi.

Il la serre et elle frissonne.

— Oh ! mon amour, c'est vrai que nous ne faisons qu'un. Je suis ton corps de femme. Toi, tu es l'homme venu de moi.

Elle pose ses lèvres sur les siennes, l'embrasse de toute la force et la tendresse de sa bouche.

— Encore ! Plus profond ! Ouvre-moi... Jouis dans mon cœur !

Elle supplie et rit en même temps de sa propre déraison :

— Dépucelle-moi ! Oh ! je t'aime ! Dépucelle-moi vraiment !

Il entre dans le jeu :

— Prends l'initiative, c'est ton tour. Enseigne-moi. Déniaise-moi. Apprends-moi à jouir comme toi.

Elle murmure : « Oui ! » Puis se dédit :

— Plus tard ! Fais d'abord tout ce dont tu as envie. Ne m'en demande pas la permission, ni comment le faire. Fais-le.

Elle voudrait pouvoir se livrer plus encore, avoir plus complètement conscience d'être prise, au gré de celui qui la prend, être à sa disposition, ne pas être consultée, être faible, être facile, ne rien faire d'autre qu'obéir activement et s'ouvrir... Existe-t-il, s'exalte-t-elle en secret, plus grand bonheur que de consentir ? Cette pensée suffit à achever de la faire basculer dans l'orgasme.

Puis, lorsqu'elle se retrouve bête abattue, échine brisée, jambes mortes, destin consommé, trophée heureux dans l'ombre aventurée du conquérant :

— Tu crois, dit-elle, que je suis la femme que tu veux ?

Il se contente de l'embrasser.

— Mais je veux le devenir plus encore !

— Chaque jour, tu l'es davantage.

— En es-tu sûr ?

Il lui sourit avec confiance. Elle cesse de s'inquiéter. Un courant nocturne circule dans ses veines, l'engourdit, lui ferme les lèvres. Elle tente de livrer combat au plaisir qui lui brouille l'esprit.

— Ce doit être Marie-Anne qui m'a mis martel en tête, s'entend-elle dire, à sa propre surprise, car ce n'était pas cela qu'elle voulait confier à Jean.

Lui, en effet, s'étonne.

— Pourquoi Marie-Anne ?

— Elle est drôlement délurée.

Emmanuelle n'a plus envie de parler. Cette plante qui continue de croître en elle, avec ses racines, ses branches infinies, sa sève, plus urgente que la pensée... Mais son mari insiste, tandis qu'il recommence lentement à bouger en elle et se prépare à lui donner sa substance.

— Compterais-tu sur elle, tout d'un coup, pour te révéler les arcanes de la vie ?

— Pourquoi pas ?

L'idée amuse Jean :

— As-tu déjà eu un aperçu de ses talents ?

Elle hésite un peu, finit par prétendre, sans se soucier d'être crue ou non, trop occupée dans un autre monde :

— Non.

Puis elle sourit à une image, qui n'est pas déplacée sur les rivages où son rêve aborde.

— Mais je voudrais bien !

Jean a une inflexion d'indulgence :

— Je vois, dit-il.

Il la berce.

— Mon petit puceau désire faire l'amour avec Marie-Anne, n'est-ce pas ? C'est ce qui le tourmente ?

Emmanuelle secoue de haut en bas la tête, méthodiquement, avec l'exagération que l'on met dans ses gestes et ses paroles lorsqu'on veut se faire comprendre sans avoir à ouvrir les yeux.

— Ce n'est pas seulement ça, mais c'est sûrement ça aussi, convient-elle.

Il se moque doucement :

— Avec cette petite fille !

Mais elle fait une grosse moue d'enfant gâtée qui, déjà, lui dessine son visage de la nuit, et sa voix proteste, de loin, amortie, retirée, comme d'un creux de vague :

— J'ai bien le droit d'en avoir envie, non ?

Jean se déverse en elle, s'émerveillant d'avoir tant à lui donner, de la percer si profondément, de tant jouir.

Ils restent ensuite allongés côte à côte, se touchant des épaules et des hanches. Elle ne bouge pas, pour qu'aucune goutte ne sorte d'elle.

— Dors, dit Jean.

— Attends...

Dans une pièce éloignée, les notes régulières d'un carillon léger. Lentement, la main d'Emmanuelle descend vers son ventre, ses doigts touchent son clitoris, pénètre son sexe gorgé de sperme. Les cuisses de Marie-Anne s'entrouvrent devant les yeux fermés d'Emmanuelle, qui, à chaque geste qu'elle voit en rêve, répond par une identique caresse. Lorsqu'elle sait que son amie va se rendre, elle crie, plus fort encore qu'elle n'a crié entre les bras de son mari. Lui, soulevé sur un coude, sourit de la regarder jouir, nue et comme lumineuse de plaisir, une main captive de son ventre, l'autre pressant ses seins tour à tour, et les jambes longtemps encore secouées de frissons après que son front, ses paupières, ses lèvres ont revêtu l'immobile douceur du sommeil.

3

DES SEINS, DES DÉESSES
ET DES ROSES

> *Au milieu de mes bras je me suis faite une autre.*
>
> Paul VALÉRY (« *La Jeune Parque* »).

> *Ici, et jusqu'au soir. La rose d'ombres tournera sur les murs. La rose d'heures défleurira sans bruit. Les dalles claires mèneront à leur gré ces pas épris du jour.*
>
> Yves BONNEFOY
> (« *Hier régnant désert* »).

EMMANUELLE veut aller au club pour nager, non pour y écouter des cancans. Elle décide donc de s'y rendre le matin. Elle parcourt dix fois la longueur du bassin, souplement, sans se soucier du temps qu'elle met, ni des regards des rares hommes présents à cette heure-là. Le mouvement répété de ses bras au-dessus de sa tête a fait sortir ses seins de son maillot sans bretelles. Lorsqu'elle roule sur le côté, le ruissellement de l'eau fait valoir leur relief et satine leur peau. Une fine rigole circulaire s'est creusée autour de leur pointe ; les bords de l'aréole paraissent, de ce fait, relevés, dessinant un atoll. Sans ce détail, qui rappelle la vulnérabilité de leur pulpe et en évoque à la bouche le goût juteux, leur courbure serait peut-être trop parfaite pour émouvoir, ils donneraient trop l'impression de seins de statue.

Lorsque, haletante après cet exercice, Emmanuelle saisit des deux mains les montants chromés de l'échelle, elle vit que l'issue était gardée. Ariane de Saynes, penchée au-dessus d'elle, debout sur le rebord vernissé, riait à pleine gorge.

— Route barrée ! s'exclama-t-elle. Montrez patte blanche !

Emmanuelle fut contrariée qu'une des « idiotes » l'eût retrouvée. Elle sourit cependant du mieux qu'elle put. Ariane insista :

— Alors, on joue les naïades à l'heure où les honnêtes femmes vont au marché ? Qu'est-ce que c'est que ces cachotteries ?

— Mais ! Vous-même êtes bien ici, fit observer Emmanuelle.

Elle essaya de remonter.

L'importune ne se pressait pas de lui livrer passage.

— Ah ! moi, ce n'est pas la même chose, dit-elle, affectant un air de mystère.

Emmanuelle ne lui demanda pas d'éclaircissements.

La comtesse détaillait tranquillement les charmes de sa prisonnière.

— Vous êtes divinement tournée ! admira-t-elle.

Elle avait rendu sa sentence avec l'accent de la conviction et Emmanuelle se dit qu'en définitive elle n'avait pas l'air malveillante. Elle était peut-être un peu toquée, mais il fallait aussi convenir qu'elle était tonique, *fortifiante*. Emmanuelle n'eut plus besoin d'autant se forcer pour être aimable.

Ariane finit par s'écarter de l'échelle. La nageuse se hissa sur le bord. Posément, du bout des doigts, elle fit rentrer ses seins, ou, plus exactement, la moitié inférieure de ses seins, dans son costume de bain (presque toute la pointe en restait visible) et s'assit près d'Ariane. Deux grands garçons de type nordique se rapprochèrent et entamèrent la conversation en anglais. La comtesse répondait de bonne humeur. Emmanuelle s'inquiétait peu de n'y rien comprendre. Ariane se tourna brusquement vers elle et demanda :

— Est-ce qu'ils vous disent quelque chose, ces deux-là ?

Emmanuelle fit la moue et Ariane se chargea d'aviser les prétendants de l'échec de leur candidature. Apparemment sans rancune, ils rirent bruyamment. Mais ils ne paraissaient pas pour autant disposés à s'en aller. Emmanuelle leur trouvait l'air incroyablement niais. Au bout d'un moment, sa compagne se leva avec détermination et la tira par le bras.

— Ils nous ennuient, déclara-t-elle. Venez avec moi sur le plongeoir.

Les deux filles grimpèrent les huit mètres et s'installèrent à plat ventre, côte à côte sur la plate-forme recouverte d'un tapis de corde. Ariane se débarrassa prestement du haut, puis du bas, de son costume de bain.

— Vous pouvez vous mettre à cru, informa-t-elle. D'ici, on a le temps de voir venir son monde.

Mais, en ce moment, Emmanuelle n'avait pas envie d'être nue devant Ariane. Elle bredouilla une explication peu probante : que son maillot collant n'était pas commode à enlever et à remettre ; que le soleil était trop dur...

— Vous avez raison, admit Ariane. Il vaut mieux vous y entraîner graduellement.

Après quoi, elles se laissèrent gagner par une demi-léthargie. Emmanuelle trouva qu'après tout la comtesse avait de bons côtés. Elle aimait bien les gens avec qui elle pouvait rester sans parler. Ce fut pourtant elle-même qui rompit, au bout d'un certain temps, le silence.

— Qu'est-ce qu'il y a à faire ici, en dehors de la piscine, des cocktails et des soirées chez Pierre ou

Paul ? Est-ce qu'on ne finit pas par se morfondre un peu, tout de même ?

Ariane siffla, comme devant une énormité.

— Euh là ! Ce ne sont pas les passe-temps qui manquent. Je ne parle pas des cinémas, des boîtes de nuit, de la gnognotte. Mais on peut faire du cheval, du golf, du tennis, du squash, du ski nautique sur la rivière ; ou se donner du vague à l'âme sur les canaux ; et visiter les pagodes, pourquoi pas ? Il n'y en a pas loin de mille : à raison d'une par jour, vous avez de quoi vous occuper pendant trois ans. Il est dommage que la mer — je veux dire la vraie mer, où l'on peut se baigner — soit à cent cinquante kilomètres. Mais ça vaut le voyage. Les plages sont extraordinaires, longues et larges à n'en plus finir, bordées de cocotiers, désertes et jonchées de coquillages. L'eau est fabuleusement phosphorescente, la nuit : bourrée de milliards de petites choses. Les coraux vous chatouillent les pieds. Et les requins viennent vous manger dans la main.

— Je voudrais voir ça ! s'esclaffa Emmanuelle.

— Ils vous chantent même des sérénades, si vous faites l'amour sur leurs terres. Le jour, sous le soleil, avec le sable qui vous masse, ou à l'ombre des arbres-à-sucre. Vous trouvez toujours un petit garçon prêt à vous éventer pour un tical, pendant que votre preux vous rend honneur. Et, la nuit, couchée sur la plage, à la limite des vagues, le dos caressé par leur langue et les yeux protégés des étoiles par un visage enamouré, ah ! l'on apprécie sa chance d'être femme !

— Si je comprends bien, c'est encore ça, le sport favori, dans ce pays ? interrogea Emmanuelle, sans se formaliser.

Ariane la dévisagea avec un sourire énigmatique et ne répondit qu'après un certain temps.

— Dites-moi, ma choute...

Elle s'interrompit, semblant supputer quelque probabilité mystérieuse. Emmanuelle se tourna vers elle en riant :

— Qu'est-ce que vous voulez que je vous dise ?

Ariane réfléchit en silence, puis décida d'un coup de la confiance que méritait la nouvelle venue. Sa voix perdit le ton de persiflage mondain qu'elle avait affecté jusqu'alors. Elle fit à sa voisine une grimace d'amitié.

— Je suis sûre, dit-elle, que vous avez du tempérament. Vous n'êtes pas la petite sainte nitouche que vous prétendez être. Heureusement, d'ailleurs. Pour vous dire la vérité, vous m'avez tout de suite intéressée.

Emmanuelle ne savait trop que penser de cette déclaration. Elle restait, presque malgré elle, sur la défensive ; plutôt vexée que flattée, car elle n'aimait pas que l'on mît en doute sa franchise. Et qu'avaient donc tout le temps ces filles à la juger bégueule ? Ça l'avait d'abord fait rire, mais ça commençait maintenant à l'agacer.

— Vous n'avez pas envie de vous plaire, ici ? poursuivit Ariane, d'un ton qui en disait plus que les mots.

— Si, dit Emmanuelle. Elle était consciente de s'aventurer sur une voie dangereuse, mais craignait davantage encore d'être soupçonnée de vertu.

Le sourire d'estime d'Ariane ne la récompensa qu'à demi.

— Alors, coquelinette, venez avec moi, un soir. Vous direz à votre ami que vous avez un dîner de femmes. En fait d'ouvroir, vous verrez ce que je vous réserve ! Il n'est pas, à cinquante années-lumière à la ronde, de plus galants et hardis pourfendeurs que les chevaliers d'Ariane. Pleins d'esprit, jeunes, bien découplés et habiles à l'estoc comme à la taille. Vous n'avez rien à craindre. D'accord ?

— Mais, tergiversa Emmanuelle, vous me connaissez à peine. Est-ce que vous ne...

Ariane haussa les épaules :

— Je vous connais assez ! Je n'ai pas besoin de vous mettre en observation prolongée pour m'apercevoir que vous êtes belle à étourdir filles et garçons. Et ceux dont je vous parle s'y entendent en beauté. Il ne me viendrait pas à l'idée de vous les faire rencontrer si je n'étais pas sûre d'eux et de vous. Voilà.

— Et... questionna Emmanuelle, avec une hésitation. Votre mari ? Il ne se formalise pas de vos fréquentations ?

Ariane eut un rire plein de franchise :

— Il faudrait être un mari bien vulgaire pour haïr les amants de sa dame, déclama-t-elle.

— Je ne sais pas si Jean trouvera cela aussi normal.

— Alors, vous ne le mettrez pas dans la confidence, conclut Ariane, avec bonhomie.

D'un bond, elle se rapprocha d'Emmanuelle, lui entoura la taille de son bras et la serra contre elle :

— Vous voulez me jurer de me dire la vérité ?

Emmanuelle battit des cils, sans trop se commettre. Les seins solides et chauds contre son épaule lui faisaient un peu perdre pied, quoi qu'elle en eût.

— Vous n'allez plus essayer de me faire croire que vous n'avez jamais accueilli dans ce corps grisant d'autres que votre mari, n'est-ce pas ? Bon ; eh bien, le lui avez-vous toutes les fois avoué ?

Emmanuelle était au supplice. Voilà que la quête des confessions recommençait ! Mais à quoi bon se défendre ? Et devrait-elle passer pour plus ingénue qu'elle n'était ? Elle secoua la tête pour répondre négativement à la question d'Ariane. Celle-ci l'embrassa gaiement sur l'oreille.

— Tu vois, triompha-t-elle. Elle la contempla avec fierté. Je te promets que tu ne regretteras pas d'être venue à Bangkok !

Le ton semblait impliquer qu'Emmanuelle avait accepté de signer un pacte. Elle tenta d'échapper à ses conséquences, dans ce qu'elles lui paraissaient avoir de plus imminent :

— Non, écoutez ! Cela me gêne.

Elle s'enhardit brusquement et affirma :

— Ne croyez pas que ce soit par pudibonderie, ou pour des raisons morales. Ce n'est pas ça. Mais...

laissez-moi au moins le temps de m'habituer à l'idée. Progressivement.

— Bien sûr, fit Ariane. Rien ne presse. Comme pour le soleil...

Elle parut prise d'une inspiration subite, laissa ses lèvres dessiner un sourire furtif et se mit sur son séant.

— Viens, intima-t-elle. Nous allons nous faire masser.

Elle remit son bikini, puis, avec un peu de dédain, sur le ton dont elle se serait adressée à un bébé, ajouta :

— N'aie pas peur, pucette, il n'y a que des femmes.

Emmanuelle laissa sa voiture au club et accompagna Ariane dans son cabriolet découvert. Elles roulèrent pendant une demi-heure, à travers les cyclo-pousses et les motos taxis qui enfumaient les rues bordées d'enseignes chinoises. Elles s'arrêtèrent devant un bâtiment neuf, à un seul étage, que flanquaient des marchands de soie, des restaurants et des agences de voyages. Une inscription en caractères inconnus d'Emmanuelle ornait la façade. Elles poussèrent une porte de verre épais et se trouvèrent dans le hall de réception d'un établissement de bains, peu différent d'aspect de ce qu'il aurait été en Europe. Une Japonaise en kimono à fleurs les accueillit avec politesse, s'inclinant devant elles à plusieurs reprises, les mains croisées sur la poitrine, avant de les conduire le long de couloirs qui sentaient la vapeur et l'eau de Cologne. Elle s'arrêta devant une porte, se plia de nouveau en deux. Emmanuelle se demanda si elle était muette.

— Tu peux entrer ici, dit Ariane, toutes les masseuses se valent. Je prendrai la cabine d'à côté. Retrouvons-nous dans une heure, ajouta-t-elle.

Emmanuelle ne s'était pas attendue à ce qu'Ariane la laissât seule. Elle se sentit un peu désemparée. La porte que la Japonaise avait entrouverte donnait accès à une salle de bains petite et propre, à plafond très bas, où une jeune Asiatique en sarrau blanc d'infirmière se tenait, menue, entre une baignoire et une table de massage. Elle avait un visage d'oiseau revenu de bien des voyages. Elle aussi fit une courbette, prononça quelques mots, sans paraître attacher d'importance à ce qu'on la comprît ou non, s'avança vers Emmanuelle, et, d'un doigt attentif, entreprit de dégrafer son corsage.

Lorsque Emmanuelle fut dévêtue, elle lui fit signe d'entrer dans la baignoire, qu'emplissait une eau bleutée, odorante et chaude. Elle passa un linge humide sur le visage de sa cliente, puis lui savonna avec méthode les épaules, le dos, la poitrine, le ventre. Emmanuelle frissonna lorsque l'éponge gonflée de mousse circula entre ses jambes.

Quand elle eut achevé de la baigner et l'eut séchée dans une grande serviette tiède, la Siamoise invita Emmanuelle à s'étendre sur la table capitonnée. Elle la frappa d'abord avec la tranche de la main, à petits coups précipités, puis lui pinça les muscles, pesa sur ses mollets et ses reins, tira sur les phalanges de ses orteils, lui malaxa longuement la nuque et lui tapa sur la tête. A demi assommée, Emmanuelle se sentait malgré tout détendue et contente.

La masseuse sortit ensuite d'une armoire deux appareils de la taille d'un paquet de cigarettes, qu'elle fixa au revers de chacune de ses mains et qui émirent aussitôt un ronflement de toupie. Ses paumes vibrantes rampèrent lentement à la surface du corps nu, s'y enfonçant par tout ce qui offrait une cavité ou un pli, se glissant au creux du cou, sous les aisselles, entre les seins, entre les fesses, avec une compétence irrésistible. Puis elles cherchèrent sur la surface intérieure des cuisses les points les plus réceptifs. Emmanuelle trembla de toute sa chair. Ses jambes se séparèrent et elle souleva légèrement le pubis avec un mouvement d'une inimitable grâce, qui tendait les lèvres de son sexe comme pour un baiser d'enfant. Mais les mains s'éloignèrent et remontèrent vers le buste, allant et venant avec métier, repassant sur leurs traces à l'instar d'un fer appliqué à glacer une percale. Lorsque Emmanuelle commença de geindre, d'une voix à peine audible, elles grimpèrent jusqu'aux mamelons, tournèrent sur eux, tantôt effleurant leur sommet, tantôt appuyant sur les pointes et les faisant rentrer dans l'épaisseur des seins. Les ondes la traversaient, lui léchaient les reins. Elle se cambra, cria plaintivement, pendant de longues minutes. Les mains continuèrent leur office sur les bouts sensibles de sa poitrine jusqu'à ce que l'orgasme décrût, se calmât, laissant Emmanuelle inerte et molle.

Paupières closes, elle écoutait maintenant battre son cœur. Sa cadence lui rappelait celle d'un tambour d'Afrique, dont la peau tendue aurait rendu baisers pour baisers. « Mais quels baisers, en réalité ? » songea-t-elle, dépitée. « Tout mon corps a été traité comme s'il était une vulve, sauf ma vulve elle-même ! A quoi sert, alors, qu'elle soit si bien dessinée et aussi soyeuse ? A quoi bon ses gonflements et ses creux ? Pourquoi cette jeune fille ne me touche-t-elle pas plus bas que la toison de mon ventre ? Les lèvres de mon sexe sont aussi longues et belles et bonnes à lécher que celles de ma bouche ; et pourtant la bouche fermée de cette muette ne semble pas avoir envie de les embrasser ! Eh bien, si elle ne veut pas de l'occasion que je lui offre, je me caresserai moi-même. Devant elle ! Je vais lui montrer ce qu'il faut faire à une femme, quand cette femme nue ferme les yeux. »

Une étrangeté qu'elle perçoit peu à peu fait dévier ses pensées, avant qu'elle n'ait eu le temps de mettre son projet à exécution : au rythme bruyant de son cœur répond un écho de derrière l'une des cloisons. Ce ne sont pas des coups, cependant : plutôt une voix, un ahan, une plainte sourde, un râle. Et ce n'est pas Ariane, c'est un homme. Un homme qui crie, à présent, assez fort pour que le son franchisse l'obstacle du matériau isolant qui sépare les cabines et protège leurs occupants de distractions inopportunes.

Après avoir tendu un moment l'oreille, Emmanuelle n'est plus sûre qu'il s'agisse à proprement parler de cris.

En automobiliste avertie, elle pense au cognement d'une bielle, à un piston mal huilé, dont les souffrances seraient incongrûment amplifiées. Mais non ! se corrige-t-elle à nouveau : de l'autre côté de la paroi, ce n'est certainement pas un moteur qui grippe ; il est plus probable qu'un homme étouffe.

L'étrangle-t-on ? Qui commet le crime ? La victime est-elle un client du salon de massage ? A moins que ce ne soit, au contraire, ce client — ou une cliente — qui viole un masseur. Y a-t-il donc ici des masseurs ? Ariane a assuré que n'y officiaient que des femmes. Mais faut-il toujours croire Ariane ?

Emmanuelle interrogea sur tout cela la jeune Siamoise, sans espoir de se faire comprendre. Celle-ci avait, entre-temps, reporté ses soins des seins aux épaules, des cuisses aux chevilles. Elle répondit à l'enquête de sa patiente par un sourire gourmé, puis prononça, à son tour, dans sa langue, une phrase qui rendait le son d'une question. En même temps elle avançait ses doigts effilés vers le bas-ventre d'Emmanuelle, la regardant, les sourcils levés, comme dans l'attente d'une permission. Avec soulagement, avec empressement, avec bonheur, Emmanuelle fit « oui » de la tête. La main, alourdie par le vibromasseur, exécuta minutieusement, à la surface et dans les replis du sexe, les mouvements dont elle avait l'expérience, sachant exactement comment donner le plus de plaisir. Elle ne prenait aucune précaution de douceur, ni ne laissait de répit, sûre du résultat, ajoutant la virtuosité de ses palpations, de ses frottements et de ses griffades au pouvoir des vibrations électriques.

Emmanuelle se retenait de toutes ses forces, mais sa résistance fut de courte durée. Elle jouit de nouveau, si violemment que même le visage de la masseuse refléta un certain effroi. Longtemps après que les mains se furent retirées d'elle, Emmanuelle se tordait encore, hoquetant, serrant entre ses doigts crispés les bords de la table blanche.

— Les murs ont beau être insonorisés, dit Ariane, lorsqu'elles se retrouvèrent à la sortie, quand tu t'y mets, tu passes au travers. Maintenant, tu ne viendras pas me raconter que tu préfères les mathématiques.

Marie-Anne retourna quatre après-midi de suite chez Emmanuelle. Chaque fois, elle lui faisait subir un interrogatoire plus serré, réclamant — et obtenant — des précisions nouvelles, aussi bien sur les gestes que son amie échangeait avec son mari que sur le dévergondage de ses rêveries quotidiennes.

— Si tu t'étais donnée dans la réalité à tous les hommes avec qui tu l'as fait en imagination, observat-elle un jour, tu serais une femme accomplie.

— Tu veux dire que je serais morte, répliqua Emmanuelle en riant.

— Comment ça ?

— Crois-tu qu'on puisse se faire faire l'amour par des hommes aussi souvent qu'on se fait jouir toute seule ?

— Pourquoi pas ?

— Mais, écoute, c'est fatigant d'être prise par un homme !

— Et ça ne te fatigue jamais de te caresser ?

— Non.

— Combien de fois le fais-tu, maintenant ?

Emmanuelle eut un sourire pudique :

— Hier, je l'ai fait beaucoup, tu sais. Je crois bien au moins quinze fois.

— Il y a des femmes qui le font autant avec des hommes.

Emmanuelle hocha la tête :

— Oui, je sais, dit-elle. Mais elle ne semblait pas tentée.

— Dans le fond, argua-t-elle, les hommes, ce n'est pas toujours si excitant. C'est lourd, c'est dur, ça fait même mal, quelquefois. Et ça ne connaît pas forcément la façon dont les filles aiment le mieux jouir...

Paradoxalement, il n'y avait qu'une sorte de confidence qu'Emmanuelle n'osait faire franchement à la jeune fille. A peine y faisait-elle gauchement, de temps à autre, allusion, sans réussir à deviner si Marie-Anne comprenait ou non. Elle-même parvenait mal à s'expliquer une timidité et une discrétion que rien, dans la conduite de sa visiteuse, ne paraissait pourtant justifier. Aussitôt arrivée, Marie-Anne se déshabillait : elle n'avait même fait aucune difficulté pour retirer son chemisier lorsque Emmanuelle le lui avait suggéré, et les deux filles passaient désormais leur rendez-vous toutes nues, sur la terrasse entourée de feuillage. Néanmoins, l'émotion qu'en ressentait Emmanuelle ne se traduisait que par la multiplication des caresses qu'elle pratiquait sur elle-même : elle n'osait toucher son amie, ni l'inviter à la toucher, bien qu'elle le désirât au point d'en perdre le sommeil. Une étrange pudeur, une étrange impudeur se disputaient son âme. Elle en venait à se demander — confusément, toutefois, et en se refusant à y réfléchir trop à fond — si cette insolite réserve n'était pas en réalité un raffinement supérieur et nouveau inventé à son propre insu par l'intuition de ses sens et si la privation du corps de Marie-Anne qu'elle s'infligeait de la sorte, contre tout instinct et toute raison, n'avait pas finalement une saveur plus subtile, un attrait plus pervers que n'en aurait peut-être eu une étreinte physique. Si bien qu'Emmanuelle découvrait, dans cette situation qui aurait dû normalement la faire souffrir — où une petite fille disposait d'elle selon son caprice, sans rien concéder en retour aux goûts de sa partenaire —, une source imprévue de délectation sensuelle.

De même qu'une volupté inconnue surgissait ainsi de la frustration de celui de tous les désirs charnels qui lui avait de tout temps paru le plus naturel et auquel elle avait attaché le plus de prix, une autre valeur érotique lui était révélée par l'effet du secret remarquable que sa petite amie gardait sur sa propre vie sexuelle. Emmanuelle se rendait compte, en constatant la facilité avec laquelle elle se résignait à ne rien — ou presque rien — savoir de Marie-Anne, qu'elle éprouvait plus de plaisir cérébral et physique à offrir à une autre le spectacle de la luxure qu'elle n'en aurait eu à être spectatrice. Et, si elle était chaque jour impatiente de retrouver son amie, c'était moins, désormais, pour l'excitation de la contempler nue ou d'être témoin de ses jeux lascifs que pour celle, infiniment plus scandaleuse et, par conséquent, plus délicieuse, de se caresser elle-même, allongée sur sa chaise longue, sous le regard d'attention de Marie-Anne. Celle-ci partie, le charme n'était pas pour autant rompu : Emmanuelle revoyait en pensée les yeux verts fixés sur son sexe et, jusqu'au soir, continuait de se masturber.

Le mercredi qui suivit la première rencontre, Emmanuelle fut invitée à prendre le thé chez la mère de Marie-Anne. Elle trouva, dans le salon prétentieusement meublé, une dizaine de « dames », qui lui parurent aussi parfaitement insignifiantes les unes que les autres. Elle regrettait déjà de ne pouvoir être seule avec sa confidente, qu'elle voyait sagement assise sur le tapis, toute à ses devoirs de petite fille modèle, lorsque son intérêt fut ranimé par l'arrivée d'une jeune femme très élégante, à première vue aussi déplacée qu'elle-même dans cette assemblée.

La nouvelle venue rappelait à Emmanuelle les mannequins parisiens qu'elle avait aimés. Elle avait d'eux la taille élancée, l'impondérable lassitude, la distance illusoire et les plis de pierre. La bouche entrouverte « comme une rose », les sourcils d'ambre, soulevés au-dessus des yeux démesurés, la courbe câline des cils modelaient sur ce visage une ingénuité si improbable qu'elle en prenait l'allure d'une bravade. Emmanuelle se disait avec intolérance qu'elle était sans doute la seule, en cet endroit, qui, par ce qu'elle appelait son « expérience », pût comprendre ce qu'avait en réalité de modeste une recherche si absolue, de méritoire une conception si exigeante du devoir de beauté, d'ensorcelant tant de passion cachée sous le détachement du regard de nacre. Elle se souvenait d'avoir ainsi découvert, sur le masque de ses amies, « emprunté aux plus fiers monuments », ce qu'avait voulu dire Baudelaire en condamnant « le mouvement qui déplace les lignes ». Les déesses d'albâtre se sont faites chair, mais l'homme a gardé le désir des statues, l'homme qui ne croit que dans les paradis inaccessibles et dans les dieux inanimés, et la chair adorée est redevenue pierre.

Cette évocation se chargeait en ce moment, pour Emmanuelle, d'une émotion ambiguë, où avaient également part la saveur encore proche de ses emballements d'écolière et les vertiges plus adultes des salons d'essayage. Elle pensait qu'elle-même aimerait à devenir œuvre d'art, qu'arrivée à Bangkok comme une glaise il serait bon qu'elle y trouvât forme (elle songeait moins à la forme du corps — dont elle n'avait pas de raisons de vouloir changer — qu'à celle de l'esprit). Et, bien qu'elle ne se représentât pas concrètement en quoi consisterait cet accomplissement, elle souhaitait que sa vie devînt un jour quelque chose de précieux et de réussi comme l'était la coupe compliquée de ces cheveux d'airain, de triomphant comme ces yeux gris, et de dédaigneux du jugement des foules comme ce tailleur dont le dessin défiait les lignes du corps et dont l'encolure ne semblait pouvoir tenir fermée qu'au prix d'un difficile geste du bras, qu'il était néanmoins tentant d'imaginer sans autre signification que celle d'attester, par un mouvement de frilosité sous ce climat torride, la déroute des éléments et la faillite des conventions en face de la souveraine fantaisie de l'humeur des femmes.

Avant que sa mère n'ait eu le temps de présenter l'arrivante, Marie-Anne se leva et attira Emmanuelle dans un coin du salon, où on ne pouvait les entendre.

— J'ai un homme pour toi, dit-elle, avec l'expression de satisfaction que donne une mission remplie.

Emmanuelle ne put s'empêcher de pouffer :

— En voilà une nouvelle ! Et tu as une manière d'annoncer ça ! Qu'est-ce que c'est, « un homme pour moi » ?

— C'est un Italien, très beau. Je le connais depuis longtemps, mais je n'étais pas encore sûre qu'il fût ce qu'il te fallait. J'ai réfléchi. C'est bien lui dont tu as besoin. Tu dois faire sa connaissance sans perdre de temps.

Cette note d'urgence, bien dans le genre de Marie-Anne, égaya une fois de plus Emmanuelle. Elle n'était pas du tout certaine que le candidat, quel qu'il fût, était « ce qu'il lui fallait », mais elle ne voulait pas décevoir sa tutrice. Elle fit de son mieux pour témoigner de l'intérêt à son projet, à défaut de reconnaissance pour sa sollicitude :

— Comment est-il, ton bel homme ? demanda-t-elle.

— Tout à fait marquis florentin. Tu n'en as sûrement jamais rencontré d'aussi bien. Mince, grand, avec un nez d'aigle, des yeux noirs, perçants et profonds, un teint sombre, le visage osseux...

— Eh bien !

— Quoi ? Ne me crois pas, si tu préfères. Mais je suis tranquille que tu riras moins bêtement quand tu le verras. Lui aussi est né sous le signe du Lion.

— Qui d'autre ?

— Ariane et moi.

— Ah ! Alors...

— Mais il a les cheveux noirs et brillants, comme les tiens. Avec juste assez de mèches argentées pour que cela ait du chic.

— Des cheveux gris ! Mais c'est un vieux !

— Naturellement. Il a l'âge qui convient pour toi : exactement le double du tien, trente-huit ans. C'est pourquoi je te dis qu'il faut te dépêcher : l'année prochaine, tu seras trop vieille. D'ailleurs, l'année prochaine, il ne sera plus là.

— Qu'est-ce qu'il fait à Bangkok ?

— Rien. Il est très intelligent. Il se promène à travers le pays, il connaît tout. Il va fouiller les ruines, il étudie l'âge des bouddhas. Il a même trouvé au musée des choses que le bonhomme qui en a la garde n'y avait jamais vues. Je crois qu'il écrit un livre là-dessus. Mais, comme je te le disais, il ne fait surtout rien.

Emmanuelle interrompit brusquement Marie-Anne :

— Dis-moi, qu'est-ce que c'est que cette fille fantastique ?

— Fille fantastique ?

— Oui, celle qui vient d'arriver.

— Arriver où ?

— Mais *ici*, Marie-Anne ! Es-tu devenue stupide ? Là, regarde, droit devant toi...

— C'est de Bi dont tu veux parler ?

— Qu'est-ce que tu dis ?

— Je dis *Bi*. C'est plutôt toi qui es dérangée.

— Elle s'appelle Bi ? Quel drôle de nom !

— Oh ! ce n'est pas un nom. En anglais, cela veut dire abeille. Ça s'écrit *b*, deux *e*. Moi, je préfère l'écrire *b, i*. C'est plus clair.

— Mais elle, comment l'écrit-elle ?

— Comme je le lui dis.

— Tout de même, Marie-Anne !

— Tu penses bien que ce n'est pas son vrai nom. C'est moi qui lui ai donné celui-là. Maintenant, tout le monde a oublié l'autre.

— Dis-le-moi tout de même.

— Qu'est-ce que ça peut te faire ? Tu n'arriverais pas à le répéter, c'est un machin imprononçable, un nom anglais complètement grotesque.

— Je ne peux quand même pas non plus l'appeler Bi ?

— Tu n'as pas besoin de l'appeler.

Emmanuelle regarda Marie-Anne avec étonnement, hésita, puis se contenta de demander :

— Elle est anglaise ?

— Non, américaine. Mais, rassure-toi, elle parle français comme toi et moi. Elle n'a même pas d'accent, ça manque de pittoresque.

— Elle n'a pas l'air de trop te plaire.

— Elle ? C'est ma meilleure amie !

— Ça, alors ! Pourquoi ne m'as-tu jamais parlé d'elle ?

— Je ne peux pas te parler de toutes les filles que je connais.

— Mais si tu aimes tant celle-ci, tu aurais pu au moins m'en dire un mot.

— Qu'est-ce qui te fait supposer que je l'aime tant ? C'est mon amie, c'est tout. Ce n'est pas forcément quelqu'un que j'aime.

— Marie-Anne !... Comment veux-tu qu'on comprenne quelque chose à ce que tu racontes ? La vérité, c'est que tu ne veux rien me dire de ce qui te concerne. Et tu ne veux pas que je connaisse tes amies. Tu es jalouse, ou quoi ? Tu as peur que je te les prenne ?

— Je ne vois pas ce qu'il pourrait y avoir d'utile pour toi à perdre ton temps avec une bande de filles.

— Tu me fais rire, à la fin ! Mon temps n'est pas si précieux. A t'entendre, on croirait vraiment que mes jours sont comptés !

— Eh !

Marie-Anne semblait si sérieusement le penser qu'Emmanuelle en fut troublée. Elle protesta :

— Je ne me sens pas encore décrépite.

— Oh ! tu sais, ça vient vite.

— Et cette Bi, cette *Bee* — je trouve plus jolie l'orthographe anglaise, ça veut au moins dire quelque chose — a-t-elle, elle aussi, un pied dans la tombe, selon tes calculs ?

— Elle a vingt-deux ans et huit mois.

Emmanuelle demanda encore :

— Est-ce qu'elle est mariée ?

— Même pas.

— Alors, elle est encore plus vieille fille que moi ? Qu'est-ce qu'elle doit entendre !

Marie-Anne ne fit pas de commentaires.

— Tu n'as pas l'intention de me la présenter, si je comprends bien ? reprit Emmanuelle.

— Mais tu n'as qu'à venir ! Au lieu de débiter des âneries.

Marie-Anne fit un signe à Bee, qui s'avança à leur rencontre.

— Voilà Emmanuelle, dit Marie-Anne, comme elle aurait révélé l'auteur d'un mauvais coup.

Les grands yeux gris, vus de près, donnaient une impression d'intelligence et de liberté. Bee ne devait pas davantage se soucier de dominer autrui que se laisser aisément régenter elle-même. Emmanuelle pensa, à part soi, que Marie-Anne avait sûrement du fil à retordre avec celle-ci. Elle se sentit vengée.

Elles échangèrent d'inoffensives banalités. La voix de la nouvelle venue allait bien avec son regard. Le débit en était posé et elle n'hésitait jamais. Une gaieté intime la réchauffait. Emmanuelle se dit que cette femme avait le visage et le ton du bonheur.

Elle voulut savoir à quoi Bee occupait ses journées. Surtout à se promener en ville, semblait-il. Vivait-elle seule à Bangkok ? Non, elle était venue, il y a un an, rendre visite à son frère, qui exerçait les fonctions d'attaché naval auprès de l'ambassade américaine. Elle avait eu d'abord l'intention de ne rester qu'un mois, mais, au bout du compte, elle était toujours là. Elle n'avait aucune hâte de s'en aller.

— Lorsque j'en aurai assez de ces vacances prolongées, dit-elle, je me marierai et je retournerai aux

États-Unis. Je n'ai pas envie de travailler. J'adore n'avoir rien à faire.

— Êtes-vous fiancée ? demanda Emmanuelle.

Cette question lui fit découvrir le rire de Bee. Il était très franc et très joli.

— Vous savez, dans mon pays, on se fiance la veille du mariage ; et, l'avant-veille, on ne sait pas encore avec qui. Comme ce n'est ni demain ni après-demain que j'ai l'intention de me retirer, je serais bien embarrassée de vous dire quel choix je ferai.

— Mais, se marier, ce n'est pas forcément se retirer, protesta Emmanuelle.

Bee eut un sourire indulgent. Elle fit simplement : « Oh ! » avec une intonation de doute. Elle ajouta :

— Ce n'est pas un mal de se retirer.

Emmanuelle faillit demander : se retirer de quoi ? Mais elle eut peur d'être indiscrète. Ce fut Bee qui s'enquit :

— Vous êtes contente de vous être mariée si jeune ?

— Oh ! oui, dit Emmanuelle. C'est sûrement ce que j'ai fait de mieux dans ma vie.

Bee sourit de nouveau. Emmanuelle fut saisie par l'impression de bonté qui émanait d'elle. La beauté d'émail du visage (que l'on aurait dit pur de tout fard — mais, pour mener à bien si parfaite simulation de la nature, Emmanuelle savait quelle application et quelle patience il avait fallu et combien d'heures de savant maniement des pinceaux et des crèmes), avec ce qu'elle avait de presque gênant par son excès de perfection, s'oubliait dès que l'enjouement perçait à travers elle comme le soleil à travers un vitrail. L'on n'avait plus alors envie de dire : comme cette femme est belle ! mais : comme elle a l'air sympathique ! Emmanuelle, cependant, préférait encore penser : comme elle semble heureuse ! Elle sentait que cet état les rapprochait, car elle avait conscience d'être elle-même heureuse. Et le malheur l'effrayait au point qu'elle était incapable d'aimer sincèrement quiconque étalait complaisamment ses souffrances, se plaignait. Elle avait parfois honte de ce trait de son caractère, bien qu'il ne dénotât pas la dureté du cœur, mais seulement une passion ombrageuse, presque obsédante, de la beauté.

Pendant que Marie-Anne faisait la conversation aux dames, Emmanuelle ne quitta pas Bee. Elles ne parlèrent de rien d'important, mais il était clair qu'elles trouvaient l'une et l'autre plaisir à être ensemble. Emmanuelle était même assez contente que sa petite amie la négligeât. Lorsque Jean vint la chercher, elle regretta de devoir partir. Marie-Anne lui jeta, d'un ton affairé, en lui disant au revoir : « Je t'appellerai ! » Emmanuelle pensa, trop tard, qu'elle-même aurait bien dû demander son numéro de téléphone à Bee. Elle était si consternée par cet oubli qu'elle ne parvenait pas à répondre aux questions de son mari.

Emmanuelle, sans pouvoir s'expliquer exactement pourquoi, appréhendait de revoir Ariane. Plutôt que de risquer de la rencontrer au Sports Club, elle renonça à ses séances de natation matinales. Elle avait demandé à Jean ce qu'il pensait de la jeune comtesse et il avait répondu qu'il la trouvait très belle fille. Il aimait sa fougue et son absence de chichis. Avait-il fait l'amour avec elle ? avait voulu savoir Emmanuelle. Non, mais, si l'occasion s'en était présentée, il n'aurait pas demandé mieux. Emmanuelle, qui était généralement plutôt fière que son mari eût du succès auprès d'autres femmes, sentit cette fois-ci — contre toute logique, puisque, en fait, il n'en avait pas eu auprès d'Ariane — un violent pincement de jalousie, dont elle s'efforça de ne rien laisser voir à Jean, mais toute la journée lui en parut empoisonnée.

Peu de temps après cette conversation, elle reçoit un coup de téléphone d'Ariane. Celle-ci lui dit qu'elle est hébétée par la pluie qui tombe depuis deux jours, mais elle vient d'avoir une « idée géniale ». Elle va apprendre le squash à Emmanuelle. Qu'est-ce que c'est ? Une sorte de tennis auquel, justement, l'on peut jouer même quand il pleut, parce qu'il se pratique sous un toit. Emmanuelle va adorer ça. Ariane apportera des raquettes et des balles ; tout ce qu'Emmanuelle a à faire est de passer un short, se chausser d'espadrilles et la retrouver au Sports Club dans une demi-heure.

La comtesse avait raccroché avant qu'Emmanuelle ait eu le temps d'inventer une excuse. Elle se dit qu'après tout ce sport, dont elle n'avait jamais entendu parler jusque-là, risquait d'être amusant, et elle se prépara d'assez bonne grâce.

Lorsqu'elles se rencontrèrent au club, les deux femmes découvrirent qu'elles étaient habillées de la même façon : pull-overs de coton jaune au-dessus de short noirs. Elles s'esclaffèrent.

— Portez-vous un soutien-gorge ? s'enquit Ariane.

— Jamais, protesta Emmanuelle. Je n'en possède pas un seul.

— Bravo ! s'enthousiasma sa compagne, qui saisit des deux mains par la taille et décolla légèrement du sol Emmanuelle éberluée : elle ne s'était pas imaginé qu'Ariane fût si forte.

Cette dernière proclamait :

— Ne croyez pas un mot de toutes ces sornettes, au sujet du tennis ou du cheval qui font tomber les seins si on ne les ficelle pas dans des sacs à malice. C'est juste le contraire. Le sport les fortifie et, plus on leur mène la vie dure, plus ils deviennent fermes. Vous n'avez qu'à voir les miens.

Elle releva son pull, au milieu du terre-plein, où circulaient d'autres joueurs. Emmanuelle ne fut pas la seule à pouvoir admirer le buste de chasseresse.

Elle trouva qu'un court de squash était, à première vue, la chose la plus banale du monde : un plancher, quatre cloisons de bois et un toit. De la galerie d'où elle le découvrait, cela lui apparaissait comme une sorte de fosse. Elles y descendirent par une échelle, qui pivota autour de son barreau supérieur pour se plaquer au toit, automatiquement relevé par des ressorts, dès qu'elles eurent posé le pied sur le sol. Pour quitter la fosse, il leur faudrait faire redescendre l'échelle en tirant sur une corde. Ariane expliqua que le jeu consistait à projeter tour à tour une balle de caoutchouc dur contre la cloison, en se servant d'une raquette de faible diamètre et à long manche.

La petite balle noire, sous les smashes d'Ariane, filait si vite qu'Emmanuelle devait courir comme une folle d'un mur à l'autre, riant aux éclats lorsque ses cheveux dénoués lui fouettaient le visage. Au bout d'une demi-heure, elle renvoyait assez brillamment les balles, mais ses jambes se dérobaient sous elle et elle ne trouvait plus son souffle. Son corps entier ruisselait. Ariane donna le signal du repos et rappela l'échelle. D'une sacoche qu'elle avait nouée aux barreaux, elle tira deux serviettes. Elle ôta son maillot ct se frictionna énergiquement, puis s'approcha d'Emmanuelle et se servit du linge sec pour éponger la poitrine et le dos de son amie, qui se laissait faire, haletante. Son pull-over, trempé, était roulé sous ses aisselles, elle n'avait pas le courage de lever les bras pour le retirer. Ariane l'adossa à l'échelle inclinée, sur laquelle Emmanuelle, folâtre, feignit de se laisser crucifier, bras et jambes écartés.

Sa partenaire lui frottait les seins avec légèreté et elle continua bien après qu'ils furent secs. Aux sensations âpres d'essoufflement, de fatigue et de soif qui brûlaient le larynx d'Emmanuelle, était venue s'ajouter une congestion qui n'était pas sans agrément. Soudain, Ariane laissa tomber le linge éponge et, glissant les bras sous ceux de son élève, s'allongea contre elle de tout son corps. Emmanuelle sentit des pointes de seins chercher les siennes (dès qu'elles les eurent trouvées, elle s'abandonna au plaisir, trop grand pour qu'elle y pût résister) et un pubis actif qui la pressait à travers le tissu des shorts. Sa position renversée rattrapait les quelques centimètres de taille qu'elle avait de moins, de sorte que leurs bouches étaient exactement à la même hauteur. Ariane l'embrassa comme Emmanuelle ne l'avait jamais été : très profondément, explorant tour à tour, sans négliger la moindre surface, ses lèvres, sa langue, toutes les anfractuosités et saillies de sa bouche, son palais, ses dents, pendant si longtemps qu'elle ne sut jamais si ce baiser avait duré des minutes ou des heures. Elle ne sentait plus la soif qui, tout à l'heure, irritait sa gorge. Elle remuait doucement, pour que son clitoris pût s'épanouir, durcir et chercher refuge dans la solidité de l'autre ventre. Lorsque l'érection en fut si forte qu'Emmanuelle n'était plus qu'un énorme bourgeon près d'éclater, elle serra entre ses jambes, sans même s'en rendre compte, une des cuisses d'Ariane, contre laquelle elle commença de frotter son sexe, d'un souple mouvement de tout son bassin. Ariane la laissa faire pendant quelques minutes, sachant qu'Emmanuelle avait besoin de cet exutoire à la tension excessive de ses sens. Puis elle retira ses lèvres et regarda sa cadette avec ce rire qu'elle avait si souvent et qui semblait traduire la joie d'avoir fait une bonne blague. Emmanuelle fut en même temps gênée par ce regard et rassurée de constater qu'Ariane mettait si peu de sentimentalité dans leurs enlacements. Elle avait envie d'être encore embrassée ; et elle n'avait pas envie que les seins d'Ariane la quittassent. Mais celle-ci la prit brusquement au-dessus des hanches, comme elle l'avait fait au moment de leur arrivée et, d'un coup de reins athlétique, elle la souleva le long de l'échelle. Les talons d'Emmanuelle s'accrochèrent à un barreau. Elle crut qu'Ariane voulait embrasser ses seins, mais la meneuse de jeu gardait la tête à distance et ses yeux moqueurs ne se détachèrent pas de ceux de sa victime. Avant qu'Emmanuelle ait le temps de se faire une idée nette de ce qui lui arrivait, la main d'Ariane s'était insinuée par la jambe de son short et, déjà, prenait possession de son sexe humide.

Les doigts d'Ariane étaient aussi adroits, exercés et efficaces que sa langue. Ils effleurèrent le clitoris, puis d'eux d'entre eux, serrés l'un contre l'autre, s'enfoncèrent résolument au plus profond de la chair, étirant les parois de la muqueuse, massant la protubérance résistante de la matrice, déployant une activité, un discernement admirables. Emmanuelle se laissa entraîner dans l'orgasme sans résistance, rassemblant seulement ses forces pour jouir le plus possible, s'ouvrant et se tendant au-devant de la main qui la fouissait. Elle eut la sensation qu'une lave débordait d'elle et coulait, épaisse et chaude, le long d'Ariane. Lorsqu'elle glissa enfin, inconsciente, le long de l'échelle, son amie la recueillit dans ses bras et la pressa contre elle. Si Emmanuelle avait pu voir à ce moment les yeux d'Ariane, elle aurait peut-être été surprise de découvrir qu'ils ne se moquaient plus.

Toutefois, quand Emmanuelle revint à elle, sa partenaire avait retrouvé son espièglerie et son entrain ordinaires. Elle la tenait par les épaules, à bout de bras. Elle demanda, en éclatant de rire, mais gentiment :

— Est-ce qu'il te reste assez de jambes pour remonter l'échelle ?

Emmanuelle éprouva tout d'un coup une confusion intense et elle baissa un visage d'enfant boudeur. L'autre lui prit le menton entre les doigts pour le relever. Elle était de nouveau toute proche.

— Dis-moi, murmura-t-elle d'un ton grave, presque étranglé, qu'Emmanuelle ne lui avait jamais connu, est-ce que d'autres femmes t'ont déjà fait cela ?

Emmanuelle restait extérieurement impassible, mais, en réalité, son esprit était en proie à un désarroi qu'elle-même avait du mal à comprendre. Elle prit le parti de faire la sourde oreille. Cependant, Ariane insistait, impérieuse et enjôleuse tout à la fois :

— Réponds ! N'as-tu encore jamais fait l'amour avec des femmes ?

Image du respect humain et du mauvais vouloir, Emmanuelle s'entêtait dans son silence. Ariane se rapprocha et ses lèvres bougèrent contre celles de son amie.

— Viens chez moi, souffla-t-elle. Tu veux bien ?

Mais Emmanuelle secoua négativement la tête.

Ariane garda un long moment le menton rebelle dans sa main, mais elle ne dit plus rien. Lorsque, finalement, elle s'écarta, rien, dans son regard enjoué et sa moue gamine, ne laissait deviner si elle avait été déçue par le refus d'Emmanuelle et si elle lui en voulait.

— Grimpe, dit-elle, après lui avoir chatouillé le bout du nez.

Emmanuelle se retourna et escalada les échelons. Ariane la suivit. Emmanuelle fit redescendre jusqu'à la taille son tricot, toujours mouillé.

— Oh, tu as laissé ton pull en bas ! remarqua-t-elle. Et elle offrit aussitôt : Veux-tu que j'aille le chercher ?

(Elle s'aperçut, après coup, qu'elle venait de tutoyer Ariane pour la première fois.)

Mais celle-ci eut un geste de dédain souverain :

— Laisse ! Ça n'en vaut pas la peine ; il est complètement fichu.

Elle jeta une serviette sur ses épaules, sans se préoccuper de la croiser sur sa poitrine. Elle balançait d'une main les raquettes et son sac de toile bariolée, comme toutes deux marchaient vers le garage. De l'autre, elle tenait la main d'Emmanuelle. Des groupes leur firent signe au passage, elle leur rendit gaiement leur salut, découvrant encore un peu plus la nudité de ses seins. Emmanuelle avait tout d'un coup l'impression que la terre entière les regardait. Elle ne se sentait plus que pudeur et alarme. Elle avait hâte de se séparer d'Ariane et était déterminée, une fois de plus, à ne pas la revoir.

Arrivées devant leurs voitures, Ariane lâcha la main de sa compagne et lui fit face, tandis qu'elle nouait enfin devant elle les pans de sa serviette. Elle la regardait avec une expression d'interrogation et d'attente, dont l'éloquence ironique n'avait pas besoin de paroles. De nouveau, Emmanuelle baissa la tête ; son embarras, le désordre de ses pensées n'étaient pas feints. Ariane n'insista pas le moins du monde. Elle se pencha et embrassa légèrement son amie sur la joue.

— A bientôt, mon cabri, dit-elle allégrement.

Elle sauta dans l'auto et démarra en faisant un geste d'adieu.

Lorsqu'elle fut partie, Emmanuelle regretta de n'avoir rien fait pour la retenir. Elle aurait voulu voir encore ses seins. Surtout, elle aurait voulu les sentir sur elle. Elle avait tout d'un coup envie d'être nue et qu'Ariane fût nue et étendue de tout son long sur elle, toutes les deux très nues, plus nues qu'elles ne l'avaient jamais été. Elle avait envie de ses seins contre ses seins et de son sexe contre son sexe. Et elle avait envie d'être caressée par des mains de femme, par des jambes, des lèvres, un corps de femme... Si Ariane était revenue à ce moment-là sur ses pas, ah ! comme Emmanuelle se serait donnée à elle.

*
* *

Christopher arriva ce même jour. Il était beaucoup plus beau que ses photos, avait l'allure et le rire ouvert d'un joueur de rugby anglo-saxon ; ses cheveux blonds rudement peignés semblaient lutter contre une trombe d'air. Emmanuelle se sentit tout de suite en confiance, ainsi qu'auprès d'un très ancien ami. Faisant les honneurs de son jardin, elle passa un bras sous le bras de son mari, l'autre sous celui de Christopher. Elle disputait par avance à Jean la compagnie de l'arrivant :

— Tu ne vas pas faire travailler Christopher tout le temps ! Je veux l'emmener sur les *khlongs,* lui montrer le marché aux voleurs...

— Mais c'est que je ne suis pas ici en vacances, se défendait Christopher, enchanté.

Le double plaisir de retrouver Jean et de le découvrir si bien marié donnait pour lui à ce dimanche les dehors les plus fastes. Il ne cachait pas l'admiration que lui inspirait Emmanuelle :

— Ce forban de Jean a vraiment trop de chance ! s'écria-t-il en couvrant son hôtesse d'un regard d'enthousiasme. Il n'a rien fait pour mériter ça !

— Heureusement, plaisanta-t-elle. J'aurais horreur d'un mari méritant !

Ils veillèrent tard, joyeux et bruyants, ne se couchèrent que lorsque le sommeil triompha d'Emmanuelle, lui fermant les yeux dans le fauteuil où elle s'était lovée, sous la bougainvillée qui recouvrait la terrasse du rez-de-chaussée. Il ne pleuvait pas. Les crapauds-buffles s'étaient tus. Les étoiles avaient leur couleur de saison sèche. Le milieu d'août offre souvent de ces répits trompeurs.

*
**

Emmanuelle dort nue. Mais, pour déjeuner avec Jean sur le large balcon de leur chambre, elle revêt une des petites chemises de nuit très courtes dont elle a (en partie pour le plaisir de l'essayage) acquis un grand nombre avant son départ de Paris. Celle qu'elle porte ce matin est transparente et plissée, et la teinte en est presque identique à celle de sa peau. L'ourlet n'en descend pas plus bas que l'aine. Trois boutons la ferment à la taille. Le souffle le plus léger la soulève. Emmanuelle soudain se met à rire.

— Grands dieux ! J'avais oublié que nous avions un invité. Je ferais mieux de mettre quelque chose d'un peu plus habillé.

Et elle s'apprête à se changer. Mais Jean intervient :

— Absolument pas, édicte-t-il. Tu es bien mieux comme cela.

Elle n'a pas d'objection, au fond, à se montrer dans cette tenue, habituée depuis longtemps à être vue nue par toutes sortes de gens. A cet égard, l'attitude de son mari prolonge celle de son enfance. L'idée qu'elle dût passer une robe de chambre pour paraître devant eux aurait été jugée absurde par ses parents autant que par elle-même. Elle a acheté des chemises de nuit après son mariage par coquetterie et non par pudeur.

Christopher, lui, est moins à l'aise que ses hôtes. Assis en face d'Emmanuelle, il ne peut détacher les yeux des seins que le soleil anime à travers le plissage : leurs pointes le trouent d'une tache de sang. Lorsqu'elle se lève et lui apporte des biscuits, des fruits, du miel, la brise matinale entrouvre jusqu'au nombril la lingerie ajourée et le triangle d'astrakan s'approche de lui, si près de son visage qu'il peut en respirer le parfum de muguet.

Il n'ose porter la tasse de thé à ses lèvres, de peur que ses mains ne tremblent. Il pense avec affolement : « Que deviendrai-je si je dois me lever ? Ou si quelqu'un vient retirer la nappe ? »

Emmanuelle, par bonheur, retourne dans sa chambre avant que les hommes n'aient achevé d'avaler leurs tartines. Christopher a ainsi le temps de se ressaisir.

**
*

Ils ne devaient être de retour qu'à l'heure du dîner. Emmanuelle n'eut pas envie de rester seule chez elle tout le jour. Elle prit sa voiture et partit vers le centre de la ville. Une heure durant, elle roula sans but précis, s'égarant souvent, s'arrêtant parfois pour entrer dans un magasin, ou se perdant dans la contemplation horrifiée d'un lépreux : assis sur le trottoir, il se déplaçait à reculons, prenant appui sur ses poignets rongés et traînant sur le sol souillé des moignons de cuisses. Emmanuelle fut si bouleversée par ce spectacle qu'elle ne pouvait remettre le moteur en marche. Elle restait là, paralysée, ayant oublié où elle voulait aller et les manœuvres qu'il fallait faire, avec ses pieds entiers, ses mains saines et fragiles. En même temps, sa conscience lui fait honte de son trouble :

« En ayant peur de cet homme, je l'exclus, reconnaissait-elle. Je me conduis aussi cruellement que les gens de mon pays qui, naguère, enfermaient les lépreux, les regardaient comme déjà morts, leur faisaient porter des insignes infamants. Les Siamois, eux, sont moins injustes : ils ne traitent pas un malade en coupable. Ils le soignent. Ils ne le fuient pas, ils ne le montrent pas du doigt. Ils ne font pas d'esclandre quand ils le rencontrent dans la rue. Ils lui donnent à manger et à boire. Ils le laissent aller là où il lui plaît de vivre le peu de jours qui lui restent. »

Mais ces reproches ne la secouraient pas. Elle distingua à ce moment, non loin, sortant d'une boutique chinoise, une silhouette qu'elle reconnut. Elle poussa un cri qui résonna comme un appel à l'aide :

— Bee !

La jeune fille se retourna et fit un geste de surprise joyeuse. Elle s'approcha de l'auto.

— Je vous cherchais, dit Emmanuelle.

En même temps, elle se rendit compte que c'était la vérité.

— Eh bien ! vous avez de la chance de m'avoir trouvée, plaisanta Bee. Parce que je ne viens pas souvent de ce côté-là.

« Bien sûr, elle ne me croit pas », pensa tristement Emmanuelle.

— Voulez-vous que nous déjeunions ensemble, toutes les deux ? proposa-t-elle d'une voix de prière si instante que Bee ne sut, pendant un moment, que répondre.

Ce fut Emmanuelle qui poursuivit :

— J'ai une idée ! Venez chez moi. Il y a plein de choses à manger. Et vous ne connaissez pas encore ma maison.

— Ne préféreriez-vous pas que je vous fasse essayer des curiosités locales ? offrit Bee. Il y a, tout près d'ici, un petit restaurant siamois très pittoresque. Je vous y invite.

— Non, non! s'entêta Emmanuelle. Une autre fois. Maintenant que je vous ai, je veux vous emmener avec moi.

— Si vous voulez!

Bee ouvrit la portière et s'assit auprès d'elle.

Emmanuelle s'épanouit. Elle avait brusquement la sensation de s'être retrouvée, sûre de ses désirs, fière de ce qu'elle aimait, aussi incapable de simuler que d'attendre. Il s'en fallait de peu qu'elle ne criât sa joie à tue-tête, tandis qu'elle conduisait au mépris de toute prudence à travers la fourmilière de la ville. Elle riait aux éclats, sans prétexte. Elle semblait lancer des rayons. Un chant d'espérance chantait dans sa tête. O ma terre ferme! O ma belle à l'appel ailé, ô toi ma belle, ma douce belle! O ma terre à l'appel ailé, ô ma belle, ma douce belle! Ma baie promise à l'appel ailé, ma belle, ô ma douce belle! Belle, ma terre, ma baie, mon aile!

Elle tendait les bras avec une tendresse de naufragée, secouant ses lourds cheveux trempés de vagues, baisant avec des sanglots de bonheur le beau rivage de douce terre. Enfin, enfin! Si douce était la terre où la vague la déposait, vêtue de ses cheveux mouillés, si douce à son torse altéré et à ses jambes nues, si accueillante à son corps livré. Tout était oublié de ce qu'elle avait appris et désappris depuis qu'elle avait chaviré d'un monde à l'autre, dans les sortilèges de la nuit d'août. L'aurore de toujours lui dorait les lèvres.

Bee la regardait avec admiration et un peu de perplexité.

L'élégance et le modernisme de la décoration plurent à la visiteuse. Elle fit l'éloge des arrangements de fleurs, talent japonais qu'Emmanuelle avait acquis à Paris; des meubles de céramique; des vasques de pierre translucide garnies de coraux et de coquillages de mer; et du grand mobile forgé qui se dressait au milieu

104

de la pièce, encombrant, provocant, cliquetant de tout son insolite feuillage de fer.

Elles déjeunèrent rapidement. Emmanuelle avait perdu la parole. Son regard de jubilation ne quittait pas Bee.

Puis elles visitèrent le jardin, malgré le soleil brûlant. Emmanuelle guidait son amie par la main à travers les boutures et les plançons, pour lui faire pressentir ce que serait la beauté de son paysage quand ses arbustes auraient fleuri.

Elle cueillit une rose à longue tige et la tendit à Bee. Celle-ci entoura de ses doigts la corolle rouge et la posa contre sa joue. Emmanuelle approcha ses lèvres et donna un baiser à la rose.

Lorsqu'elles retournèrent à la maison, la sueur coulait de leur visage et de leur cou.

— Si nous prenions une douche ? suggéra Emmanuelle.

Bee reconnut que c'était une bonne idée.

Dès qu'elles furent dans sa chambre, Emmanuelle arracha ses vêtements avec autant de hâte que s'ils avaient été en feu. Bee ne commença de se déshabiller que lorsque Emmanuelle eut retiré la dernière pièce de son costume. Elle dit d'abord :

— Quel beau corps vous avez !

Puis, elle défit lentement son col. Lorsqu'elle entrouvrit son chemisier, qu'elle portait directement sur la peau, tout comme Emmanuelle, celle-ci ne put retenir une exclamation : le buste de Bee était pareil à celui d'un garçon.

— Vous voyez comme je suis plate, dit la jeune fille.

Elle n'en semblait nullement humiliée. Elle savourait la surprise d'Emmanuelle. Celle-ci inspectait les pointes roses, si petites et si pâles qu'elles en parais-saient impubères. Bee s'enquit, peu sérieusement :

— Est-ce que vous trouvez cela laid ?

— Oh, non ! Au contraire, c'est merveilleux ! s'écria

Emmanuelle, avec un tel accent de ferveur que son interlocutrice y répondit par un sourire attendri.

— Vous auriez pourtant le droit de vous montrer difficile : vous avez de si admirables seins, remarqua-t-elle. Nous offrons un contraste étonnant, n'est-ce pas ?

Mais Emmanuelle était convertie et fanatique :

— Qu'y a-t-il de si intéressant à avoir de gros seins ? remontra-t-elle. On ne voit que ça sur les couvertures de magazines. Tandis que vous, c'est tellement différent des autres femmes. C'est si joli !

Sa voix s'assourdit un peu :

— Je n'ai jamais rien vu d'aussi excitant, vous savez. Je ne vous dis pas cela pour rire.

— J'avoue que, moi, ça m'amuse assez, dit Bee, qui faisait glisser sa jupe le long de ses jambes. Je n'aimerais sans doute pas avoir une poitrine trop petite ; mais, pas de poitrine du tout, ça a de l'humour, ne croyez-vous pas ? (Elle semblait tout à coup plus loquace. Emmanuelle ne se rappelait pas l'avoir entendue prononcer un aussi long discours.) Pendant longtemps, même, j'ai vécu dans la crainte de voir mes seins se mettre à pousser. J'aurais eu l'impression de perdre toute personnalité. Et je priais chaque soir : « Mon Dieu, faites que je n'aie jamais de vrais seins ! » J'ai été tellement sage que le bon Dieu m'a exaucée !

— Quelle chance ! s'écria Emmanuelle. Ç'aurait été terrible que vos seins grandissent. Je vous aime tellement comme ça !

Elle trouvait aussi les jambes de Bee étonnantes, si longues et de lignes si pures qu'elles semblaient sorties des cartons d'un dessinateur de mode, ne pas être tout à fait vraies. Les hanches étroites, la minceur flexible de la taille ajoutaient de leur côté à l'impression de finesse et de race. Mais ce qui frappa davantage encore Emmanuelle, ce fut, lorsque Bee eut retiré son slip, l'extraordinaire protubérance du pubis rasé. Elle n'en avait jamais vu dont le relief se détachât pareillement du plan du ventre ni qui fût, autant que celui-là, gonflé de sexualité femelle. Elle se disait qu'elle ne connaissait rien au monde de plus aristocratique et de plus provocant. L'absence de poils dégageait l'entaille du sexe qui montait haut et se creusait, profonde et nette, offerte sans équivoque au regard. Le contraste de cette féminité fièrement exposée et du buste d'éphèbe, allié au fait que le corps de Bee était uniformément hâlé (de sorte qu'on ne pouvait s'empêcher de se représenter qu'il avait été exposé tout entier au soleil et que d'autres avaient pu contempler à leur aise cette nudité hermaphrodite), avait l'éclat d'un défi. Et, en dépit de la grâce distante de Bee, le gonflement lisse et fendu de son bas-ventre était si sensuel, se jetait en avant avec un tel mouvement d'invite qu'Emmanuelle sentait son propre sexe fouillé comme par une main. Il fallait, résolut-elle, que Bee fût à elle sur-le-champ, que lui soit ouvert ce sillon voluptueux, cette fente... Oh ! cette fente ! Cette fente, dont la vue la faisait trembler. Cette fente ourlée de corail vivant, cette beauté ! Cette partie la plus belle de tous les corps qu'a pu inventer l'Univers. Ce chef-d'œuvre de ce que, sur terre, la vie a sculpté. Rien, nulle part, ne doit être davantage aimé !...

Elle ouvrit la bouche pour dire à Bee ce qu'elle voulait, mais, au même moment, la jeune fille se tourna vers la salle de bains :

— Et cette douche ? rappela-t-elle.

L'artifice paraissait désormais superflu à Emmanuelle. Elle ordonna, pour couper court au mouvement de Bee :

— Venez sur le lit.

La visiteuse s'arrêta devant la porte, l'air hésitant, puis prit le parti de rire.

— Mais j'ai envie de me rafraîchir, pas de dormir, dit-elle.

Emmanuelle se demanda si Bee pensait vraiment que c'était une invitation à la sieste qu'elle avait reçue, ou si elle ne faisait que feindre l'innocence. Elle croisa son regard à celui de son amie nue et se désespéra de n'y trouver aucun sous-entendu.

Elle rejoignit Bee et ouvrit la porte :

— Alors, nous ferons l'amour sous la douche, dit-elle fermement.

4

CAVATINE, OU L'AMOUR DE BEE

Arrête-toi, instant : tu es si beau !

GOETHE (« *Faust* »).

Je laisserai le lit comme elle l'a laissé, défait et rompu, les draps mêlés, afin que la forme de son corps reste empreinte à côté du mien.

Jusqu'à demain, je n'irai pas au bain, je ne porterai pas de vêtements et je ne peignerai pas mes cheveux de peur d'effacer ses caresses.

Ce matin, je ne mangerai pas, ni ce soir, et, sur mes lèvres, je ne mettrai ni rouge ni poudre, afin que son baiser demeure.

Je laisserai les volets clos et je n'ouvrirai pas la porte, de peur que le souvenir resté s'en aille avec le vent.

Pierre LOUŸS
(« *Les Chansons de Bilitis* »,
« Le passé qui survit »).

LA salle de bains est équipée de plusieurs sortes de douches. L'une est fixée au plafond, une autre au mur, une troisième, plus petite, au bout d'un long tuyau annelé, que l'on peut tenir à la main et orienter à son gré. L'une près de l'autre sous les pluies croisées, les deux femmes poussent des cris frileux. Pour protéger ses cheveux, Emmanuelle les a relevés sur le sommet de la tête et cet édidice la fait paraître de la même taille que sa compagne.

Elle dit à Bee qu'elle va lui montrer à quoi sert la douche flexible. Elle prend le tuyau dans sa main droite, entoure de son bras gauche les hanches de son amie et lui ordonne d'entrouvrir les jambes.

Bee obéit. Emmanuelle dirige obliquement, de bas en haut, le jet tiède vers le sexe de son invitée, puis l'en approche peu à peu, tantôt lui imprimant des tremblements rythmés, savants, immodérés comme le sont ceux de ses doigts quand ils droguent son clitoris, tantôt un mouvement de spitale. Elle connaît à fond les règles de ce jeu. L'eau retombe en cascade entre les jambes de Bee. Emmanuelle relève les yeux :

— Est-ce bon ? interroge-t-elle.

Bee a l'air de trouver la question incongrue : elle hésite un moment, paraît vouloir en faire la remarque, se ravise, finalement se contente d'incliner affirmativement la tête. L'instant d'après, elle avoue pourtant :

— Oui, très bon.

Sans cesser de diriger la douche d'une main sûre, Emmanuelle penche le buste et prend une des petites pointes de seins dans sa bouche. Elle sent que Bee pose une main sur ses cheveux, est-ce pour la repousser ? estce pour la presser contre elle ? Emmanuelle serre entre ses lèvres le mamelon de poupée, le provoque du bout de sa langue, le suce. Il devient tout de suite dur, fait plus que doubler de grosseur. Elle se redresse, triomphante :

— Vous voyez...

Mais elle se tait : les traits de Bee ont perdu leur masque de sérénité. Les beaux yeux gris sont plus immenses encore, les lèvres ont augmenté d'épaisseur et d'éclat. Le visage presque enfantin, purifié, une Bee qu'Emmanuelle ne connaissait pas jusqu'alors, bouleversante d'intensité et de beauté, jouit sans un cri, sans un frisson, sans que le rythme de son corps trahisse la violence de son plaisir.

L'extase se prolonge si longtemps qu'Emmanuelle se demande si son amie est encore consciente de sa présence. Puis, peu à peu, l'expression merveilleuse s'efface et Emmanuelle est triste que cette volupté ne puisse durer toujours. Elle est si intimidée par la transfiguration dont elle a été témoin qu'elle n'ose parler. Bee lui sourit.

Emmanuelle passe les bras autour du cou de son amie et embrasse ses lèvres. Elle gémit de plaisir lorsque le corps de Bee se soude au sien : la fraîcheur ruisselante de leurs deux peaux est, à elle seule, une caresse. Elle l'enlace étroitement, frotte lentement son pubis contre le sien.

Bee devine quel plaisir cherche Emmanuelle ; elle cajole ses reins, appuie doucement sur ses fesses, l'ente sur son ventre. Dans sa bouche qui s'ouvre, une saveur singulière pénètre, juteuse et douce comme un fruit exotique. Elle sent le spasme qui monte dans le beau corps qu'elle tient contre elle. Elle l'aide de tout son pouvoir. Elle entend sur ses lèvres murmurer des mots qui ont le son de l'amour.

— Emmanuelle est intelligente, curieuse de tout et toujours de bonne humeur. Mais ce n'est pas pour cela que je l'ai épousée, dit Jean à Christopher, dans la jeep qui creuse deux ornières rouges.

La sueur poisse leur peau, la lourdeur de l'air leur enflamme la gorge. Ils franchissent un petit pont : des garçons et des filles jouent dans l'eau, s'éclaboussant avec des rires criards.

— Regarde. N'est-ce pas de l'Orient de cinéma ?

Jean arrête le moteur. Ils descendent vers l'arroyo et se rafraîchissent le visage. Les enfants sautent d'enthousiasme, les montrant du doigt, piaillant en chœur :

— *Farang ! Farang !*

— Qu'est-ce qu'ils disent ? s'inquiète Christopher.

— Juste : « Européens ! Européens ! » Comme les gosses de chez nous crient : « Chinois ! Chinois ! »

Une fillette, dont les cheveux mouillés caressaient les épaules de longues langues noires, vint à eux. Elle avait ramassé à terre un sarong bleu vif, qui tranchait sur l'ambre de sa peau, et le nouait autour de sa taille, comme elle avançait.

— *Than yâk sü som-ô maï tja ?* questionna-t-elle, en adressant aux étrangers un sourire charmeur.

— Je ne sais pas ce qu'elle nous veut, confessa Jean.

La petite fille désigna d'un geste une corbeille d'énormes pamplemousses, posée à l'abri d'un arbre-à-pain.

— Ah ! je vois. Elle nous offre des pomélos. Ce ne serait pas une mauvaise idée.

Jean agita affirmativement le chef, articulant :

— *Ao ko daï !*

L'enfant courut vers le panier, revint avec un fruit plus gros que sa tête. Elle leva une main dont les cinq doigts étaient écartés :

— *Hâ baht.*

— D'accord, mignonne, dit Jean.

Il lui tendit un billet de cinq ticaux, qu'elle examina avec soin.

— Nos comptes sont bien en ordre ? demanda Jean.

— *Kha !*

Elle n'était nullement embarrassée par cette conversation bilingue. Christopher s'en étonna.

— Comprend-elle le français ?

— Pas même en songe. Mais cela n'interdit pas un brin de causette.

La petite souleva le fruit à la hauteur de son visage, avec une expression d'interrogation :

— *Pok haï maï tja ?*

Jean écarta les bras en signe d'incompréhension. La main libre de l'enfant décrivit autour de l'écorce grenue des orbes imaginaires, puis fit le geste de peler.

— Ah ! mais oui, pourquoi pas ? acquiesça Jean. Ce serait gentil de ta part, ça.

Elle retourna à son panier, y prit un tout petit couteau à lame de bronze courbe et effilée, puis s'assit, le pamplemousse posé sur sa jupe, que tendaient ses jambes croisées.

Les deux hommes s'installèrent sur l'herbe, vis-à-vis d'elle.

— Puisque tu n'as pas épousé Emmanuelle pour son esprit, comme tu dis, je suppose que c'est pour sa beauté ? relança Christopher. On le conçoit.

— Peut-être, mais cela n'aurait pas suffi à me séduire.

— Alors ? Qu'est-ce qui t'a conquis ? Ses talents ménagers ?

— Non, son génie charnel. Je ne connais personne au monde qui aime autant faire l'amour. Et qui le fasse aussi bien.

Christopher fut choqué. Ce genre de confidence lui paraissait de mauvais goût. Pourtant, il brûlait d'en entendre davantage.

— Tu as sûrement de la chance, dit-il, avec quelque effort. Mais ne cours-tu pas aussi des risques ? Ce… comment l'appelles-tu ?… ce don qu'elle a — d'autres peuvent le deviner… Être tentés… Chercher à profiter d'elle. Vouloir te la prendre.

— On ne peut pas me prendre ce qui n'est pas à moi, dit Jean, d'un ton d'évidence. Elle n'est pas mon bien. Elle n'est pas ma beauté.

Le visage de Christopher refléta l'incompréhension. Jean ajouta :

— Je ne l'ai pas épousée pour la priver.

La fillette tendit des tranches de pamplemousse sur ses paumes jointes. Jean en accepta une, après un petit salut de la tête, et la dégusta avec un plaisir manifeste.

— Tu ne manges pas ? demanda-t-il à Christopher.

Celui-ci prit machinalement le fruit offert. Il fixait la scène d'un air absent. Jean dit encore :

— Emmanuelle et moi sommes intéressés par le monde. Et nous avons le goût d'en savoir plus.

Il rit, remarqua avec entrain :

— Il y a de quoi faire !

Il piqua une autre tranche des mains de l'enfant. Conclut :

— Assez pour justifier le travail en équipe.

Christopher trouvait insuffisantes les réponses de Jean. Il revint à la charge :

— Avant de mentionner ses qualités amoureuses, tu as parlé de l'intelligence d'Emmanuelle. Pour toi, qu'est-ce que c'est, grosso modo, qu'être intelligent ?

Jean donna l'impression qu'il rassemblait de bric et de broc les éléments d'une réponse improvisée :

— Eh bien, mettons que ce soit : chercher autre chose que ce que d'autres ont déjà trouvé. Et encore : savoir, au bon moment, se rebiffer contre les arguments d'autorité. Résister à la pensée prêt-à-porter. Ne pas trop s'enticher des modèles et des modes. L'intelligence, c'est ce qui nous fait fuir les slogans, les mots d'ordre, les interdits, les étendards, les processions, les croisades. C'est ce qui nous conseille de ménager nos applaudissements, nos huées.

— Ouais... Bien empirique, tout ça ! Dis-moi plutôt comment on repère scientifiquement une femme intelligente. La tienne, par exemple.

— Elle ne voit pas que ce que je vois. Elle ne croit pas tout ce que je crois.

Christopher émit un grognement peu aimable, où Jean distingua :

— Laissons tomber ! Tu fais du féminisme, quand je te demande d'être objectif.

Il savait que le mot féminisme tapait sur les nerfs de Jean. Celui-ci, pour une fois, expliqua pourquoi :

— L'inégalité des hommes et des femmes — que je

connais par ouï-dire — n'est pas le vrai problème. La guerre des sexes n'est qu'un aspect partiel, local, épisodique, d'un conflit qui vient de plus loin et est à l'origine de plus de souffrances que la répartition des corvées de vaisselle dans les ménages. Un conflit plus que jamais d'actualité et qui restera sans doute brûlant jusqu'à ce que les lois de la thermodynamique se fatiguent de notre engeance.

— Bon, alors passe tout de suite au vrai problème, écourta Christopher.

— C'est celui que pose la division des bipèdes en deux mondes, aussi distants et incompatibles qu'un chiffre d'affaires est éloigné de la théorie des nombres ordinaux transfinis. Il y a, d'un côté, le monde de l'autorité ; de l'autre, les hommes et les femmes de découverte. Dans le monde de l'autorité, on emploie son ancienneté et sa force à imposer des idées reçues et à maintenir inchangé un ordre moral préétabli. Préétabli on ne sait par qui : ce qui permet au pédantisme dominant de prétendre qu'il s'agit d'un ordre éternel. Les pontifes ont repris à leur compte le rôle des dieux.

— Les dieux, dit Christopher, étaient une minorité condamnée. Leurs substituts modernes, idem. Leur quantité est négligeable, face au nombre des incroyants : Epsilon opposé à ensemble infini.

— Erreur ! se récria Jean. Car la piétaille soumise aux maîtres à penser forme un ensemble plus grand que celui de tous les résistants imaginables. Formidable est la masse de ceux qui adorent obéir, qui raffolent de marcher en rangs, qui ne demandent et redemandent qu'à se conformer, imiter, conserver. Si, au moins, ces suiveurs en chantant n'étaient pas si lugubres ! Mais la différence et l'indépendance des autres leur donnent le cafard. La puissance des chefs repose sur la tristesse des disciplinés. Les crédules sont devenus tristes à force d'entendre dire que tout allait mieux autrefois qu'aujourd'hui. Peux-tu m'expliquer pourquoi ces milliards de pleurnicheurs préfèrent croire ça qu'y aller voir ?

Christopher mordit distraitement dans la dernière tranche de fruit, ce qui ne l'empêcha pas de parler clair :

— Je ne m'attendris pas sur les malheurs de ceux qui ne veulent pas savoir. Personne n'est obligé de mourir plus con qu'il est né.

— Oh, si ! soupira Jean. Mais ne faisons pas de politique à la campagne. Et ne te tape pas tout le pomélo.

Christopher avala sa bouchée avant de revenir au sujet :

— Emmanuelle appartient donc à la catégorie des femmes qui aiment à comprendre ? Autrement dit, elle est comme toi et moi. Rien de bien spécial.

— Rien du tout, en effet, ricana Jean, qui parut subitement tenté de monter sur ses grands chevaux. Si ce n'est que, comme toi et moi, elle ne s'imagine pas que la connaissance lui est venue, ou lui viendra, d'un autre monde. Elle n'attend pas, non plus, que cette connaissance lui soit distribuée, comme une soupe populaire, par des ecclésiastiques, des propagandistes ou des militaires. Elle est — à la différence de toi et moi qui regrettons le bon vieux temps où nous manquions nous faire buter ensemble — peu portée sur la nostalgie. Elle a tendance à penser qu'elle n'est pas forcément plus immorale que ses arrière-vieux, médaillés de la guerre du feu. Et elle se dit qu'en tout cas elle est probablement plus heureuse. Mais surtout elle ne doute pas d'être beaucoup moins bien sous tous les rapports que les femmes et les hommes qui viendront après elle. Du moins fera-t-elle son possible pour apprendre quelque chose des enfants qu'elle aura peut-être. Y compris l'amour.

Jean reprit son souffle et son ton moqueur pour assurer :

— Un sujet dont elle connaît déjà, pourtant, un sacré bout !

Christopher continuait à se montrer bizarrement nerveux.

— J'ai l'impression, bougonna-t-il, que si tu t'étais trouvé à la place d'Adam tu ne te serais pas mieux conduit que lui.

— J'aurais été du côté d'Ève, dit Jean. Une femme qui aime les fruits défendus et déteste les gardiens de jardins publics ne peut pas être entièrement mauvaise.

*
**

Les enfants s'étaient accroupis en cercle et les dévisageaient en silence, se poussant de temps en temps du coude, avant de partir d'un fou rire qui leur tirait des larmes.

— Ils ont l'air de se foutre de nous, constata Christopher.

La pulpe sucrée rafraîchissait sa langue, mais sa gorge restait serrée. Il enrageait secrètement d'avoir été trop timide. « Quel crétin je fais ! Je n'ai pas interrogé Jean sur la seule chose qui m'importe. Je me tamponne complètement de ce qu'Emmanuelle pense d'intelligent et de philosophique : tout ce que je veux savoir, c'est comment elle fait l'amour. Ce salaud de Jean ne m'a mis l'eau à la bouche que pour mieux me laisser sur ma soif. C'était à moi de le forcer à me donner des détails : de quelle façon Emmanuelle le fait jouir ; comment elle jouit. Au lieu de m'allécher pompeusement par les beautés d'esprit de sa femme, qu'il me dise donc quel goût a sa chatte ! Qu'il me décrive la manière dont elle se sert de ses doigts, de ses seins, pour branler une queue. Comment se branle-t-elle elle-même ? Le fait-elle devant lui ? Devant d'autres ? Souvent ? Que cet abruti me parle donc, bon Dieu ! de l'anus de sa femme ! De sa langue. Le suce-t-elle ? Avec ses lèvres, avec sa gorge ? Boit-elle beaucoup de son sperme ? Combien de fois par semaine ? Combien de fois par jour ? En aime-t-elle le goût ? Lui a-t-il demandé si tous les spermes ont un goût différent ? Celui de qui, jusqu'à présent, a-t-elle préféré ? Il devrait lui proposer de goûter le mien. Lui permettre de me branler. Et de me sucer. Il sait bien que je n'en profiterais pas pour chercher à baiser sa femme. En tout cas, pas dans le vagin. Ou alors, pas complètement. Je ne ferais qu'entrouvrir sa vulve. Je n'y entrerais que très peu. J'y mettrais seulement le gland. Je ne m'enfoncerais pas à l'intérieur. Pas tout de suite. Pas plus profond que je ne le ferais dans sa bouche. Je ne progresserais au-dedans que par très petits coups. Jusqu'à la moitié de ma queue. Pas plus qu'aux deux tiers. Ou à peine plus. Comme lorsque je l'enculerai. Je l'enculerai le même jour où je la baiserai. De toute façon, si j'enfile jusqu'au bout ma queue dans sa chatte, quand je l'aurai fait jouir, je me retirerai à temps. Je veillerai à ne pas éjaculer au fond de son sexe. Au fait, pourquoi non ? Qu'Emmanuelle ait un enfant de Jean ou de moi, quelle différence ? D'ailleurs, si lui et moi lui faisons l'amour tous les jours, elle sera tôt ou tard enceinte sans qu'aucun de nous trois puisse jurer de qui. Est-ce important ? Pour elle, évidemment pas. Pour Jean, encore moins. En somme, ce n'est important que pour moi. J'aimerais qu'elle soit enceinte de mon sperme. Jusqu'à ce que nous soyons sûrs qu'elle l'est, Jean peut très bien ne jouir que dans la bouche de sa femme. Moi, dans son utérus, matin et soir. Je vais le faire aujourd'hui même, tout à l'heure, dès notre retour. »

Les images de plus en plus affermies qu'il évoquait s'imposaient avec tant d'urgente douceur qu'il ne tentait plus du tout, ni mentalement ni physiquement, de lutter contre elles. Il n'avait gardé aucun de ses anciens scrupules de conscience, plus la moindre crainte de dépérir de remords. Au contraire, il se félicitait : « C'est bon », se disait-il, « de penser de cette façon-là à la femme de mon ami. » Ce n'aurait pas été aussi bon pour lui, il le savait, de s'imaginer devenant l'amant d'une autre femme.

Il s'émouvait également pour Jean. Jean serait content que Christopher fasse l'amour avec Emmanuelle, le fasse même plus souvent que lui, plus audacieusement que lui. « Je parierais qu'il ne la sodomise pas », se persuadait-il. Lui, qui ne l'avait fait que fort rarement avec d'autres, le ferait beaucoup avec elle. Jean veillerait à ce que sa femme donne à son ami le plus de plaisir possible et prenne énormément de plaisir avec lui. Et il serait fier d'annoncer partout que Christopher jouissait de la beauté, de la sensualité et de l'amour d'Emmanuelle, à s'en faire éclater la tête et le sexe.

Christopher ne doutait pas que cette harmonie admirable allait porter à la perfection des relations jusqu'alors incomplètes. Leur camaraderie, à y bien songer, s'était construite dans la pagaille. Tout allait désormais entrer dans l'ordre, l'ordre absolu et superbe de l'amitié.

« Ce serait un drôle d'ami, vraiment, celui qui ne partagerait pas sa femme avec son ami ! » jugeait-il, enivré de logique. « Et un drôle de futur père, celui qui ne voudrait pas que ses enfants soient engendrés dans le corps de sa femme par le corps de son ami ! » Ce Jean, quel type épatant c'était ! Quelle chance ils avaient, tous deux, de s'être rencontrés ! Si Christopher éprouvait maintenant un désir si affolant de faire l'amour avec Emmanuelle, n'était-ce pas (en venait-il sincèrement à se demander) par amour pour Jean au moins autant que par goût pour elle ?

Et pourtant, il entendit à peine Jean suggérer qu'on achetât un pomélo de plus. Puis parler d'écluses et de kilowatts. La petite Siamoise s'appliquait, pointant sa langue rouge entre ses dents, à écorcer artistiquement un second fruit. Lui la regardait en aveugle. Elle et Jean avaient perdu toute consistance physique, toute présence, toute identité devant ses yeux. Il n'y avait pour lui de visible, sur ce talus torride, que les seins ronds d'Emmanuelle, ses fesses nerveuses, la nudité tentatrice de son ventre. Il ne sentait plus que sa queue qui bandait.

Jean sauta sur ses pieds, annonçant que le temps était venu pour eux de se remettre en route. Alors seulement, il s'aperçut de l'émotion de Christopher, spectaculaire sous le mince short de coutil blanc. Il arrondit les lèvres de surprise, éclata de rire :

— Eh bien ! jubila-t-il, je ne te connaissais pas ces inclinations. Je ne te présenterai plus aux petites filles.

Il prit à témoin, goguenard, leur hôtesse, qui, elle, ne paraissait pas se formaliser de la situation le moins du monde.

— Écoute ! continua Jean, attends qu'elles soient un peu moins vertes. Celle-ci n'a même pas huit ans !

Emmanuelle savonne le corps de son invitée. Elle sait si bien s'y prendre, glissant sa main entre les jambes de Bee, que celle-ci doit se défendre :

— Non, non, pas tout le temps, Emmanuelle ! C'est trop fatigant. Laissez-moi reprendre des forces.

Son amie lui permet de se rincer et de se sécher. Elle la cajole :

— Venez dans mon lit !

Bee se tait et Emmanuelle, tout de suite, s'affole. Alors, la belle jeune fille l'embrasse sur les paupières.

— Allons dans votre chambre, dit-elle.

Emmanuelle la renverse en travers du grand lit, s'étend sur elle, lui couvre de baisers le front, les pommettes, le cou, lui mordille le lobe des oreilles, la poitrine. Elle se laisse glisser sur le tapis, s'agenouille, enfonce son visage dans le ventre nu.

— Oh ! gémit-elle, comme c'est doux !

Elle frotte ses joues, l'une après l'autre, son nez, ses lèvres, contre la saillie élastique du pubis.

— Chérie ! Chérie !

Bee ne bouge pas, reste silencieuse. Emmanuelle s'inquiète :

— Êtes-vous bien, comme cela ?

— Oui.

— Vous voulez bien, n'est-ce pas, vous voulez bien être mon amante ?

— Mais, Emmanuelle...

Elle s'interrompt, caresse les cheveux dénoués, attend.

Emmanuelle écarte les longues jambes de Bee, frôle l'ouverture qui les sépare. Bee soupire, laisse retomber ses bras le long de son corps, ferme les yeux. Emmanuelle touche de la pointe de sa langue la coupure, étroite et nette comme un sexe de vierge. Elle humecte sur toute leur longueur les bords de la vulve, en lèche l'intérieur, puis cherche le clitoris, l'aspire, le stimule de vibrations, l'adoucit de salive, le fait aller et venir entre ses lèvres comme un phallus minuscule. Elle-même glisse dans son vagin son médius replié. De sa main libre, elle pénètre le sexe de son amie. Ses doigts sont tout humides. Elle les fait courir entre les fesses. Celles-ci se soulèvent pour qu'Emmanuelle puisse forcer plus facilement l'orifice le plus étroit. Alors seulement, Bee crie. Elle continue de crier tout le temps qu'Emmanuelle la lèche, la suce et fait aller sa main de l'une à l'autre des ouvertures de son corps. Emmanuelle doit s'avouer fatiguée la première. Elle se couche de nouveau sur le corps de sa maîtresse. Ni l'une ni l'autre ne semblent avoir la force de parler.

Plus tard, lorsque Bee, malgré les prières de son amante, s'est déjà rhabillée, Emmanuelle lui entoure le cou de ses bras.

— Je veux que vous me disiez quelque chose. Mais jurez-moi que ce sera la vérité !

Bee se contente de sourire affirmativement.

Emmanuelle dit :

— Je t'aime.

Bee cherche au fond des yeux dorés ce qu'elle doit répondre, quelle sorte de vérité est attendue d'elle. Mais, déjà, l'expression grave, presque pathétique d'Emmanuelle, a fait place à une moue câline.

— Es-tu sûre que je te plaise ? Je veux dire, non, attends, écoute-moi d'abord, est-ce que je te plais autant, ou plus, qu'aucune de tes autres amies ? Est-ce que je t'ai fait autant plaisir ?

Cette fois-ci, Bee rit franchement. Emmanuelle est fâchée.

— Pourquoi vous moquez-vous de moi ? se plaint-elle.

— Écoutez, petite Emmanuelle, murmure Bee, et elle s'approche tout près des lèvres de sa compagne. Apprenez un grand secret. Je n'avais pas encore fait ce que nous avons fait aujourd'hui.

— La douche, le…

— Tout ! Je n'avais jamais fait l'amour, comme vous dites, avec une autre femme.

— Oh ! proteste Emmanuelle. (Elle plisse le front.) Je ne vous crois pas !

— Il faut me croire, puisque c'est vrai. Et je vais encore vous avouer autre chose. Jusqu'à cet après-midi, jusqu'à ce que je vous connaisse, je trouvais même cela un peu ridicule.

— Mais… balbutie Emmanuelle, interdite. Voulez-vous dire que vous n'aimiez pas le faire ?

— Je n'avais jamais essayé.

— C'est impossible, s'écrie Emmanuelle, avec un tel accent que Bee éclate de rire.

— Pourquoi ? T'ai-je donc paru si experte ? demande, à voix basse, Bee, sur un ton de complicité presque gouailleuse qui est tout nouveau sur ses lèvres et déconcerte Emmanuelle.

Elle relève aussi que Bee l'a tutoyée.

— Vous... tu n'avais pas l'air étonnée.

— Je ne l'étais pas. Parce que c'était vous.

— Ah ? dit Emmanuelle.

Elle réfléchit. Puis elle interroge, comme si elle sortait d'un rêve, comme si elle avait tout oublié de la conversation précédente :

— Ne m'aimez-vous pas, Bee ?

Celle-ci la regarde sans sourire.

— Je vous aime bien, oui.

Emmanuelle pose encore une question, moins parce qu'elle y attache d'importance que pour rompre le silence :

— Et... est-ce que l'expérience vous a plu ? Est-ce que vous êtes contente ?

Bee a un air de résolution soudaine.

— Cette fois, dit-elle, c'est moi qui vais te caresser.

Emmanuelle n'a pas le temps de répondre. Bee, fermement, l'a prise par la taille et l'a forcée à se coucher. Elle lui embrasse le sexe comme elle le ferait d'une bouche. Elle penche la tête de côté, pour que ses propres lèvres soient parallèles à ces autres lèvres. Elle avance la langue, la glissant dans le sillon docile, aussi loin qu'elle le peut. D'un seul élan, Emmanuelle se sent submergée, à la fois, d'amour et de volupté. Surprise par la soudaineté de cet orgasme, Bee a d'abord un mouvement de recul. Mais lorsqu'elle voit qu'Emmanuelle continue d'être secouée de frissons, elle applique de nouveau sa bouche et lèche minutieusement le suc qui coule de son amoureuse. Lorsqu'elle se redresse, elle dit en riant :

— Jamais je n'aurais pensé que je puisse un jour aimer boire à cette source-là ! Eh bien ! tu vois, maintenant, j'aime.

La sonnerie du téléphone interrompt cette confession. C'est Marie-Anne qui annonce sa visite. En temps ordinaire, Emmanuelle serait ravie ; à ce moment-ci, cette nouvelle la consterne. Il faut toute la bonne humeur de Bee pour la dérider. Elles ne se soucient pas plus l'une que l'autre d'affronter en commun Marie-Anne. Elles conviennent donc de se revoir le lendemain. Bee viendra retrouver Emmanuelle dès le matin. Le chauffeur la reconduit.

*

Emmanuelle attendit la visiteuse sans prendre la peine de passer un vêtement. L'étonnant était qu'elle n'avait cependant pas, en ce moment, la moindre arrière-pensée de corrompre sa petite amie.

Elle était trop incapable de déguiser ses émotions pour que la perspicacité de Marie-Anne ne fût pas mise aussitôt en éveil.

— Qu'est-ce qui t'arrive ? demanda-t-elle. Tu as un air de fille qu'on vient de demander en mariage.

Emmanuelle essaya d'éluder les aveux, mais ne tint pas longtemps.

— J'ai une grande nouvelle et qui va t'intéresser, finit-elle par annoncer. Prépare-toi à béer d'émerveillement.

— Tu es enceinte ?

— Ne sois pas trop bête. Essaye plutôt de deviner.

— Non. Toi, parle. Qu'est-ce que tu mijotes ?

— Rien du tout. Ce que j'ai à t'apprendre, c'est que j'ai fait l'amour avec Bee.

Emmanuelle avait lâché sa confidence, sans être du tout rassurée sur l'effet qu'elle allait produire. Elle ne prévoyait cependant pas que la réaction de Marie-Anne serait aussi décourageante :

— Est-ce là tout ce que tu avais à me dire ? questionna la jeune fille, d'un ton blasé. Ça ne méritait pas tout ce préambule. Qu'est-ce que ça a d'extraordinaire ?

— Mais, enfin... fit Emmanuelle, décontenancée. Elle est fascinante, Bee ! Ne la trouverais-tu pas toi-même à ton goût, par hasard ?

Marie-Anne haussa les épaules.

— Ce que tu peux être godiche, ma pauvre Emmanuelle. Je ne vois vraiment pas quelle gloire il y a à coucher avec une fille. Tu annonces ça comme un coup de maître : tu me fais rire !

Emmanuelle était vexée. En outre, c'est tout juste si elle ne commençait pas à se sentir coupable. Mais de quoi ? Elle essaya d'y voir plus clair.

— Je me demande quelle mouche te pique. Qu'as-tu contre le fait que Bee et moi fassions l'amour ?

La sentence de Marie-Anne rendit un son définitif.

— On ne fait pas l'amour avec une femme, dit-elle.

— Ah ? fit Emmanuelle.

— L'amour, cela se fait avec un homme.

Elle ajouta, sur un ton d'autorité lassée :

— Si tu ne le sais pas encore, je t'ai déjà dit que je connais quelqu'un qui est capable de te l'apprendre. Comme les discours n'ont pas l'air de te faire de l'effet, le mieux est que je te mette entre les mains de Mario sans tarder.

Elle eut l'air de consulter un calendrier.

— Nous sommes aujourd'hui le 16. Tu es invitée à l'ambassade le 18, je suppose ? Bon. Je profiterai de cette réception pour te présenter à lui. Si vous ne vous arrangez pas pour faire l'amour le soir même, il faudra que ce soit le lendemain.

*
**

Elle n'en pouvait plus d'attendre. Elle s'était agenouillée sur un fauteuil de rotin et se tenait accoudée au balcon de sa chambre, le menton au creux des mains, scrutant l'espace de rue que laissait apercevoir la frondaison du jardin. L'anxiété faisait trembler ses lèvres. Bee viendrait-elle ? Peut-être allait-elle trouver une excuse pour ne pas voir Emmanuelle : celle-ci redoutait que la sonnerie du téléphone retentît.

Ce fut elle, pourtant, qui prit l'initiative d'appeler, lorsque les heures eurent passé et que son impatience fut devenue trop douloureuse. Il était près de midi. Une voix d'homme répondit au numéro qu'avait donné Bee. Sans doute était-ce un serviteur. A ce moment seulement, Emmanuelle réalisa qu'elle ne savait comment s'informer, non seulement par ignorance des langues, mais parce qu'elle ne connaissait pas le véritable nom de son amie. Pouvait-elle la désigner sous un sobriquet à un domestique ? Elle s'y risqua, cependant, mais ne sut pas si elle avait été comprise. Elle renonça.

Si Bee n'avait pas répondu elle-même, cela pouvait vouloir dire qu'elle était en route ? Alors, elle allait arriver d'un moment à l'autre. Emmanuelle reprit sa faction. Et si Bee avait eu un accident ? Une autre idée vint à Emmanuelle : peut-être Bee ne retrouvait-elle pas la maison et errait-elle à sa recherche, depuis des heures, à travers le labyrinthe des quartiers résidentiels ? Toutes les rues se ressemblaient, les noms en étaient imprononçables, rédigés, de surcroît, en caractères siamois : rien d'étonnant à ce que Bee se fût perdue.

Tout de même, objectait une voix plus forte que l'espérance d'Emmanuelle, depuis un an que Bee habitait Bangkok, elle avait dû apprendre à en connaître le dédale : ne commençait-elle pas, elle-même, après seulement deux semaines, à passablement bien s'y repérer ? Il n'était pas vraisemblable que Bee puisse s'y égarer pour de bon. Tout au plus risquerait-elle de prendre quelque retard. Et il y avait plus de deux heures déjà qu'elle aurait dû être là. Qui l'empêchait, si elle avait oublié où habitait Emmanuelle, de téléphoner à celle-ci pour la prévenir, lui demander de partir à sa recherche ?

Au fait, pourquoi Emmanuelle n'allait-elle pas chez Bee ? Elle s'aperçut, à ce moment, qu'elle avait omis de demander son adresse à la jeune fille. Sœur de l'attaché naval américain, avait dit Marie-Anne. C'était un peu vague. De toute manière, Emmanuelle n'allait pas appeler l'ambassade des États-Unis pour se renseigner.

Et pourquoi pas, après tout ? Mais, une fois de plus, quel nom demander ? Il pouvait y avoir plusieurs attachés navals. Et en quelle langue s'informerait-elle ?

Le chauffeur, qui avait, hier, raccompagné Bee chez elle !... Emmanuelle, tremblant de nervosité, le fit appeler. On ne le trouva nulle part. Sans doute était-il allé déjeuner. Ou jouer aux dés.

Qu'elle était bête ! Comment n'y avait-elle pas pensé plus tôt ? Elle n'avait qu'à téléphoner à Marie-Anne. Mais, à peine Emmanuelle en a-t-elle conçu l'idée, qu'elle recule : va-t-elle laisser deviner à la petite fille, déjà trop prompte à ironiser, que Bee n'est pas exacte au rendez-vous, que peut-être l'amoureuse ferveur d'Emmanuelle n'est pas payée de retour et que déjà inconstante est la tendre maîtresse de la veille ?

Emmanuelle est sûre, maintenant, que Bee ne viendra plus. Elle ne viendra pas plus tard dans l'après-midi, ni demain. Elle a cédé hier à un enchantement plus fort qu'elle, mais, hors de la présence d'Emmanuelle, elle s'est reprise, elle ne l'aime pas, elle n'aime pas les femmes, ce jeu lui semble absurde et l'ennuie, elle s'est jugée, après coup, pour employer ses propres mots, « ridicule ». Ou bien elle a honte de s'être laissée entraîner aux plaisirs de la chair. Sans doute a-t-elle des croyances religieuses, une conception de la morale qui la fait se repentir aujourd'hui de la luxure à laquelle elle s'est livrée. Après tout, Emmanuelle ne sait rien d'elle : elle vit seule, probablement sans amant, puisqu'elle habite chez son frère ; et sans amante, ce n'est que trop certain.

A moins que... L'hypothèse inverse prend son tour dans l'esprit d'Emmanuelle : Bee n'a-t-elle pas, en réalité, une autre maîtresse ? Peut-être a-t-elle menti, hier ? Mais non, cela, décidément, Emmanuelle n'y peut croire... Un amant, alors, à qui elle aura avoué sa « faute », et qui est jaloux, lui a fait une scène, a exigé d'elle qu'elle renonce à rejoindre sa complice ? C'est cela ! Désormais Emmanuelle en est convaincue.

L'instant d'après, elle sent que cette conviction s'effrite à son tour et elle en revient à sa présomption précédente, qui lui paraît plus naturelle — et qui lui plaît mieux : Bee est bel et bien retenue par une femme.

Maintenant qu'Emmanuelle a éclairci le mystère, elle n'a plus de raisons, reconnaît-elle, de s'inquiéter : quelle meilleure excuse peut-elle trouver à l'absente que la supposer occupée à faire l'amour avec une fille extraordinaire ? Si une bonne fortune de cette sorte s'était présentée à elle, Emmanuelle aurait-elle hésité le moins du monde à risquer un retard à son rendez-vous ? Opportunément excitée par cette évocation, plus encore que mue par une indulgence sans conditions à l'égard de Bee, elle se prépare déjà à accueillir tendrement la volage et à partager les découvertes que son escapade a rendues possibles : « Sans que j'aie besoin de rien lui demander, ma belle, ma douce belle me racontera tout ! »

A brûle-pourpoint, une idée plus précise lui vient : déconcertante, et pourtant si logique qu'Emmanuelle s'esclaffe de ne pas l'avoir eue plus tôt. « Ça y est ! Je sais avec qui elle est ! Eh bien ! Ces deux malignes m'auront joliment fait marcher, avec leur blabla archi-hétéro ! » Son visage s'illumine d'une tendresse sans limite, tandis qu'elle murmure, comme si elle parlait à l'oreille de la fugitive : « Mais oui ! C'est dans les bras de ma Marie-Anne que tu te trouves à présent, ma princesse des Amazones ! »

Du coup, elle se sent de plus en plus compréhensive. Puisqu'elle les aime, tout est permis à Bee et à Marie-Anne, même de la faire languir aussi perversement. Mais, ce qui surtout la soulage et l'enchante, c'est de pouvoir enfin se dire que le dédain des amours féminines affiché par l'une et l'autre n'était qu'une blague. « Que sont-elles en train de faire ensemble, aujourd'hui ? » Peut-être ont-elles commencé par reconstituer la scène de la douche — ne serait-ce que pour le plaisir de parler d'Emmanuelle? « Et profiter de mes leçons ! » Si avancée que soit la science de ces clandestines, il leur reste certainement encore quelques autres petites choses à apprendre... Une fierté d'écolière qui en sait plus que la maîtresse fait saillir les lèvres que, peu de temps plus tôt, mordaient des dents anxieuses. Les yeux que la déception avait assombris luisent de reflets dorés, tandis qu'ils voient se dérouler devant eux les féeries dont, après cette douche idéale, Marie-Anne et Bee sont les ordonnatrices.

« Le plus merveilleux », exulte la spectatrice, « c'est qu'à treize ans Marie-Anne ait plus de seins que Bee à vingt-trois ! Je suis sûre qu'en ce moment elle fait pénétrer un de ses seins dans la fente de Bee. Il est tellement ferme et pointu qu'il s'y introduit aussi profond qu'une langue. Les miens sont trop ronds : ils ne pourraient pas aller assez loin. Et je jouirais, c'est certain, la première. Ce ne serait pas juste. Tout de même, je m'y essaierai peut-être avec Bee, quand elle arrivera ici, tout à l'heure. Elle pourra comparer les sensations que je lui donnerai avec celles qu'elle a avec Marie-Anne. »

La vision d'Emmanuelle s'enrichit de réminiscences : « Les bouts de seins de Marie-Anne deviennent grenat quand elle se masturbe. Des grenats chauds dans la fente fraîche de Bee. »

Un souci de composition du tableau lui fait froncer les sourcils. « La main avec laquelle Marie-Anne ne caresse pas son clitoris, qu'en fait-elle ? Presse-t-elle les plus petits grenats de Bee ? Non, je devine ! Cette main libre, elle la garde dans sa bouche. Elle la suce. Juste avant, elle l'a plongée dans le sexe de Bee et elle l'en a retirée si bien enduite de mucus qu'elle a de quoi s'en pourlécher pendant une heure. Son autre main aussi, d'ailleurs, elle l'a d'abord fait entrer, doigt après doigt, à l'intérieur de Bee, pour pouvoir maintenant mouiller son clitoris avec les sucs de son amante. Ainsi, j'aurais dû m'en douter, ses deux mains sont occupées sur elle-

129

même. Si elle n'avait pas de seins pour faire jouir Bee, elle aurait été obligée de m'appeler à la rescousse. »

Que les deux filles n'aient pas songé à l'inviter à se joindre à elle gâte un peu le plaisir qu'a Emmanuelle à se les figurer embrassées. Elle combat bravement cette tentation de regret, par un redoublement d'invention conforme à l'axiome qu'elle a forgé : « Seuls ceux qui sont capables d'imagination savent aimer de façon heureuse. » Heureuse pour elle, assurément, mais tout autant pour celui ou celle qu'elle aime.

Dans la fusion à trois qu'elle évoque, le bonheur ne naît-il pas de l'interchangeabilité des gestes des amantes autant que de l'équivalence extatique des sites de l'amour ? « Puisque le sexe de Bee est pris, je lécherai sa bouche comme si c'était son sexe. J'explorerai sa gorge avec ma langue comme si c'était le fond croquant de son vagin. Je boirai la salive de sa bouche comme j'ai bu celle de son sexe. »

Emmanuelle entend les battements irréguliers de son cœur. Leur rythme s'accélère. Elle lâche la rambarde à laquelle elle s'appuyait. Ses deux mains glissent côte à côte le long de son ventre. Le soupir qui lui échappe n'est plus celui d'énervement des heures précédentes.

Mais les étreintes qu'elle rêve maintenant ne distinguent plus avec une absolue certitude le corps de Marie-Anne de celui de Bee. « Je respirerai ton haleine et humerai tes joues, ma beauté ! J'étoufferai mes cris dans tes tresses aux couleurs de cavale et mes bras se retiendront à ton cou. J'enfoncerai mes narines dans l'odeur de ton ventre. Je mangerai la chair de ton pubis nu. Je mordrai dans le sel de tes poils et dans le sucre de ta nuque. Je presserai tes fesses dans ma bouche. Je les ferai fondre sous mon palais. Leur saveur de pêche coulera entre mes dents entrouvertes. Je laperai les gouttelettes qui sourdent de tes reins cambrés. Je frôlerai ton dos de mes ongles et serrerai tes hanches entre mes poignets. Je te chevaucherai. J'embrasserai tes jambes avec le dedans de mes jambes. Je me frotterai à tes cuisses. Ah ! je frotterai si bien, si longtemps, l'un après l'autre, tous mes suçoirs aux muscles qui se tendent et m'attendent sous ta peau d'enfant que je te viderai de toi et t'emplirai de moi, jusqu'à ce que je ne comprenne plus qui je désire aimer et qui je désire être ! »

Un éblouissement intérieur la laisse un moment étourdie ; puis elle ouvre les yeux, sourit aux feuilles et aux fleurs qu'elle redécouvre. Elle a soif. Mais elle ne se contentera de rien d'autre que du seul breuvage qu'elle attend d'obtenir, d'accorder, d'échanger. D'abord, se dit-elle, elle doit réordonner plus lucidement sa vision, rendre à chacune son identité, sa position et son rôle initial, en sorte que la scène finale soit irréprochable : harmonieuse et logique.

« Lorsque j'aurai bu tout de Bee, je lui donnerai à boire à son tour ma bouche et mon sexe. Sa bouche tétera mon sexe comme son sexe tète le sein de Marie-Anne. Je jouirai dans sa bouche en même temps que Marie-Anne jouira dans son sexe. Elle avalera mon sperme imaginaire en même temps que coulera dans son vagin le lait de vierge de Marie-Anne. Les liqueurs confondues de nos corps composeront un cocktail surhumain. Nous ne nous désaltérerons plus que de ce mélange, entre nous et dans les fêtes où nous irons dorénavant ensemble, inséparables et contrastées. Nous en produirons assez pour que tous les hôtes puissent en analyser le mystère. Plus personne à Bangkok n'acceptera d'emplir publiquement son verre d'un autre alcool que celui tiré des baisers échangés par Ève, Lilith et Penthésilée. »

Elle ne veut pas que s'épuise ce pouvoir d'anticipation avant que ses doigts aient exaucé son désir d'orgasme, aussi parfaitement qu'ils l'ont déjà fait au début du matin. Pendant toute la durée du petit déjeuner, Christopher, comme le jour d'avant, sans prononcer une parole ni faire un geste, n'a pas quitté des yeux le pubis d'Emmanuelle. Ce regard l'a éveillée avec autant de douceur que des lèvres. Cependant, lorsqu'elle s'est assise, elle n'a pas osé ouvrir l'angle de ses jambes pour que le guetteur puisse voir ses lèvres intérieures et, malgré sa loyauté à Jean et sa timidité, veuille les baiser. Elle s'est rattrapée de la vertu de l'ami et de sa propre pudeur, après le départ des deux hommes, en se représentant plus encore d'images ardentes que d'ordinaire.

Elle a prolongé d'autant plus longtemps cette griserie qu'elle souhaitait être trouvée par Bee dans cette position : cambrée contre le grand dos flexible de son fauteuil tropical, ses mains déchiffrant son rêve sur le clavier noir et chair de son sexe, ses talons ancrés à la rampe de bois qui la protégeait d'une chute dans les plates-bandes, sous le nez du jeune jardinier assidu à arroser ses jasmins et ses *Bouddha-raksa.* Qu'aurait-il fait de toute cette nudité, égarée au sein d'une végétation aussi rangée ?

A défaut de Bee, se dit-elle maintenant, si au moins Christopher avait été présent à la place du jardinier ! Elle soupira : « Dommage !... Bah ! Il sera là une autre fois. » Ce jour-ci, elle resterait entre femmes...

Il était temps, à dire vrai, que Bee la rejoignît ! Emmanuelle était disposée, certes, à la laisser d'abord se rassasier de la saveur de Marie-Anne, mais quand même pas toute la journée !

Elle attendit, pourtant, longtemps encore, avec toute la force et la patience de l'amour. Puis, ce qui en elle avait refusé jusqu'alors de se rendre se défit par degrés et elle ne fut plus, à la fin, que faiblesse et souffrance. Une amertume inconnue la submergea. La confiance qui l'avait soutenue fit place à un abattement si total que sa pensée n'était plus que prémonition sinistre, gouffre, passion, vertige. « Bee ne viendra jamais plus. Elle ne veut pas me revoir. » Qu'importent les raisons ! Seuls comptent l'abandon et la solitude d'Emmanuelle. Elle l'aimait tant ! Elle avait l'impression d'être venue jusqu'à cette contrée du bout du monde rien que pour la trouver. Du premier coup, elle l'avait reconnue comme celle qu'elle attendait depuis toujours. Elle l'aurait suivie où il lui aurait plu de la mener. Elle aurait tout quitté pour elle, si telle avait été sa volonté. Mais Bee ne demandera rien. Et Emmanuelle, jamais plus, ne lui offrira ce qu'elle avait été prête à lui donner. Oui, elle l'effacera de son souvenir ! Elle oubliera le visage de vitrail et les cheveux de feu, elle oubliera la voix assourdie qui lui disait :

— Je vous aime bien, moi aussi.

Pour la première fois depuis qu'elle était toute petite, de vraies larmes, de longues larmes, coulent sur le visage d'Emmanuelle, elles mouillent ses lèvres et salent sa langue, elles tombent sur la balustrade de la terrasse, qu'elle ne peut se résoudre à quitter. Emmanuelle pleure comme on tend les bras — vainement tournée vers la trouée de feuillage où, dans un instant, ce soir, demain peut-être, n'importe quand, quand ce sera son plaisir, Bee apparaîtra et lui fera signe...

Le soir, Jean et Christopher l'emmenèrent au théâtre. Elle ne sut pas ce qu'elle voyait jouer. Son visage disait sa peine. Son mari ne lui posa pas de questions. Christopher, qui ne comprenait rien à ce qui se passait, faisait presque aussi triste mine qu'Emmanuelle. Lorsqu'elle se retrouva dans les bras de Jean, dans leur lit, elle pleura de nouveau tout son saoul. Elle se sentit un peu soulagée. Ce fut avec moins de déchirement qu'elle lui confessa son amour malheureux.

Jean fut d'avis qu'Emmanuelle prenait cette aventure trop au tragique. En premier lieu, rien ne prouvait que la défection de Bee, aujourd'hui, ne fût pas due à un empêchement insurmontable, dont Bee se justifierait dès le lendemain. Si, toutefois, il se vérifiait qu'elle ne voulait pas revoir Emmanuelle, eh bien ! c'était qu'elle n'était pas égale à l'idée élevée que celle-ci se faisait d'elle. Il était préférable que leur liaison cessât tout de suite, car elle n'aurait réservé à Emmanuelle, sûrement, que des déceptions et des chagrins plus graves. De toute façon, Emmanuelle devait penser à elle comme à quelqu'un qu'on courtise et non qui court après les autres. Si belle que pût être cette Bee, que Jean, d'ailleurs, n'avait jamais vue et dont il n'avait jamais entendu parler auparavant, il était bien certain qu'elle ne pouvait posséder le quart de la grâce et des qualités de sa femme. Il ne permettait donc pas que celle-ci s'humiliât devant elle. La seule réponse que méritait l'infidèle, si elle croyait pouvoir marchander ses faveurs à Emmanuelle, c'était que celle-ci prît sa revanche dans d'autres bras. Emmanuelle n'aurait pas de peine à trouver des partenaires plus dignes d'elle. Elle se devait de le prouver à Bee sans tarder.

Elle l'écoutait docilement. Il a raison, pensait-elle, sans que son mal en fût vraiment apaisé. Dans la mesure, pourtant, où elle acceptait, ne fût-ce que d'entendre un autre lui parler de se consoler ou de prendre une revanche charnelle, Emmanuelle était un peu distraite de sa détresse. Déjà, celle-ci lui semblait plus confuse. Peut-être était-ce simplement l'effet du sommeil. Elle ne sut jamais si sa dernière pensée, avant de perdre conscience, avait été pour l'amante fugitive ou pour celles, encore sans visages, qui, un jour, la remplaceraient.

Aucune des robes qu'Emmanuelle s'était fait faire en France n'avait été trouvée par Jean assez décolletée pour son goût.

— Mais je suis la femme de Paris qui montre le plus ses seins ! avait-elle protesté en riant.

— Ce que Paris appelle montrer ses seins est encore trop collet monté pour Bangkok, avait démontré son mari. Il faut que tous ces gens sachent bien que tu as la poitrine la plus belle du monde : le plus sûr moyen de leur faire apprécier cette perfection, c'est encore de la leur mettre sous les yeux.

La robe qu'Emmanuelle revêtit pour se rendre à la réception de l'ambassade remplissait parfaitement cet office. L'encolure, qui s'accrochait à la tombée des épaules, soulignant par sa large courbe la beauté du cou d'Emmanuelle, était asymétrique. Elle coupait le sein gauche en diagonale, par une ligne droite qui couvrait le mamelon, mais laissait à nu une partie de l'aréole. Du côté opposé, une concavité en croissant de lune laissait voir davantage de la plénitude du sein, sans plus ni moins révéler sa pointe. Évidemment, il suffisait qu'Emmanuelle se penchât si peu que ce fût en avant ou qu'elle s'assît pour que son buste apparût tout entier.

En outre, l'étoffe lamée était si mince et collait si étroitement à la peau que tout sous-vêtement eût transparu ou se fût dessiné en relief : Emmanuelle n'avait donc rien sous cette pelure si peu ingénue, pas même une des minuscules culottes, quasi invisibles et tout à fait polissonnes, qu'elle portait pendant la journée. Déjà à Paris, depuis son mariage, il était rare qu'elle mît un slip lorsqu'elle s' « habillait » pour sortir le soir : se sentir ainsi nue lui causait un plaisir aussi physique qu'une caresse. Cette sensation était plus vive encore si elle devait danser, ou si elle portait une jupe courte et très évasée.

Ce soir, sa robe était moulante et aussi étroitement ajustée qu'un gant depuis sa taille jusqu'à l'aine, mais elle bouffait brusquement vers le bas, s'ouvrant en une sorte de spirale taillée dans l'ampleur trompeusement décente du tissu. Emmanuelle se laissa choir dans un fauteuil pour montrer comment cette jupe se déroulait alors d'elle-même, dévoilant ses cuisses dorées. Le spectacle qu'elle offrait ainsi était si gracieusement impudique que Jean se pencha tout d'un coup, cherchant sous son aisselle l'invisible fermeture de nylon, que, d'une main sûre, il fit glisser jusqu'au bas de la hanche. De l'autre, il s'efforçait de dégager le corps nu de sa femme de son écrin de soie.

— Jean, protestait-elle, que fais-tu? Tu es fou! Nous allons être en retard. Il faut que nous partions tout de suite.

Il renonça à la déshabiller, la souleva de terre, l'étendit sur la table de céladon de la salle à manger.

— Non! Oh! non. Ma robe va être toute froissée. Tu me fais mal! Si Christopher descend? Et les domestiques vont nous voir!

Il la disposa sur le dos, de manière que ses fesses effleurassent le bord de la table : elle-même tira sur l'étoffe, pour découvrir son ventre aussi haut que possible. Ses jambes, à demi repliées, pendaient dans le vide. Jean, debout, pénétra d'un seul coup en elle, jusqu'au fond. Tous deux riaient de cet impromptu. La hâte de Jean procurait à Emmanuelle un plaisir nouveau, qui avait dans sa gorge le goût de brûlure que l'on sent au bout d'une longue course. Elle pressait dans ses mains la pulpe de ses seins, comme pour en faire jaillir le nectar : sa propre caresse la faisait délirer, autant que les coups de boutoir de son mari. A ses premiers cris, le boy accourut, croyant qu'on l'avait appelé. Il s'arrêta à l'entrée de la pièce, les mains poliment croisées devant la poitrine. L'expression de son visage était aussi incrustable que d'ordinaire. On devait entendre Emmanuelle de plus loin que les maisons voisines.

Lorsque Jean l'eut remise sur pied, le boy vint nettoyer la table, qu'ils avaient tachée. Ea, la petite caмériste d'Emmanuelle, aida sa maîtresse à rétablir sa toilette. Ils n'arrivèrent à l'ambassade qu'avec un léger retard.

L'assistance, cependant, était déjà nombreuse. L'ambassadeur, parvenu au terme de son séjour, donnait cette réception pour prendre congé.

— Ravissante! attesta-t-il, avant de baiser la main

136

d'Emmanuelle. Mes compliments, mon cher ! ajouta-t-il, à l'intention de Jean. J'espère que vos travaux vous laissent quelque loisir ?

Une dame à cheveux blancs, à qui elle se souvenait d'avoir rendu visite, dévisageait l'arrivante d'un air de réprobation furibonde. Ariane de Saynes survint à point pour aggraver les choses.

— Mais, si je ne me trompe, s'écria-t-elle, tendant les deux mains, voilà votre vivant petit attentat public à la pudeur ! Vite, qu'on le fasse voir à tous nos bons bretteurs !

Elle attira l'attention d'un homme élégant qui conversait avec un évêque :

— Gilbert, regarde ! Comment la trouves-tu ?

Emmanuelle se mit en devoir d'affronter en même temps le jugement du conseiller et celui du prélat. Elle sentit qu'elle se tirait plus à son avantage de la première épreuve que de la seconde. Elle-même s'était plus ou moins attendue à ce que l'époux d'Ariane soit une sorte de dadais monoclard et pompeux. Au lieu de cela, les premiers mots du comte furent pour la faire rire aux éclats et elle le jugea, physiquement, très attirant.

Déjà, des messieurs d'âges divers l'entouraient, lui glissant madrigaux et regards appuyés. Mais son attention était distraite : elle scrutait, à distance, les visages inconnus, souhaitant et redoutant, tout à la fois, de découvrir celui de Bee. Le corps diplomatique tout entier devait être présent, et pouvait-on avoir invité son frère sans elle ? Peut-être que oui, après tout. Emmanuelle ne savait pas quelle serait son attitude si elle se trouvait subitement en face de la jeune Américaine. Elle se disait qu'elle espérait de toutes ses forces ne pas la rencontrer. Chaque groupe lui paraissait cacher un piège. Qu'était-elle venue faire ici ? Quand pourrait-elle s'échapper ou, du moins, retrouver la protection de son mari ?

Celui-ci, cependant, avait été englouti par la foule. Ariane s'empara derechef d'Emmanuelle, l'entraîna dans un tourbillon de présentations. L'admiration des hommes lui faisait cortège. Cette cour collective où chaque concurrent faisait échec à l'autre, ce tournois frimé où personne ne s'attendait vraiment à ce qu'elle désignât un gagnant lui rendirent l'assurance. Son visage jouait l'indifférence, mais tous ces yeux qui la déshabillaient l'échauffaient au moins autant que les cocktails que la comtesse lui faisait boire. Celle-ci l'observa en silence, qui tenait tête à un carré d'aviateurs, avançant légèrement les épaules et penchant le buste. Brusquement, elle l'attira à l'écart.

— Tu es magnifique ! s'écria-t-elle. (Ses yeux étincelaient. Elle prit délicatement entre deux doigts le bout d'un des seins pigeonnants.) Viens avec moi, pressat-elle. Dans le salon, là, derrière : il n'y a personne !

— Non, non ! se cabra Emmanuelle.

Avant qu'Ariane pût l'arrêter, elle s'enfuit, rejoignit la masse des invités, ne se sentit en sécurité que lorsqu'un gentilhomme déclinant l'eut conduite au bord de la terrasse, sous prétexte de lui faire admirer les lampes chinoises en vessie de porc enluminée. Marie-Anne la découvrit livrée à ce tête-à-tête.

— Excusez-moi, commandeur, fit-elle avec son aplomb coutumier, j'ai à parler à mon amie.

Elle prit le bras d'Emmanuelle sans se soucier des protestations du barbon.

— Qu'est-ce que tu faisais avec ce vieux schnock ? s'indigna-t-elle, à peine se furent-elles éloignées de quelques pas. Je te cherche partout, Mario t'attend depuis une bonne demi-heure.

Emmanuelle avait oublié ce rendez-vous. Elle ne s'y sentait guère disposée. Pendant que le vieillard lui tournait son compliment, du moins pouvait-elle en toute quiétude penser à autre chose. Elle tenta de plaider pour sa liberté.

— Est-ce bien nécessaire ?...

— Oh ! écoute, Emmanuelle ! (La voix de la jeune fille rendait un son excédé.) Avant de faire la difficile, attends de voir. Et, surtout, d'entendre ce que cet homme a à te dire.

L'expression sonnait si comiquement pleine de promesses, qu'elle rendit à Emmanuelle sa bonne humeur. Avant qu'elle n'ait eu le temps de brocarder la confiance que sa petite amie avait dans les charmes de son héros, celui-ci se trouvait devant elle.

Il s'inclina légèrement devant les deux femmes, fixant tour à tour sur chacune d'elles un regard aigu. Puis il parla à Emmanuelle comme si c'était elle qui avait prononcé la dernière phrase de Marie-Anne. Une inflexion de doute — ou une suggestion de modestie — adoucissait la sonorité un peu rauque et les bourrasques de ferveur de sa voix.

— Un homme a-t-il, une femme a-t-elle à dire plus que les autres ? Pour le savoir, il faudrait que nous connaissions tous ces autres. Souhait irréalisable, vous récriez-vous ? Mais l'émergence de la pensée, qui a inspiré à notre espèce tant de desseins téméraires, nous a aussi dotés d'un pouvoir de communion merveilleux : un langage que certains d'entre nous parlent au nom de tous, afin que tous y puissent trouver le sens qu'eux-mêmes voudraient passionnément exprimer ; un langage de sons et de formes, d'ouïe, de vue, de toucher, qu'on désigne d'un mot superbement court : l'art. Ce mot est si court que chacun doit, selon les ressources de son esprit et ses désirs, le prolonger. Ce sont ces additions infinies, secrètes ou proférées, qui, à force de milliers et de millions d'années, font de notre monde de hasard un monde créé.

Cette entrée en matière hors du commun déconcerte momentanément Emmanuelle, mais pas au point de lui rendre tout à fait son sérieux. Son attitude continue de refléter la gaieté espiègle que lui a apportée la présence de Marie-Anne. L'arrivant observe les yeux radieux, les lèvres heureuses. Puis il livre son jugement :

— Quel beau sourire ! Comme je voudrais qu'il ait pu servir de modèle aux peintres de mon pays. Ne trouvez-vous pas que les sourires retenus, les sous-entendus florentins sont grimaçants, à la longue ? Je réprouve tout ce qui se contient. Il y a moins d'art dans une statue qui nous marchande ses faveurs que dans un visage qui s'ouvre.

Emmanuelle tente de se raccrocher au concret.

— Marie-Anne tient à me faire peindre (elle réfléchit que la jeune fille ne s'est même pas donné la peine de les présenter). Êtes-vous l'artiste qu'elle a jugé digne de cette tâche ?

Mario sourit. Emmanuelle convient que ce sourire a, lui aussi, une grâce rare.

— Ne posséderais-je que le centième du talent que je me permets de contester à autrui, madame, je vous l'offrirais : le génie du modèle ferait le reste. Malheureusement, même ce peu, je ne l'ai pas. Je ne suis riche que de l'art des autres.

Marie-Anne intervient :

— C'est un collectionneur, tu verras ça ! Il n'a pas seulement chez lui des sculptures de par ici, mais des choses anciennes qu'il a rapportées du Mexique, d'Afrique, de Grèce. Des tableaux...

— Lesquels n'ont pas d'autre valeur que de servir de mémentos immobiles à l'art véritable, dont le risque et le mouvement défient les figures mortes. Marie-Anne *mia*, ajoute-t-il, ne crois pas à ces écorces tombées de l'arbre de la connaissance. Je ne les garde qu'en souvenir de ceux qui ont souffert et se sont détruits pour faire croître son tronc et sa ramure — jusqu'à la limite vertigineuse de ses plus frêles branches, jusqu'à ses pousses folles —, ceux qui se sont vidés de leur souffle et de leur raison, de leur honneur et de leur sang : parfois le peintre, mais, le plus souvent, ce qu'il peignait. L'art est fait de la déperdition de l'être. Ce qui compte, ce n'est pas le Portrait Ovale, c'est la femme du portraitiste.

— Une fois morte ? demande Emmanuelle.

— Non, pendant qu'elle meurt.

140

— Mais le tableau est devenu vivant ?

— Fadaise ! Une curiosité de pacotille, moins belle qu'une machine ou qu'un jeu d'esprit. Il n'y a eu d'art que dans ce qui se perdait : dans la femme qui se défaisait. L'art, c'était la chute de son corps. N'espérez pas trouver la beauté dans ce qui se garde ni dans ce qui subsiste. Tout objet conçu naît mort.

— On m'a appris le contraire, fit Emmanuelle : que l' « *art robuste seul a l'éternité* »...

— Et qui donc, je vous prie, se soucie d'éternité ? interrompt violemment Mario. L'éternité n'est pas artistique, elle est laide : son visage est celui des monuments aux morts. Le buste est le cadavre de la cité.

Il éponge avec un fin mouchoir des gouttes de sueur sur ses tempes, reprend, d'un ton plus doux :

— Vous connaissez le cri de Goethe : « *Arrête-toi, instant : tu es si beau !* » Mais, que l'instant s'immobilise et c'en est fini de sa beauté. Si vous tentez d'éterniser la beauté, la beauté meurt. Ce qui est beau n'est pas ce qui est nu, mais ce qui se dénude. Pas le son du rire, mais la gorge qui rit. Pas la trace sur le papier, mais le moment où le cœur de l'artiste s'est déchiré.

— Vous disiez tout à l'heure que l'artiste importait moins que le modèle.

— Celui que j'appelle l'artiste n'est pas forcément le sculpteur ou le peintre. Celui-là peut prêter sa main à l'art quelquefois : s'il se saisit de son sujet et le *défait*. Mais, le plus souvent, le modèle accomplit ce destin lui-même, le peintre n'est qu'un témoin.

— Et où est le chef-d'œuvre ? interroge Emmanuelle, avec une anxiété soudaine.

— Le chef-d'œuvre est ce qui se passe. Mais non ! Je me fais mal entendre. Le chef-d'œuvre, c'est ce qui s'est passé.

Il prend dans sa main une main d'Emmanuelle :

— Vous me permettrez de répondre à la maxime que vous citiez par une autre. Elle est de Miguel de

Unamuno : « *La plus grande des œuvres d'art ne vaut pas la plus petite des vies humaines.* » Le seul art qui ne soit pas futile, c'est l'histoire de votre chair.

— Vous voulez dire que ce qui importe, c'est la façon dont on se réussit ? Qu'il faut devenir une œuvre d'art, si l'on veut se survivre ?

— Non, dit Mario, je ne crois à rien de tel. Quoi qu'on tente de *faire* de soi, si l'on prétend à construire en dur et non de fragile matière de rêve, on perd sa peine.

Il laissa retomber la main d'Emmanuelle, prononce, d'un ton de courtoisie un peu lassée :

— Si j'avais le moindre droit de vous donner un conseil, ce n'est pas à vous survivre, mais à vivre que je vous convierais.

Mario se détourna. Il semblait tenir la conversation pour terminée. Emmanuelle n'avait pas le sentiment que sa présence fût plus longtemps requise. C'était assez désagréable. Elle s'adressa à Marie-Anne avec un peu d'humeur :

— Tu n'as pas vu Jean, par hasard ? Il a disparu depuis le moment de notre arrivée.

D'autres femmes accaparaient l'Italien. Emmanuelle en profita pour s'éclipser. Mais Marie-Anne l'eut vite rejointe.

— Alors, tu séquestres Bee ? s'enquit-elle, sans donner l'impression d'attacher beaucoup d'importance à sa question. Chaque fois que j'essaie de la joindre au téléphone, je m'entends répondre qu'elle est chez toi.

Elle laissa fuser un petit rire gentil :

— Et comme je ne veux pas troubler vos ébats...

Emmanuelle tombait des nues. Marie-Anne se moquait-elle d'elle ? Mais non, elle avait l'air de croire à ce qu'elle disait. Quelle ironie ! Emmanuelle ne devrait-elle plus, dorénavant, faire confiance à ses fantasmes pour connaître la réalité ? Elle fut sur le point de s'en plaindre tout haut. Une fois encore, le respect humain la retint. Et puis, pouvait-elle avouer à

Marie-Anne qu'elle-même avait été abandonnée par son amante d'un jour? Mieux valait entretenir les illusions que la petite fille aux nattes se faisait sur le pouvoir de son aînée. Malheureusement, Emmanuelle, en se taisant, se privait d'un moyen de retrouver Bee. Elle décida qu'à la place, elle interrogerait Ariane. Mais elle ne voyait nulle part ses cheveux courts ni n'entendait ses éclats de rire. Avait-elle trouvé une autre sujette à qui faire connaître le petit salon?

Marie-Anne parlait de nouveau de l'insaisissable Américaine.

— Je voulais lui dire au revoir. Tant pis pour elle : tu lui feras des adieux de ma part.

— Quoi! Elle s'en va?

— Non. Moi.

— Toi? Tu ne me l'avais pas dit. Où pars-tu?

— Oh! rassure-toi, pas loin. Je vais passer un mois au bord de la mer. Maman a loué un bungalow à Pattaya. Il faudra que tu viennes nous voir. Ce n'est pas une affaire, même avec les routes encombrées : cent cinquante kilomètres. Tu dois voir ces plages : une merveille.

— Je sais : un de ces lieux bénis où les requins viennent vous manger dans la main. Je ne te reverrai plus.

— Où es-tu allée pêcher ces sornettes?

— Tu vas t'ennuyer là-bas, toute seule.

Emmanuelle, à sa propre surprise, se sentait le cœur gros. Marie-Anne, tout insupportable qu'elle fût, allait lui manquer. Mais elle ne voulait pas lui laisser voir sa tristesse. Elle se força à rire.

— Je ne m'ennuie jamais nulle part, trancha son amie. Je prendrai des bains de soleil des heures durant; je ferai du ski nautique. D'ailleurs, j'emporte une pleine valise de bouquins : je dois travailler pour la rentrée.

— C'est vrai, la taquina Emmanuelle, j'oubliais qu'il allait falloir te remettre à l'école.

— Tout le monde n'a pas ta science infuse.

— Tu n'auras pas d'amies avec toi, à Pattaya ?

— Non, merci. J'ai envie d'être tranquille.

— Tu es bien aimable ! Espérons que ta mère t'aura à l'œil et ne te laissera pas trop courir avec les fils de pêcheurs.

Les yeux verts se contentèrent de produire un sourire énigmatique.

— Et toi, reprit la jeune fille, qu'est-ce que tu vas faire, sans moi ? Tu vas retomber dans ta gourderie naturelle.

— Mais non, badina Emmanuelle. Tu sais bien que je vais me donner à Mario.

Marie-Anne sembla perdre instantanément tout goût de plaisanter.

— Tu ne peux plus revenir sur ça, avertit-elle. Tu as promis, n'oublie pas ! Tu n'es plus libre.

— Là, tu t'égares. Je ferai ce que je veux.

D'accord, pourvu que tu veuilles Mario. Tu n'as pas l'intention de te défiler, maintenant ?

Marie-Anne avait l'air si écœurée qu'Emmanuelle eut presque honte d'elle-même. Elle ne voulait cependant pas se rendre.

— Il n'est pas aussi irrésistible que tu le prétendais. Je le trouve un peu pédant. Il fait des phrases et s'écoute parler : il n'a pas besoin d'auditoire de renfort.

— Au lieu de faire la petite bouche, tu devrais t'estimer heureuse qu'un homme comme lui s'intéresse à toi. Je peux te dire qu'il est plutôt difficile.

— Ah ! oui ? Et il s'intéresse à moi ? C'est bien de l'honneur qu'il me fait !

— Exactement. J'ai tout de même été contente de voir que tu lui faisais assez bonne impression. Je peux t'avouer que je n'étais pas tellement rassurée par avance.

— Encore merci. Et à quoi, s'il te plaît, juges-tu de l'effet que je lui ai produit ? J'ai plutôt eu la sensation, quant à moi, qu'il ne s'occupait que de se faire valoir.

144

— Je le connais un peu mieux que toi, tu admettras au moins ça, j'imagine ?

— Bien sûr ! Je présume, d'ailleurs, que tu lui as toi-même accordé depuis longtemps les dernières faveurs ? Tu pourrais me communiquer tes notes de travaux pratiques, cela m'aiderait à ne pas paraître trop empruntée, à l'heure du sacrifice.

— Tu feras mieux de faire un peu moins la sotte, si tu ne veux pas qu'il te laisse tomber. Il a horreur de la bêtise.

Brusquement conciliante, Marie-Anne ajouta :

— Mais je sais bien qu'en réalité, c'est seulement un genre que tu te donnes. Autrement, je ne t'aurais pas présentée à lui.

Puis, affectueuse et pressante :

— Je suis sûre que vous allez très bien vous entendre. Tu vas être heureuse. Et tu seras encore plus belle, lorsque je te reverrai. Je veux que tu sois toujours de plus en plus belle.

Le regard aux couleurs de feuillage était devenu d'une telle douceur qu'Emmanuelle en fut troublée.

— Marie-Anne, murmura-t-elle, c'est dommage que tu t'en ailles.

— Nous nous retrouverons bientôt. Je ne t'oublierai pas, va ! Sois tranquille.

Elles échangèrent un sourire d'amitié, presque inti-midées. Puis, Marie-Anne revint à la charge, comme pour retrouver un terrain qui ne prêtât pas moins à attendrissement.

— Tu me re-promets que tu te conduiras comme je te l'ai dit, avec Mario, n'est-ce pas ?

— Oh ! bon. Oui, si ça te fait tellement plaisir.

Pour la première fois, Marie-Anne approcha son visage de celui d'Emmanuelle et déposa un baiser rapide sur la joue de son amie. Celle-ci fit un geste pour retenir contre elle la tête soyeuse, mais Lilith s'était déjà éloignée.

— A bientôt, hibou-chatte ! Je te téléphonerai

demain, avant de partir. Et tu viendras me voir à la mer.

— Oui, dit Emmanuelle d'une petite voix. Je volerai vers toi.

— Maintenant, allons retrouver les autres.

Elles s'étaient éloignées du gros de la foule, elles s'y mêlèrent de nouveau. Emmanuelle passa de groupe en groupe, sans se laisser accaparer. Elle cherchait Ariane. Ce fut celle-ci qui la découvrit la première.

— Vous revoilà, immaculée Virginie ! s'écria-t-elle. Je vous croyais livrée aux macérations, dans quelque havre de pénitence.

— Tout au contraire, répondit Emmanuelle, sur le même ton. Un prince des ténèbres me conseillait de faire carrière dans l'art du strip-tease.

— Quel est ce connaisseur ?

— On ne m'a dit que son prénom : Mario.

Ariane accentua son ton moqueur :

— *Il marchese* Serghini ? Cet amour ! Les galanteries ne l'engagent à rien. Votre vertu serait plus menacée si vous étiez joli garçon.

— Vous voulez dire qu'il est...

— J'aurais scrupule à médire s'il en faisait lui-même mystère. Ne vous a-t-il pas encore exposé ses théories favorites ? Je vois qu'il ne vous honore pas encore vraiment de sa confiance : il a pour moi moins de secrets. D'ailleurs, c'est un homme exquis et je l'adore.

— Peut-être me cache-t-il ces goûts-là parce que je lui en inspire d'autres, rétorqua Emmanuelle, dépitée.

Elle en voulait à Marie-Anne d'avoir passé sous silence ce trait de son héros. Était-il vraisemblable qu'elle l'ignorât — elle qui savait tout ?

— « *Lasciate ogni speranza, voi ch'entrate !* » déclama Ariane. Notre esthète est homme de principes : il ne se laissera pas détourner de ses vertus et de ses voies.

— Oh ! vous savez, j'en ai dépravé d'autres ! fanfaronna Emmanuelle.

Elle était furieuse. Son agressivité enchantait Ariane, qui s'amusa à l'attiser :

— Celui-là, j'ai peur qu'il ne se montre incorruptible.

— C'est ce qu'on verra.

— Bravo ! Celle qui convertira Mario méritera un priape d'or. (Elle baissa la voix.) Mais si j'étais à ta place, je ne perdrais pas mon temps au service des causes désespérées ; il y a tant de moyens plus commodes de prendre ses ébats. Je te redis que je connais cent hommes tout aussi séduisants que celui-ci et qui ne demandent pas mieux, eux, que de se laisser faire. Veux-tu que je t'en fasse avancer quelques-uns ?

— Non, dit Emmanuelle. J'aime les victoires difficiles.

— Eh bien, bonne chance ! conclut Ariane, narquoise.

Elle regarda Emmanuelle de la façon dont elle l'avait fait au club.

— Ces derniers jours, as-tu eu du plaisir ? questionna-t-elle dans un murmure.

— Oui, dit Emmanuelle.

Ariane la dévisagea un moment en silence.

— Avec qui ?

— Je ne le dis pas.

— Mais tu as fait l'amour avec quelqu'un, c'est vrai ?

— Oui.

Ariane lui sourit avec amitié.

— Ce soir, j'ai pour toi un cadeau.

— Qu'est-ce que c'est ? demanda Emmanuelle, curieuse, malgré elle.

— Je ne le dis pas.

Emmanuelle bouda. Ariane se laissa attendrir :

— Trois Parisiens, qui ne sont là que pour un jour. Je te les laisserai tous les trois pour toi toute seule, d'abord. Juste le bon nombre !

— Et toi ?

— Oh ! tu me garderas bien un petit reste de dessert.

Emmanuelle rit, gagnée par l'humeur. Ariane interrogea :

— Tu es nue sous ta robe ?

— Oui.

— Montre.

Cette fois, Emmanuelle était dans un état trop trouble pour résister. Elles s'étaient progressivement écartées de la masse des invités. Elle prit entre ses doigts le bas de sa jupe et le releva.

— Bien, dit Ariane, les yeux rivés au ventre noir et ocre.

Emmanuelle sentait doucir son sexe, comme si ces yeux la touchaient, comme s'ils étaient des doigts ou une langue. Elle se tendit, pour que le regard d'Ariane pût la lécher.

— Montre-toi plus ! ordonna Ariane.

Emmanuelle s'efforça d'obéir, mais la robe restait bloquée.

— Enlève-la, dit Ariane.

Emmanuelle hocha la tête affirmativement. Elle avait hâte d'être nue. Les pointes de ses seins exigeaient de s'offrir comme celle de son sexe. Elle fit tomber les brides de ses épaules, tira sur la fermeture sous l'aisselle.

— Oh ! s'exclama Ariane, des gêneurs !

Le charme cessa d'opérer : Emmanuelle se retrouva au sortir d'un rêve. Elle referma sa robe. Ariane la prit par le bras et l'entraîna plus loin. Un boy surgit, portant un plateau : l'une et l'autre burent toute une coupe de champagne — d'un seul trait.

Ariane rappela le serveur et elles échangèrent leurs coupes vides contre des pleines. Elles ne savaient plus très bien que se dire et fixaient, droit devant elles, sans clairement les voir, ces gens qui papotaient sur un ton criard, en se faisant des tas de courbettes. Il leur semblait que la température avait monté. Peut-être allait-il faire de l'orage. Voilà :

— Ne crois-tu pas qu'il va y avoir un orage ?

— Sûrement.

— Quelle chaleur ! J'ai de plus en plus soif.

« Cette robe est absurdement chaude », pensa Emmanuelle.

Quelqu'un fit signe à Ariane. Brusquement, Emmanuelle se rappela ce qu'elle voulait lui demander.

— Écoute, fit-elle, la retenant par un pli de sa jupe, as-tu entendu parler d'une Américaine rousse, d'un roux sombre, très cuivré ? Elle est la sœur d'un attaché naval. Elle...

— Bee ? interrompit Ariane.

Emmanuelle eut un battement de cœur. Elle aurait trouvé plus normal que personne n'identifiât l'étrangère et, bien qu'elle cherchât précisément à se renseigner sur elle, elle fut, par une contradiction qui révélait bien le désordre de ses pensées à ce moment-là, contrariée d'entendre ce nom sur les lèvres de la comtesse.

— Oui, admit-elle. Est-elle ici ce soir ?

— Elle devrait y être, mais je ne l'ai pas vue.

— Pourquoi ne serait-elle pas venue, si elle est invitée ?

— Je ne sais pas.

Ariane parut subitement évasive et comme désireuse de changer de sujet. Ces manières ne lui ressemblaient guère. Emmanuelle persista :

— Quel genre de femme est-ce, selon toi ?

— Comment se fait-il que tu t'intéresses à elle ?

— Je l'ai connue à un thé, chez Marie-Anne.

— Ah ! oui ? Rien d'étonnant : c'est une de ses amies.

— Et toi, la vois-tu souvent ?

— Assez.

— Que fait-elle à Bangkok ?

— Comme toi et moi : elle fait envie !

— Pourquoi son frère l'entretient-il à ne rien faire ?

— Je ne crois pas qu'il l'entretienne. Elle a beaucoup d'argent. Elle n'a besoin de personne.

La phrase résonna lugubrement dans le cœur d'Emmanuelle. Besoin de personne ? Elle n'en doutait pas.

Elle ne sut que demander d'autre. Sans pouvoir se l'expliquer, elle n'osait s'enquérir de l'adresse de Bee, comme si cette question avait été inconvenante.

— Alors ? fit Ariane.

Emmanuelle savait à quoi elle pensait, mais elle joua l'incompréhension. Son interlocutrice précisa :

— Je t'emmène, ce soir ?

— Ce n'est pas possible : mon mari.

— Il te confiera bien à ma garde !

Mais la tentation était passée. Ariane en fut consciente.

— Bon, dit-elle. Les trois parts de gâteau seront pour moi !

Cependant, sa bonne humeur sonnait faux : elle aussi semblait avoir perdu le désir de se dévergonder. Emmanuelle eut l'intuition que, la réception achevée, Ariane irait dormir. Celle-ci s'exclama :

— Ton Mario ! Je le vois qui a l'air de chercher quelqu'un : toi, je suis sûre ! Ne le laisse pas languir.

Elle poussa Emmanuelle par le bras.

Mais l'Italien se dirigea vers un Siamois âgé, drapé dans un *chongkrabên* pourpre, qui lui manifesta une grande cordialité. Ariane pesta :

— Si ton marquis commence à disserter de faux Chieng Sên et de vrais Sukhothai avec le prince Dhana, ils en ont au bas mot pour une heure. Cherchons ailleurs... Je vais te ramener un drink.

Elle lâcha le poignet de sa compagne et la planta là. Emmanuelle se dit, une fois de plus, qu'elle ferait tout aussi bien de s'en aller. Où donc était Jean ? Elle tenta de le repérer, mais fut distraite de sa recherche par la vue d'une jeune fille qu'elle jugea sur-le-champ d'une beauté et d'une impudeur suprêmement provocantes. « Elle est encore plus nue que moi ! » (Mais cette comparaison ne la rendit pas jalouse : au contraire.) Elle pensa aussi : « Elle vient juste d'arriver, sinon je l'aurais remarquée plus tôt. » Elle s'en serait voulu d'avoir manqué par sa faute un sujet d'intérêt comme celui-là : il était capable à lui seul de racheter l'ennui de la *party*.

L'inconnue était aussi blonde que Marie-Anne, mais les boucles et les vagues de sa chevelure étaient longues, évasées, ordonnées en une symétrie exacte ; elles formaient autour de son visage, sur ses épaules, son dos et son buste un unique camail de cristal doré. Et cette capuche était à peu près la seule opacité que l'apparition portait sur elle, car la toile d'araignée qui lui servait de robe ne cachait rien des parties de son corps que sa crinière de guerrière ou de sainte ne cuirassait pas.

Emmanuelle se rapprocha, pour mieux jouir de ce tableau surprenant dans une réunion officielle. Elle comprit vite pourquoi l'assistance ne prenait pas exagérément ombrage de cette nudité : il s'agissait d'une nudité fictive. Sous sa tunique impalpable, la jeune fille était vêtue d'un collant couleur chair : un maillot d'un seul tenant, très fin, certes, mais qui ne laissait pas le moindre pan de peau à découvert. Ni pointe de sein, ni nombril, ni toison pubienne n'étaient visibles autrement que par leur relief assagi sous ce trompe-l'œil.

Emmanuelle sentit son excitation retomber. Elle n'aimait pas les faux-semblants, le maquillage ; elle bâillait aux spectacles de ballet. Le pseudo-déshabillé autant que les orgasmes de cygne des danseuses l'agaçaient. « Qu'elles soient parées de belles plumes, critiquait-elle, ou alors qu'elles soient vraiment nues ! » Elle se détourna, déçue, de la tricheuse. Ou plutôt, sans en être consciente, elle suivit le regard que celle-ci, indifférente à la dévotion de son entourage et n'y répondant pas, dirigeait vers le centre d'un autre groupe. Là, parmi des hommes et des femmes auxquels elle ne prêtait, de son côté, aucune attention, une grande et svelte fille brune lui rendait regard pour regard.

Emmanuelle s'émut de reconnaître entre ces deux femmes un échange de désir et une connivence sensuelle qui lui étaient familiers. Du coup, elle pardonna à la fille blonde la supercherie de sa tenue : cette sirène s'habillait mal, mais elle choisissait bien ses amoureuses ! Les yeux violets et les lèvres de nacre de la brune plaisaient si violemment à Emmanuelle qu'elle fut sur le point d'aller le lui dire. Si elle se retint, un moment de trop, ce fut seulement parce qu'elle craignait que Marie-Anne ne surgît de sa boîte pour la prendre sur le fait, ou qu'Ariane vînt la piquer d'un de ses traits moqueurs.

Cet accès de respect humain lui fit perdre l'occasion de déclarer à temps son admiration à la beauté brune : celle-ci s'était libérée, d'un coup, de la grappe de ses courtisans. A présent, elle glissait (c'est ainsi qu'Emmanuelle désigna en esprit sa progression fluide et rapide) vers la beauté blonde, la saisissait par la main, la tirait hors de son propre cercle et l'entraînait vers l'extérieur, avec une résolution qui souleva en nuée lumineuse la cape de cheveux d'or clair, où Emmanuelle, astronome éblouie, crut voir crépiter des amas d'étoiles.

Et tout cela sans qu'un seul mot fût échangé.

Un mutisme aussi efficace, allié à la joie fougueuse qui illuminait le visage de l'une et l'autre protagoniste, captiva Emmanuelle davantage que ne l'aurait fait le plus osé des dialogues érotiques. L'harmonie qui unissait ces deux femmes était-elle depuis longtemps installée ou, au contraire, leur séduction réciproque ne datait-elle que de l'instant ? L'observatrice préférait, bien sûr, croire à une irrésistible impulsion amoureuse ; mais, à la réflexion, elle se dit que le temps plus ou moins long mis par les passionnés à parvenir à une compréhension comme celle-ci n'importe pas vraiment. Dans tous les cas, la forme parfaite de communication dont elle venait d'être témoin relevait de cet art qu'avait défini Mario : un art plus expressif que toute parole articulée. Le langage des signes que pratiquait la main de la brune en avait assez dit, avait dit tout ce qu'il fallait, quand il s'était adressé à la main de la blonde — la seule région de son être, visage excepté, qui ne fût pas rendue factice par un exaspérant préservatif de latex. Les mots d'amour sont pauvres de sens, comparés au génie d'une main.

Emmanuelle refusait de perdre de vue ces activistes de la beauté. Cependant, lorsqu'elle les vit descendre, en sautant les marches, le grand escalier qui conduisait aux jardins, elle n'osa les accompagner. Ne voulant pas être prise en flagrant délit de filature, elle s'arrêta maussadement au bord de la terrasse. Elle se pencha quand même par-dessus la rampe de marbre, pour avoir un dernier aperçu de la grâce des fugitives.

Elle n'eut pas à les chercher loin. Elles se trouvaient en pleine lumière, juste au-dessous d'Emmanuelle. Selon toute apparence, leur élan avait été stoppé net par une rencontre inattendue. Elles examinaient maintenant avec une curiosité intense le jeune homme surgi sur leur chemin. Emmanuelle entendit l'une d'elles (elle ne sut pas laquelle) demander : « Qui êtes-vous ? » Elle ne distingua pas la réponse. Les deux filles prolongeaient leur manège intrigué. La blonde tendit un bras vers le front du garçon et en écarta une mèche de cheveux aux teintes d'automne.

« Il ressemble au demi-dieu qui m'a ravie dans l'avion », songea Emmanuelle. Elle s'avoua que, de la distance où elle se trouvait, elle l'imaginait sous ces traits plutôt qu'elle ne le voyait. Cette image continua néanmoins de l'émouvoir, tandis qu'elle s'efforçait de ne rien laisser échapper des faits qui se succédaient, bien réels, sous ses yeux.

A la différence, nota-t-elle, du héros de l'altitude, celui-ci ne prenait pas d'initiative. Il se contentait de regarder les jeunes filles qui lui faisaient face. Elles aussi, un long moment, n'entreprirent rien d'autre que de l'examiner d'un regard réfléchi, attentives à soupeser ses qualités et ses défauts. Personne ne parlait. Emmanuelle se dit que chacune des deux femmes, depuis que leur main les reliait, savait continuellement ce que pensait et ressentait l'autre. Aucun son, pas même un clin d'œil, n'était nécessaire pour traduire la télépathie minérale de leurs circuits.

Mais un ordinateur embrasse-t-il jamais l'objet de son étude ? La blonde, elle, approcha son visage du visage de l'homme, posa ses lèvres sur les siennes et les garda là à loisir. Presque du même mouvement, elle ouvrit la mantille que lui dessinaient ses cheveux, alla s'emparer des mains que le garçon laissait oisives et les guida jusqu'à ses seins.

Emmanuelle remarqua que leur saillie était devenue plus acérée. Elle distinguait maintenant le contraste rose des mamelons, presque leurs plissures. Le collant adhérait-il plus intimement que ces pointes étaient inactivées et ne faisait-il que les mouler plus suggestivement, ou avaient-elles brusquement percé le tissu ? « A moins encore que ce maillot ne soit composé d'une substance fondante, un matériau sensible que le désir dissout au moment voulu. Heureusement, car j'étais inquiète de la suite ! » Il lui aurait déplu que la jeune fille soit forcée à une gesticulation disgracieuse pour s'extraire de sa gangue et, pire horreur, que le collant retarde l'accès à un aussi beau corps.

Elle était tout à coup si pressée d'assister à la pénétration de ce corps par celui du jeune homme que tout préliminaire lui paraissait nocif. « N'attends pas ! » s'impatientait-elle à mi-voix. « Entre vite en elle, comme je le ferais si j'étais un homme ! »

Elle prit également la résolution de faire, un jour, l'amour, *en homme,* à une femme : à celle-ci, plus précisément. Elle n'examina pas en détail la possibilité et les moyens de réaliser cette novation physique. La merveille blonde lui en inspirait la tentation, voilà tout ! Cela suffisait à l'intensité du moment.

Elle avait presque oublié la brune.

Elle ne fut pas contrariée, pourtant, lorsque celle-ci entreprit de dénouer la cravate du garçon, défit un par un les boutons de sa veste, puis ceux de sa chemise, découvrant sa poitrine, qu'elle explora. Après un certain temps, la blonde détacha ses lèvres de celles qu'elle caressait et les posa sur les lèvres de la brune. De l'avancée des nuques, de la torsion des cous, du balancement des hanches, Emmanuelle pouvait déduire le parcours des langues, leurs chevauchées, leurs retrouvailles tour à tour dans la bouche de l'une puis dans celle de l'autre, préfigurant la proche découverte d'autres ouvertures et d'autres réciprocités. C'était de l'homme, maintenant, qu'Emmanuelle ne se souciait plus.

L'amante blonde, elle, se souvint de lui. Elle s'arracha au baiser de la brune et, appuyant une main sur les cheveux de son amoureuse, elle lui fit tourner la tête et avancer les lèvres jusqu'à celles du garçon. Elle força ensuite celui-ci à abandonner ses seins, conduisit ses doigts, les serrant entre les siens, au niveau du sexe de la brune, les poussa pour qu'ils creusent de leurs ongles et fouissent les fissures que le tissu de la jupe recouvrait.

Lorsqu'elle jugea que ces doigts s'acquittaient avec conviction de leur tâche et quand ils ne furent plus qu'à demi visibles dans le lin froissé (Emmanuelle éprouva une excitation toute nouvelle à se représenter que l'étoffe avait été entraînée par ces doigts ; perverse, elle les en gantait finement, se mouillait avec eux, à mesure qu'elle et eux progressaient entre les muqueuses de la brune), la blonde s'agenouilla, dégrafa posément la ceinture et ouvrit le pantalon de l'homme. Avec une élégance bien plus romanesque (se persuada Emmanuelle, partiale) que n'en montrerait une ballerine, sur l'adagio le plus tendre qui soit, elle s'introduisit dans la brèche qu'elle avait pratiquée et n'en retira les mains que lorsqu'elle put faire surgir au-dehors une verge ferme et vibrante comme celle, revécut Emmanuelle, qui l'avait transpercée debout dans la *Licorne envolée*.

Pour évaluer sous un meilleur angle l'œuvre de ses mains, la jeune fille recula le buste, en même temps que, d'un coup de nuque, elle rejetait en arrière la masse de ses cheveux, dont l'éclat était, à ce moment-là, égal à celui de la lune. Emmanuelle eut l'illusion que ces deux sources de rayonnement s'étaient concertées pour moduler, chacune selon son humeur fantastique et le pouvoir de sa caresse, la plastique de ce phallus levé vers le ciel. Leur pâleur ardente tantôt atténuait, tantôt accentuait sa brutalité, comme, dans une aquarelle de Leonor Fini, la flexibilité livide de certains nus accuse ou excuse l'impatience des corps mâles ou femelles à dégorger leurs laits amoureux.

La blonde n'avait pas relâché sa prise sur la verge. Elle en mettait à l'épreuve la résistance et la maîtrise de soi, en lui imprimant avec souplesse et avec force des mouvements d'une telle amplitude et d'une régularité si impérieuse qu'elle aurait déjà dû recevoir dans ses cheveux les longs jets de sperme que — ses yeux pensifs fixés sur ce prodige à venir — elle semblait attendre.

Se lassa-t-elle, à la longue, de cette incitation sans effet, ou bien, à l'inverse, voulut-elle récompenser le héros de son endurance ? Elle pencha soudain la tête en avant, aveuglant de sa chevelure comme d'une aube de mirage le sexe qu'elle avait fait émerger de sa nuit. Emmanuelle ne voyait plus rien de ce qui se passait sous ce voile d'infranchissable brillance.

Peut-être pour racheter l'inconvenance de ce secret, la brune, sans interrompre la dévotion que sa bouche n'avait cessé d'enseigner aux lèvres du *kouros*, retira complètement à celui-ci les vêtements qu'elle avait entrouverts sur sa poitrine et les jeta sur l'herbe. De ses mains mystérieuses sous le manteau de ses cheveux, la blonde devait avoir, pour sa part, entre autres actions, délivré le jeune homme du reste de son costume, car, lorsque, d'un nouveau soubresaut, aussi abrupt que les précédents, une fois encore elle s'écarta de lui, il apparut nu comme la statue de pierre vivante au bord d'une eau ancienne qu'Emmanuelle voulait qu'il fût. Beau tout entier comme était beau son sexe érigé et luisant de baisers ; sculpté d'ombres et de clartés sauvages, comme l'était la rivière proche, ici creusée par la plongée des rames, là soulevée par les nasses des bateliers.

La blonde était de nouveau debout. D'un geste incomparablement sûr et bref, elle enleva sa robe arachnéenne et la lança vers les bruits de l'eau. Le filet plana avant de retomber sur une proie inconnue. Des clameurs d'appréciation, qui venaient d'invisibles pêcheurs, saluèrent l'exploit.

Aucun des trois personnages qu'admirait Emmanuelle ne parut entendre ces voix. La brune entoura de ses bras les torses de ses partenaires et les attira contre elle, enfermant en partie leur nudité lunaire dans sa longue tunique plissée. Les trois visages s'effacèrent de même dans l'enveloppante chevelure de la blonde. L'homme et ses conquérantes restèrent ainsi un temps incalculable. Emmanuelle ne percevait qu'à force de vigilance l'oscillation orgiaque de leurs reins rythmant la pression du ventre des femmes sur le phallus qu'elles se partageaient.

Le seul défaut qu'Emmanuelle trouvait dans cette configuration, c'était que la brune ne fût pas nue. Pourquoi s'obstinait-elle à cacher ses formes sous ce *chiton* d'Amazone, dépaysé si loin de Troie ?

Emmanuelle se sentit trouée par une pensée aussi aiguë qu'une épée grecque, si soudaine et violente qu'elle faillit crier. Et si cette beauté inconnaissable, c'était Bee ?

La silhouette élancée, le buste sans relief, le maintien racé et serein étaient les mêmes. Pas la couleur des yeux, il est vrai, ni la coiffure. Mais ces iris violets étaient peut-être des lentilles. Et le haut crêpage qui élargissait en boule la chevelure sombre, selon un style emprunté à l'Afrique, pouvait être celui d'une perruque.

Emmanuelle se raisonna : « Il ne faudrait quand même pas que je me mette à la voir partout ! J'ai déjà été échaudée... »

Elle passa au crible l'absurdité de son hallucination : « Bee ne se déguiserait pas pour se rendre à une invitation d'ambassadeur. Elle n'aurait pas séduit cette blonde comme je viens de la voir le faire. Elle ne s'amouracherait pas tout à trac d'un homme de rencontre. Et l'amour à trois n'est pas dans les goûts que je lui connais. »

Connaissait-elle les goûts de Bee, au fait ? Elle dut s'avouer qu'elle ne savait rien, absolument rien d'elle. Comment pouvait-elle, alors, s'imaginer la reconnaître ? Ou, tout aussi follement, nier que n'importe quelle femme pût la représenter ?

Cet exercice de logique et d'obsession, dans lequel Emmanuelle tournait en rond, la fatigua plus que ne l'avait fait son guet prolongé. Elle prit le parti de renoncer à l'un et à l'autre. Elle allait faire demi-tour, quand le groupe s'anima à nouveau. Encore une fois, ce furent les femmes qui agirent. Elles se séparèrent brusquement l'une de l'autre et du héros nu, le laissèrent seul, à distance, le temps d'un doute. Toutes deux le regardaient, étonnées comme si elles venaient de le découvrir, Priape statufié dans ce jardin du bout du monde, en attente d'idolâtres ou d'iconoclastes. Elles paraissaient joyeusement indécises : que feraient-elles de sa virilité ?

Leur choix fut le même. Elles saisirent ensemble le moulage antique ; l'emmenèrent, captif, jusqu'à un massif de fleurs rouges à très hautes tiges, qu'illuminaient des projecteurs ; elles se frayèrent un passage entre les hampes serrées, s'engloutissant dans la luxuriance de leur bouquet. La brune avançait la première, tenant l'homme par le sexe. La blonde fermait la marche, leur caressant le dos. Ils disparurent dans la touffe.

Oubliant ses résolutions, Emmanuelle resta longtemps clouée à son pan de balcon. Elle découvrit un nouveau langage de signes, dont elle n'avait jamais auparavant pressenti la possibilité. L'indiscrétion de cette langue végétale était plus lascive encore que ne l'est celle des mains qui parlent. Emmanuelle apprit ainsi à lire dans l'ondulation suggestive des inflorescences les souffles de plaisir qui leur venaient d'en bas. Les succions d'air et les goulées qui faisaient dialoguer les corolles sur leurs longues queues et qui vidaient les étamines de leur pollen énonçaient avec une silencieuse impudeur l'audace carnivore des amants cachés.

Tout le bosquet était devenu une seule grande fleur géomètre mesurant la chance sexuelle des corps humains qu'Emmanuelle voyait en esprit s'abouter, se fendre, se diviser en parties égales et indéfiniment se recomposer, dans un jeu d'inventions sans limites.

… C'était assez !… Elle allait partir. Pour laisser la triade libre — libre aussi de ne pas l'initier à ses amours isocèles — elle effacerait de sa mémoire l'empreinte de ces mystères. Elle ne se souviendrait pas des corps, ni des cheveux, ni du rouge, ni de la poudre. Ses lèvres laisseraient les baisers s'en aller avec le vent. Elle ne poserait pas de questions inutiles. Elle…

« Admettons que la brune n'est pas Bee. Mais qui est la blonde ? »

*

Mario la vit de loin, qui ne bougeait pas de son observatoire. Il la rejoignit.

— Marie-Anne m'a beaucoup parlé de vous, dit-il. Cela n'était pas fait pour rassurer Emmanuelle.

— Qu'a-t-elle bien pu vous dire ?

— Assez pour que je souhaite vous connaître davantage. Nous ne pouvons parler à notre aise au milieu d'une cohue. Vous me feriez honneur en acceptant, un jour prochain, de dîner dans le calme de ma maison.

— Je vous remercie, dit Emmanuelle. Mais nous avons en ce moment un visiteur. Je peux difficilement...

— Pourquoi pas? Laissez-le pour une soirée à la garde de votre époux. Vous avez la permission de sortir seule, j'espère?

— Bien sûr, dit Emmanuelle.

Elle se demandait ce que Jean en penserait. Elle ajouta, avec quelque malice :

— Mais ne préféreriez-vous pas que j'amène mon mari ?

— Non, dit Mario. Je vous invite seule.

Voilà qui était franc. Emmanuelle, néanmoins, était un peu étonnée. Le ton de cette invitation cadrait mal avec la réputation qu'Ariane faisait à Mario. Elle aurait aimé en avoir le cœur net.

— Il n'est pas très convenable pour une femme mariée, dit-elle d'un ton qu'elle cherchait à rendre léger, de dîner chez un monsieur seul. Qu'en pensez-vous ?

— Convenable? articula Mario, comme s'il entendait ce mot pour la première fois et le trouvait, à tout le moins, difficile à prononcer. Tenez-vous qu'il faut être convenable? Est-ce là une de vos règles ?

— Non, non ! se défendit Emmanuelle, alarmée.

Elle tenta, cependant, une nouvelle reconnaissance :

— Mais il est plus piquant, pour une femme, d'être avertie par avance des risques qu'elle court.

— Tout dépend de ce que vous entendez par risques. Quelle est, en l'occurrence, votre conception du danger ?

Emmanuelle se retrouvait sur la sellette. Qu'elle se référât aux devoirs du mariage, aux usages du monde ou aux bonnes mœurs, la riposte de Mario était facile à prévoir. Elle n'avait pas, d'un autre côté, assez de courage ou d'habitude pour avouer en propres termes ce qui la préoccupait. Elle ne trouva à dire, assez piteusement, que :

— Je ne suis pas peureuse.

— Je ne vous demande rien de plus. Voulez-vous, demain soir ?

— Mais je ne sais pas où vous habitez.

— Donnez-moi votre adresse : un taxi ira vous prendre. (Il sourit avec charme.) Je n'ai pas de voiture.

— Je pourrais venir avec la mienne ?

— Non, vous vous perdriez. Le taxi sera chez vous à huit heures. C'est entendu ?

— C'est entendu.

Elle indiqua le quartier, le numéro et la rue.

Mario l'observa longuement. Il se prononça enfin :

— Vous êtes belle, dit-il sans y mettre d'emphase.

— C'est la moindre des choses, répondit poliment Emmanuelle.

5

LA LOI

> Come, my friends, 'tis not too late to seek a
> [newer world.
>
> TENNYSON (« *Ulysses* »).

> Thou didst create night and I made the
> [lamp,
> Thou didst create clay and I made the cup,
> Thou didst create the deserts, mountains
> [and forests,
> I produced the orchards, gardens and
> [groves;
> It is I who turn stone into a mirror,
> And it is I who turn poison into an
> [antidote.
>
> Mohammed IQBAL.

MARIO fit asseoir la visiteuse sur le divan de peau rouge, souple comme un satin, entre les lampes japonaises. Un boy, qui n'était vêtu que d'un short collant bleu vif, ouvert sur le côté des cuisses, apporta un plateau de verres et s'agenouilla pour le déposer sur la longue et étroite table, de cuir, elle aussi.

La maison de Mario était bâtie de rondins, en surplomb d'un canal noir et agité de reflets. Sans étage, elle offrait, de l'extérieur, l'apparence d'un rendez-vous forestier. Lorsqu'on y pénétrait, le luxe des meubles et des étoffes surprenait. Le salon s'ouvrait de toute sa longueur sur le *khlong*. De la place où elle se tenait, Emmanuelle pouvait voir des barques d'écorce, chargées de boissons sucrées, de dourians, de noix de coco et de bambous remplis de riz cuit, croiser dans la nuit des îlots de lianes et de feuilles qu'emportait le courant. L'homme ou la femme qui, debout à l'arrière, courbé sur l'unique rame, ahannait en balançant le pied, jetait à l'intérieur de la pièce, en passant, un regard placide. Au pignon d'un temple voisin, ces clochettes de cuivre dont le battant a la forme d'une feuille de figuier *bodhi,* qu'agite le vent, tintaient sur deux notes, l'une grêle, l'autre grave et comme blessée. On entendit un gong appeler, dans le lointain, les bonzes au sommeil. La voix d'une femme entama une aigre berceuse au chevet d'un enfant.

— Un ami va venir, dit Mario.

Sa diction assourdie s'assortit aux ombres des figures bouddhiques que trace sur le mur la laconique clarté des lampes. Emmanuelle éprouve une sorte d'appréhension physique, au point qu'elle boit d'un seul coup un demi-verre du cocktail très fort que le boy a servi. Mais le choc de l'alcool ne suffit pas à défaire le nœud qui s'est formé en elle. Qu'a-t-elle donc ? Elle se fait honte de cette peur sans contours, tente de rompre l'absurde enchantement :

— Est-ce que je le connais ? demande-t-elle.

C'est seulement après qu'elle a parlé que la déception l'atteint : ainsi, Mario ne se soucie même pas d'être seul avec elle ! Elle avait cru qu'il voulait l'avoir à sa merci, il n'avait pas accepté son mari et voilà qu'il a convié quelqu'un d'autre, un chaperon. Mario répond :

— Non. Je ne l'ai moi-même rencontré qu'avant-hier, au cours d'une soirée. Il est anglais. Un être attachant. Et une peau étonnante ! Le soleil de ces pays lui a donné un teint égal et grillé... comment vous dire ?... une couleur qui sent bon. Vous l'aimerez.

La jalousie et l'humiliation griffent le cœur d'Emmanuelle. Mario lui parle de cet homme avec une gourmandise qui suspend sa phrase entre chaque mot, ne semblant faire son choix qu'après des débats de conscience, comme Emmanuelle l'imagine, plateau en main, penché sur la vitrine d'un pâtissier. Quel doute pourrait-elle désormais garder sur ses goûts ? Ariane avait bien eu raison de la prévenir ! En même temps, toutefois, l'impression déroutante gagne Emmanuelle que les mérites de l'hôte attendu ne sont pas seulement loués pour le régal de celui qui les décrit, mais comme s'ils étaient destinés à elle.

Elle perd pied. Si Mario veut la prendre, elle n'a rien à y redire. Elle s'y attend : c'est pour cela qu'elle est venue, résolue à cette inconduite pour plaire à Marie-Anne — ou simplement parce que la tentation est plus forte qu'elle ne veut le reconnaître et la certitude d'y céder lui cause un plaisir aussi physique, déjà, que celui qu'elle éprouvera tout à l'heure à dégrafer elle-même sa robe, à ouvrir ses jambes, à sentir un corps dont elle ne connaissait pas, jusqu'à ce moment, le toucher et la chaleur entrer en elle, que ce soit d'un seul coup, viol délectable, ou, au contraire, lentement, pouce par pouce, pour bientôt reculer — la laissant dans l'attente, ouverte, dépendante, quémandeuse, incertaine et liquide, ô suave suspens ! — et revenir encore, toujours, quelle merveille ! si dur, si gonflé, si aigu, caressant si impérieusement l'intérieur de son sexe, voluptueusement se vidant jusqu'à la dernière goutte en elle, ne la quittant qu'ensemencée — argile fouie, hersée, irriguée, appropriée... Elle se mord les lèvres, elle est prête, elle aime cette possession de sa chair, elle la désire. Mais qu'on lui épargne un jeu trop compliqué : l'idée l'en lasse par avance. Elle aurait dû se méfier du génie italien !

Elle est sur le point de dire à Mario : « Vous avez raison de profiter des chances qui s'offrent, mais contentez-vous de celle que je suis. Faites-moi l'amour, puis renvoyez-moi, pour que je dorme auprès de mon mari. Quand je serai partie, vous pourrez vous amuser comme vous voudrez avec votre Anglais. » Mais elle imagine ce que sera sa confusion, si Mario la regarde alors avec cette expression de courtoisie distante — de dédain — qu'elle lui a déjà vue et répond : « Ma chère, vous vous méprenez. Vous m'êtes, certes, très sympathique, très ! mais... »

La voix de Mario, avec le ton même qu'elle lui attribuait en pensée, interrompt ses chimères :

— Je tiens à ce que vous montriez vos jambes aussi haut que possible. Quentin viendra s'asseoir sur ce pouf. Voulez-vous vous tourner de ce côté, de sorte que vos genoux soient dirigés vers lui et qu'il puisse plonger son regard dans l'ombre de votre jupe ?

Vertige d'Emmanuelle. Mario a posé une main sur la peau nue de son épaule, assez avant pour que le bout de ses longs doigts appuie sur la naissance du sein. Il la fait doucement pivoter vers la droite, tandis que, de l'autre main, il saisit avec délicatesse les côtés de sa jupe noire et la relève de biais, découvrant inégalement les jambes : la gauche, à mi-cuisse ; la droite, presque jusqu'à l'aine.

— Non, ne les croisez pas, dit-il. C'est parfait, ainsi. Et ne bougez à aucun prix. Le voici.

La main de Mario se retira. Elle la sentit qui glissait d'elle comme une vague laisse la plage.

Mario installa l'arrivant, faisant en même temps à Emmanuelle le sourire d'encouragement d'un examinateur complice à une candidate qui a le trac. Mais c'était l'Anglais qui paraissait le plus intimidé.

« Il » ne regarde même pas mes jambes, constata Emmanuelle, avec moins de dépit qu'une joie vindicative devant l'échec des machinations de Mario : c'était bien fait pour lui ! Quentin lui parut, du coup, plus un allié qu'un ennemi. Elle lui accorda un air plaisant. C'était vrai, reconnut-elle, qu'il n'était pas mal du tout. Et fou, ce qu'il pouvait ne pas avoir le genre pédéraste !

Le nouveau venu, par malheur, ne semblait pas capable de prononcer un mot de français. « C'est décidément ma chance ! observa ironiquement Emmanuelle. Je dois être vouée à ne tomber que sur le type grand voyageur non doué pour les langues. » L'expression équivoque la divertit secrètement et la piqua d'un aiguillon libertin : elle essaya d'imaginer les sensations que lui procurerait la langue de Quentin cherchant la sienne, puis descendant jusqu'à son ventre. Elle se la représenta qui pénétrait en elle... se ressaisit et fit un effort méritoire pour placer les quelques phrases d'anglais qu'elle avait apprises depuis les trois semaines qu'elle était à Bangkok, mais cela ne la mena pas loin. Son interlocuteur parut néanmoins ravi.

Mario, d'évidence, n'était guère soucieux de jouer l'interprète. Il mélangeait des boissons, donnant à son serviteur des explications dans un idiome modulé où Emmanuelle ne reconnut pas les inflexions et sonorités du siamois, auxquelles commençait à se faire son oreille. Enfin, il vint s'asseoir sur le tapis, devant le sofa où se trouvait Emmanuelle. Il lui tournait aux trois quarts le dos et faisait face à son hôte. Ils parlèrent en anglais. De temps à autre, l'invité regardait Emmanuelle et tentait de l'associer à la conversation. Au bout d'un moment, elle jugea que ce manège avait assez duré.

— Je ne comprends pas, signala-t-elle.

Mario leva un sourcil surpris, déclara :

— Cela n'a pas d'importance.

Puis, avant qu'elle n'ait eu le temps de relever l'impertinence, il bondit sur ses pieds, s'assit près d'elle, entoura sa taille, la renversa un peu, s'écriant, à l'adresse du visiteur, avec un enthousiasme et une chaleur qui laissèrent Emmanuelle médusée :

— *Non è bella, caro ?*

Il la maintint dans cette position de déséquilibre, qui l'obligeait à soulever les jambes et (elle en fut consciente, avec, cette fois, une pointe d'amusement) à les découvrir davantage. Il lui agaça les lèvres des doigts, puis, gravement, fit glisser son encolure. Il mit d'abord à nu l'une de ses épaules et le haut du bras, puis la pointe d'un sein, qu'il contempla en arrondissant les lèvres.

— Elle est belle, vraiment, ne trouves-tu pas ? répéta-t-il.

L'Anglais approuva du chef. Mario recouvrit le sein.

— Aimes-tu ses jambes ? demanda-t-il.

Il avait posé la question en français et l'invité se borna à plisser les yeux. Mario insista :

— Elles sont *très* belles ! Et, surtout, elles sont, des orteils à la hanche, purement des organes de luxure.

Il effleura du bout des doigts la ligne des tibias dorés.

— Il est parfaitement clair que leur fonction n'est pas de servir à marcher.

Il se pencha sur Emmanuelle.

— J'aimerais, dit-il, que vous donniez vos jambes à Quentin. Acceptez-vous ?

Elle ne comprenait pas très bien ce que Mario voulait dire et la tête lui tournait quelque peu. Mais elle ne voulait pas paraître reculer, quoi qu'on lui demandât. Elle prit le parti de rester impassible. Lui sembla s'en satisfaire.

Sa main, de nouveau, releva la jupe, mais beaucoup plus haut. Il dut, à cause de l'étroitesse, soulever, du bras qu'il avait libre, le corps d'Emmanuelle, pour dégager entièrement ses jambes et le bas de son ventre. Ce soir, pour la première fois de son séjour à Bangkok, Emmanuelle avait, malgré la chaleur, mis des bas. Dans le losange du porte-jarretelles et des plis de l'aine, le slip noir, transparent comme un tulle, ordonnait sagement les boucles soyeuses.

— Viens, dit Mario. Prends.

Elle perçut le mouvement que faisait Quentin pour s'approcher d'elle. Une main caressa ses chevilles, puis deux. Puis, derechef, une seule, tandis que la seconde montait le long d'un mollet, ensuite de l'autre, s'attardant au creux des genoux, à la naissance des cuisses, enfin les contournant et restant là, comme impressionnée par tout l'espace qui s'offrait à elle au-delà de ce dernier refuge de la décence.

Alors, la première main vint à la rescousse, se joignit à l'autre pour encercler les cuisses, assez minces près des genoux pour tenir toutes deux presque entièrement dans l'anneau des doigts qui les pressaient l'une contre l'autre.

Ensuite, les deux mains progressèrent de conserve, d'abord à l'extérieur des cuisses, puis au-dessus, puis au-dessous, jusqu'à toucher les fesses. Là, très fermes, elles obligèrent les jambes à s'écarter, afin d'en pouvoir frôler à loisir la face interne, si sensible qu'Emmanuelle sentit se gonfler ses lèvres.

Mario la contemplait. Mais elle-même ne le voyait pas. Lorsqu'elle ouvrit les yeux et chercha à lire dans les siens ce qu'il attendait d'elle, il se contenta de sourire, sans qu'elle pût rien déchiffrer. Alors, autant par défi que parce qu'elle avait envie de jouir, elle releva plus haut sa jupe, déjà roulée en bourrelet, saisit l'étoffe élastique de sa culotte et la fit glisser. Les mains de l'Anglais devinrent sur-le-champ plus hardies et plus secourables, aidèrent à la descente du slip, le tirèrent le long des jambes, jusqu'à terre.

Presque aussitôt, la voix de Mario, plus grave et sourde encore qu'auparavant, fit tressaillir Emmanuelle. Il parlait anglais. Après quelques phrases, il traduisit pour elle :

— Vous ne devez pas tout accorder à la même personne, dit-il, du ton d'enseigner une vérité difficile. Ce soupirant a eu vos jambes : qu'il s'en arrange, pour le moment. Gardez pour d'autres, à une autre occasion, le reste de votre corps. Une part de vous à chaque homme : jouez à vous donner d'abord en détail.

Emmanuelle n'osa crier : « Mais vous, vous, que voulez-vous ? Quelle partie de moi vous tente-t-elle ? » Elle se demandait, avec une bouffée de dérision, s'il suffisait à Mario du sein qu'il avait effleuré tout à l'heure. Pendant une seconde, elle le haït. Mais lui se redressa, allègre, plein d'entrain. Il frappa dans ses mains et cria :

— Et si nous allions dîner ? *Cara,* venez ! Je veux que vous goûtiez des plats qui rendent les corps fous.

Il la souleva du divan, glissant un bras sous ses épaules, l'autre sous ses jambes, toujours découvertes et qui semblaient plus longues encore d'être ainsi suspendues, sculptées d'ombres et de reliefs par le jeu inégal des lampes de papier. Lorsqu'il remit Emmanuelle sur ses pieds, la jupe noire retomba. Emmanuelle se pencha de côté d'un mouvement plein de grâce pour la défroisser. Elle regardait, sur le tapis, une mince tache de nylon sombre et ne savait que faire. Mario, agile, la piqua du bout des doigts et la serra sur ses lèvres.

— « *Rompre avec les choses réelles, ce n'est rien, mais avec les souvenirs !* déclama-t-il. *Le cœur se brise à la séparation des songes, tant il y a peu de réalité dans l'homme.* »

Puis il glissa le slip parfumé dans la poche de poitrine de son veston de soie grège et, prenant par la main Emmanuelle interloquée, l'entraîna vers la petite table ronde autour de laquelle avaient été placés trois sièges de vieux bois à haut dossier, de style quasi médiéval.

Emmanuelle n'osait regarder Quentin. Malgré elle, néanmoins, elle s'amusait maintenant de l'étrangeté de l'expérience et commençait à oublier ses griefs à l'égard de Mario. Elle se disait même, à la réflexion, qu'il avait sans doute eu raison de l'empêcher de se livrer à ce beau garçon inconnu, qui lui était indifférent. Elle n'allait tout de même pas se mettre à coucher avec n'importe qui, ouvrir son corps à tous ceux qui poseraient la main sur ses genoux ? C'était déjà bien assez qu'elle se fût conduite ainsi dans l'avion, elle qui, jusqu'alors, avait toujours su si gracieusement décourager les garçons de se servir avec elle d'autre chose que de leurs mains ! Et Mario, alors ?... Ce n'était pas pareil... Il n'y avait rien d'extravagant, elle en convenait, à ce qu'une femme mariée se partageât entre son mari et un amant. Et, maintenant que Marie-Anne lui en avait mis l'idée en tête, elle avait vraiment envie d'avoir un amant. Mais un seul ! Et que cet amant fût Mario... La pensée lui vint brusquement que peut-être celui-ci ne l'avait, quoi qu'il prétendît, disputée à Quentin que parce qu'il voulait se la réserver. Cette hypothèse lui rendit sa bonne humeur.

Elle ne voulait cependant pas faire à l'Italien la partie trop belle : elle entreprit donc de tourner en ridicule, moins parce qu'elle y attachait vraiment de l'importance que par badinage et pour lui montrer qu'elle n'était pas si naïve, les dogmes et les rites de sa philosophie.

— Je ne vois pas très bien comment votre amour « à tempérament » peut se concilier avec l'esthétique que vous professiez hier soir ? S'il importe de se prodiguer et de se défaire, pourquoi m'exhortez-vous aujourd'hui à me marchander, à me donner au compte-gouttes ?

— Donnez-vous donc d'un trait ! Et lorsque ce sera fini ? demanda Mario.

— Fini ?

— La femme qui servit de modèle au Portrait Ovale, après qu'elle eut donné son ultime couleur et se fut vidée de son souffle, quel *art* restait possible ? *Finita la commedia !* Quand le dernier cri de plaisir et le dernier chant de vie auront passé vos lèvres, l'œuvre sera abolie. Elle disparaîtra comme un songe, elle n'aura jamais existé. Le plus impérieux des devoirs, dans ce monde mortel, le seul devoir, à tout bien peser, n'est-il pas de *faire durer* ? Se défaire ? Certes ! Mais à n'en pas finir !

— Vous aussi tenez à me représenter ma fin prochaine ? Mais vous et votre disciple Marie-Anne feriez bien de vous mettre d'accord : elle me presse de me dépenser, vous de m'économiser. Et, l'un comme l'autre, au nom de la brièveté de la vie !

— Je vois que vous m'avez compris tout de travers, très chère ! C'est que je me serai mal exprimé. Marie-Anne a mieux su dire ce que nous pensons, elle et moi. Les petites filles ont des talents d'exposition que l'on perd avec l'âge.

— Mais non ! Vos leçons sont tout à fait contradictoires. La vôtre enseigne la continence...

— Voilà bien le reproche le plus injustement décerné, interrompit joyeusement Mario. Mais votre indignation ne risque-t-elle pas, de son côté, de nous condamner à l'abstinence ?

— Comment ?

— Cette croustade refroidit...

Emmanuelle rit, un peu penaude. Mario avait trop beau jeu d'éluder de la sorte les questions embarrassantes.

Pendant un moment, ils ne parlèrent que des plats et des vins. Quentin ne prenait à la conversation qu'une part modeste, bien que Mario voltigeât d'une langue à l'autre. Emmanuelle loua avec sincérité la recherche du repas. Elle dit qu'elle n'attachait d'ordinaire pas beaucoup d'importance à ce qu'elle mangeait, mais, ce soir, même l'ignorante qu'elle était se découvrait sensible à la qualité d'un rôti.

— Si ce n'est pas la gastronomie qui vous paraît la chose la plus importante, qu'est-ce donc ? demanda Mario.

Emmanuelle comprit que la conversation était autorisée à gagner les hauteurs dont elle avait manqué l'ascension aux hors-d'œuvre. Elle réfléchit. Qu'allait-elle répondre pour rester dans le ton de la maison, sans trop concéder, néanmoins, aux manies du maître ? Après tout, se dit-elle, le but de cette soirée était clair : elle était venue ici pour se dévergonder, non pour philosopher. Elle énonça donc d'une voix naturelle :

— Beaucoup jouir.

Mario ne se montra même pas appréciateur. Plutôt impatient.

— Sans doute, sans doute, dit-il. Mais faut-il jouir n'importe comment ? Est-ce la jouissance qui compte le plus, ou la manière d'y parvenir ?

— La jouissance, évidemment !

Elle ne le pensait pas vraiment, elle cherchait à provoquer Mario. Elle parut n'avoir réussi qu'à le consterner.

— Pauvre dieu ! soupira-t-il.

— Seriez-vous saisi par la religion ? s'étonna Emmanuelle.

— C'est un dieu esthétique que j'invoque, rectifia-t-il. Un dieu dont vous auriez avantage à connaître les lois. Je veux parler d'Éros.

— Croyez-vous que je ne sache pas le servir ? se rebiffa-t-elle. C'est le dieu de l'amour.

— Non. C'est le dieu de l'érotisme.

— Oh ! cela, c'est ce qu'on a fait de lui !

— Un dieu est-il jamais rien d'autre ? Vous ne me semblez pas nourrir une bien haute idée de l'érotisme ?

— Vous vous trompez : je suis pour.

— Ah ! oui ? Et comment le concevez-vous, au juste ?

— Eh bien ! l'érotisme, c'est... comment dire ?... le culte du plaisir des sens, affranchi de toute morale.

— En aucune façon, triompha Mario. C'est exactement le contraire.

— C'est le culte de la chasteté ?

— Ce n'est pas un culte, mais une victoire de la raison sur le mythe. Ce n'est pas un mouvement des sens, c'est un exercice de l'esprit. Ce n'est pas l'excès du plaisir, mais le plaisir de l'excès. Ce n'est pas une licence, mais une règle. Et c'est une morale.

— Très joli ! applaudit Emmanuelle.

— Je parle sérieusement, remonta Mario. L'érotisme n'est pas un manuel de recettes pour s'amuser en société. C'est une conception du destin de l'homme, une jauge, un canon, un code, un cérémonial, un art, une école. C'est aussi une science — ou, plutôt, le fruit d'élection, le fruit dernier de la science. Ses lois se fondent sur la raison, non sur la crédulité. Sur la confiance, au lieu de la peur. Et sur le goût de la vie, plutôt que sur la mystique de la mort.

Mario arrêta du geste sur les lèvres d'Emmanuelle la phrase qu'elle voulait dire et acheva :

— L'érotisme n'est pas un produit de décadence, mais un progrès. Parce qu'il aide à désacraliser les choses du sexe, c'est un instrument de salubrité mentale et sociale. Et je prétends qu'il est un élément de promotion spirituelle, car il suppose une éducation du caractère, le renoncement aux passions d'illusion au profit des passions de lucidité.

— Eh bien, c'est gai ! se moqua Emmanuelle. Vous trouvez ce portrait tentant, vous ? N'est-il pas plus agréable de se faire illusion ?

— La fureur de posséder pour soi seul ou d'appartenir à un seul ; la volonté de puissance ou de servitude ; la volupté de faire souffrir et de faire mourir ; la fascination, le désir et l'amour de la souffrance et de la mort et l'appétit d'éternité sont de ces passions que j'appelle d'illusion. Vous tentent-elles ?

— Pas vraiment, convint Emmanuelle. Mais dites-moi ce qui devrait me tenter.

— J'aimerais assez que la vertu suprême fût la passion de la beauté. Cela contient tout. Ce qui est beau est vrai, ce qui est beau est justifié, ce qui est beau fait échec à la mort. La beauté est citadine d'un ailleurs que n'auraient pu connaître, s'ils ne s'étaient donné un savoir aventureux et un souffle éternel, nos têtes poltronnes et nos cœurs mortels. L'amour de la beauté est ce qui nous fait autres, nous qui serions semblables à des bêtes. La pensée, que les sucs de la terre avaient fait se lever en nous, ses premières terreurs nous ont rabattus face contre cette même terre, rampant de nos trop faibles membres dans les humbles régions où nous parquaient nos dieux. Le miracle de la beauté, issu de nos curiosités rebelles et de nos orgueils, a été notre chance d'envol. Car la beauté est l'aile du monde : sans elle, l'esprit serait atterré.

Mario se tut un instant, mais l'expression du visage d'Emmanuelle l'encouragea à poursuivre. Il dit donc :

— Quel génie humain — plus vigilant qu'un ange — nous couvre de cette aile ! La beauté de la science est ce qui nous garde des disgrâces de la magie. Et la beauté de la raison nous fait horreur du fard des mythes. C'est pour l'amour de la beauté qu'au théâtre d'illusion où des masques des politiques et des révélations jouent leur jeu d'ombre avec une lenteur royale, à la fin, le monde refusera de s'asseoir. L'univers en mouvement se rira de leurs prétentions immobiles. Et l'homme se guérira de l'âme par le caractère, trouvant dans l'avancement continu de l'intelligence le remède à ses cauchemars et à ses chimères.

L'hôte se tourna vers Quentin comme pour le prendre à témoin, poursuivit en écartant les mains, en signe d'évidence :

— Car notre vie est étrangement simple : il n'y a pas d'autre devoir au monde que l'intelligence, pas d'autre destin que l'amour et pas d'autre signe du bien que la beauté.

Il fit de nouveau face à Emmanuelle, pointa vers elle un doigt exigeant :

— Mais ce n'est pas, souvenez-vous-en, dans l'œuvre achevée, que la beauté vous attend. Elle n'est pas une réussite. Pas le paradis promis au loyal ouvrier, ni la quiétude du crépuscule après la piété des travaux. Elle est le blasphème créateur jamais tu, la question que rien ne contente, la marche en avant qui ne se lasse pas. Elle est défi et elle est effort. Elle a l'urgence du défi et l'infinité de l'effort. Elle est ce qui défie en nous les noirs dons suicidaires de notre matière de hasard. Elle s'identifie à l'héroïsme de notre destin.

Emmanuelle lui sourit et il parut comprendre ce qui

la touchait. Lui-même la regarda avec sympathie. Il continua néanmoins, comme s'il était surtout anxieux que son invitée ne gardât aucun doute sur l'objet ultime de son discours :

— Elle n'a pas été donnée à l'homme par un dieu : il l'a inventée. Il l'a *faite* : elle a le même nom séditieux que la poésie. La beauté n'est pas l'ordre de la nature, elle est son contraire. Elle est l'anxieux espoir des hommes et des femmes contre les lois des choses, la vertu née de notre dépaysement et de notre solitude, dans l'univers d'où nous avons chassé les anges et les diables ; elle est la victoire promise sur les herbes et sur les pluies. Elle est le clair de lune imaginé, le chant des sirènes par-dessus la hideur de la mer. Ainsi dirai-je que l'érotisme, ce triomphe du rêve sur la nature, est le haut refuge de l'esprit de poésie, parce qu'il nie l'impossible. Il est l'Homme, qui peut *tout*.

— Je ne me représente pas très bien ce pouvoir, objecta Emmanuelle.

— L'œuvre de chair entre femmes est une absurdité biologique, elle est impossible. L'érotisme, aussitôt, fait de cette invention du rêve une réalité. Sodomiser est un défi à la nature : il sodomise. Faire l'amour à cinq n'est pas *naturel* : il l'imagine, il l'ordonne et il l'accomplit. Et chacune de ces victoires est *belle*. Certes, pour s'épanouir, l'érotisme n'a pas forcément besoin de ces formules d'exception : il ne réclame que la jeunesse et la liberté de l'esprit, l'amour du véridique, une pureté qui ne doit rien aux coutumes et aux conventions. L'érotisme est une passion de courage.

— A vous entendre, on se dit que cet érotisme-là doit être une espèce d'ascèse ! Est-ce bien la peine de se donner tout ce mal ?

— Mille fois ! Ne serait-ce que pour la volupté de narguer nos monstres. Et, d'abord, les plus hideux de tous : la bêtise et la lâcheté — ces deux hydres chéries des hommes ! Des hommes qui ne s'avouent jamais aussi bien que dans le cri de Hobbes, plus vrai chaque matin après trois siècles : « *L'unique passion de ma vie aura été la peur !* » Peur d'être différents. Peur de penser. Peur d'être heureux. Toutes ces peurs qui sont l'antipoésie et qui sont devenues les valeurs du monde : le conformisme, le respect des tabous et des rites, la haine de l'imagination, le refus de la nouveauté, le masochisme, la malveillance, l'envie, la mesquinerie, l'hypocrisie, le mensonge, la cruauté, la honte. En un mot, le mal ! Le véritable ennemi de l'érotisme, c'est l'esprit du mal.

— Vous êtes merveilleux ! acclama Emmanuelle. Et moi qui croyais que les uns appelaient érotisme ce que les autres appellent tout simplement vice.

— Vice, dites-vous ? Qu'entendez-vous par ce mot ? Vice veut dire défaut. L'érotisme, ni plus ni moins que les autres œuvres de l'homme, n'est exempt de défauts, d'erreurs, de rechutes. Si c'est cela, alors disons que le vice est la rançon de l'érotisme, son ombre, sa scorie. Mais il y a quelque chose qui ne peut exister ; c'est l'érotisme honteux. Les qualités qu'exige la naissance de l'acte érotique : logique et fermeté d'esprit, avant tout ; imagination, humour, audace, pour ne rien dire du pouvoir de conviction et du talent d'organisation, du bon goût, de l'intuition esthétique et du sens de la grandeur sans lesquels toutes ses tentatives seront manquées, ne peuvent faire de lui que quelque chose de fier, de généreux et de triomphant.

— C'est pour cela que vous le présentez comme une morale ?

— Non, c'est pour beaucoup plus que cela. L'érotisme exige avant tout l'esprit de système. Ses personnages ne peuvent être que des gens à principes, des faiseurs de théories : pas de joyeux noceurs ni des costauds de kermesse, annonçant le nombre de coups portés, après boire, aux petites bonnes aimant danser.

— En somme, l'érotisme, c'est le contraire de faire l'amour ?

— C'est aller trop loin : mais il est vrai que faire

l'amour, ce n'est pas nécessairement faire acte d'érotisme. Il n'y a pas érotisme là où il y a plaisir sexuel d'impulsion, d'habitude, de devoir ; là où il y a pure et simple réponse à un instinct biologique, dessein physique plutôt que dessein esthétique, recherche du plaisir des sens plutôt que du plaisir de l'esprit, amour de soi-même ou amour d'autrui plutôt qu'amour de la beauté. Autrement dit, il n'y a pas érotisme là où il y a *nature*. L'érotisme est, comme toute morale, un effort de l'homme pour s'opposer à la nature, la surmonter, la dépasser. Vous savez bien que l'homme n'est homme que dans la mesure même où il fait de soi un animal *dénaturé*, et qu'il n'est davantage homme qu'autant qu'il se sépare davantage de la nature. L'érotisme, le plus humain talent des hommes, ce n'est pas le contraire de l'amour, c'est le contraire de la nature.

— Comme l'Art ?

— Bravo ! Morale et Art, c'est tout un. J'applaudis à vous entendre parler de l'art comme de l'antinature. Ne vous ai-je pas déjà dit que la beauté ne se découvrait que dans la défaite de la nature ? D'âge en âge, les faiseurs d'ombres sur le mur de nos vies tentent de convaincre l'humanité, le plus souvent à coups de bottes, qu'elle ne se guérira de la fatigue des machines et des architectures que par un « retour à la nature ». Écœurante panique, abominable déchéance de l'intelligence ! Retourner à la vermine de l'humus, est-ce là tout l'avenir que mérite l'inventeur des mathématiques et du maillot collant des ballerines ? Si cette espèce a hâte de finir, alors, quitte à faire, que ce soit en beauté, dans une gerbe d'atomes. Mieux vaudrait un vide entre les corps célestes et le souvenir d'un dernier chant d'orgueil qu'une terre peuplée d'une race de singes de plus. Je hais la nature !

Sa fougue fit rire Emmanuelle, mais il poursuivit sur sa lancée :

— Mais qu'ai-je à vous parler de détruire, quand c'est à créer que l'esprit nous invite ?

Il posa brusquement une main sur la sienne et la serra presque à l'en faire crier. Sa voix devint étrangement belle :

— Je volais au-dessus du golfe de Corinthe, vers ce pays dont aujourd'hui nous partageons la nuit. A ma droite, les sommets du Péloponnèse étaient couverts de neige. A ma gauche, les plages dorées de l'Attique réchauffaient la mer. Un journal qu'on m'apporta me détourna pour un instant de ce spectacle, mais non pour le trahir : car il proclamait, de toute la taille des lettres de son titre, le plus beau poème que l'homme ait jamais écrit — un poème dont les antiques racines plongeaient dans cette terre même qui me tendait ses adorables lèvres, entrouvertes sur la nacre des vagues et mordues de soleil, pareilles en cette aube qu'elles étaient dans le matin de l'Odyssée et, après tant d'années miraculeuses, gonflées du même désir des sirènes, aussi téméraires et folles de savoir, défiantes et sages... Ce poème, le voici :

> « *Le 3 janvier, à 3 h 57, une étoile blanche apparaîtra au centre d'un triangle formé par les étoiles Alpha du Bouvier, Alpha de la Balance et Alpha de la Vierge.* »

L'étoile est apparue, minuscule caillou d'acier lancé par l'homme comme d'une fronde au visage de l'univers. Et l'âge nouveau qui a commencé est à jamais le nôtre. Désormais, notre terre peut périr, et la chair de notre race : éternellement, un astre de plus, un astre fait de notre main, gravé de notre chiffre et prononçant des paroles de notre langue, tournera, ruinant de sa chanson la froide majesté des espaces infinis. Ô vous, étoiles Alpha, qui avez jalonné de votre veille notre conquête sans remords, notre goût de la vie allonge ses jambes nues sur vos plages de feu !

Mario ferma les yeux et ne reparla qu'après plusieurs

minutes. Sa voix avait retrouvé sa lenteur dédaigneuse :

— Art, avez-vous dit ? La création artistique la plus parfaite, c'est celle qui s'éloigne le plus de l'image de Dieu. Ah ! ce que Dieu a créé importe bien peu, au regard de l'œuvre des hommes ! Comme elle est belle, notre planète, depuis que nous en avons comblé les creux, depuis que nous la hérissons de nos châteaux de verre et en faisons frissonner l'éther à la fréquence de nos cantates ! Comme elle est belle, tirée de la nuit de Dieu par les lumières des hommes ! Comme elle est belle, délivrée des broussailles et des serpents de Dieu par la croissance des cités des hommes ! Comme elle est belle, ébarbée de ses paysages et ornée des créatures de fer de ses Calder, des carrés d'or, de sang, de ciel et des traits de ténèbres de ses Mondrian — vous, musiciens, peintres, sculpteurs, architectes, qui avez fait de la terre et des cieux le royaume des hommes, trop beau pour qu'on s'y soucie encore du royaume de Dieu !

Mario regardait Emmanuelle comme s'il voyait sur son visage ces formes et ces feux de la terre qu'il aimait. Il lui sourit :

— L'Art, n'est-ce pas, voilà par quoi l'hominien quaternaire s'est séparé du fauve et s'est fait homme ? Seul dans l'univers, seul vivant qui y laissera plus qu'il n'y a trouvé. Mais, déjà, l'art des couleurs, des courbures et des sons ne suffit plus à assouvir sa passion créatrice. C'est sa propre chair et sa propre pensée qu'il veut façonner à l'image de son génie, comme il a naguère tiré de son rêve les apsaras et les *korê*. L'art de cet âge ne peut plus être un art de pierre froide, de bronze ou de pâte. Il ne peut être qu'un art de corps vivants, il ne peut que « *vivre de vie* ». Le seul art qui soit à la mesure de l'homme de l'espace, le seul capable de le conduire plus loin que les étoiles, comme les figures d'ocre et de fumée ouvrirent sur l'avenir les murs de ses cavernes, c'est l'érotisme.

Mario parlait avec tant de force qu'Emmanuelle avait

l'impression de recevoir ses sentences comme des coups.

— Existe-t-il, je vous demande, d'art plus poignant que celui qui prend le corps humain et qui, de cette œuvre de la nature, fait sa propre œuvre dénaturée ? Il est aisé à l'ouvrier habile de tirer du marbre ou de l'équilibre des lignes un objet dont il n'a pas eu à disputer la paternité à l'univers. Mais l'homme ! Le saisir entre ses mains, non comme une glaise, non pour en sentir la texture, le contour, non pour l'approuver ni l'aimer, non pour en jouir, mais précisément pour en contester la forme et le fond, le dérober à l'imbécile tâtonnement de la cellule, en altérer l'étoffe même, arracher de lui l'abject naturel, comme on délivre l'animal de laboratoire de l'hérédité qui l'a fait limace ou rongeur. Refaire l'homme ! Le sauver de la matière, pour le rendre libre de se donner ses propres lois : des lois qui ne le confondent plus avec le météore et la molécule, qui l'affranchissent de la dégradation de l'énergie et de la chute des corps. Cela, en vérité, c'est plus que l'art, c'est la raison d'être de l'esprit même.

Il se leva et marcha vers l'ouverture qui donnait sur le *khlong*.

— Voyez ! dit-il. Le fossé n'est pas entre l'inanimé et le vivant : il est entre ce qui est conscient et le reste du monde. Ce margouillat, ce chien ne sont pas différents de l'arbre et de l'algue, qui ne sont pas différents de l'eau et de la pierre. Mais ceux-là, regardez-les qui rament et qui rêvent, parés de leurs haillons, avec leur entêtement, leurs doigts serrés, leurs cheveux courts… Voilà l'homme ! Ah ! il faut un amour forcené des hommes pour savoir si bien haïr la nature. Hommes, hommes, comme je vous aime ! Vous irez si loin !

Emmanuelle demanda, presque timidement :

— Pour vous, le seul amour possible, c'est donc l'amour contre nature ?

Elle accompagna sa question d'un rire affectueux, qui voulait faire comprendre qu'elle ne cherchait pas à désobliger Mario. Mais il n'y avait pas de risque : à son habitude, il mit en pièces l'idée avec les mots.

— C'est une lapalissade. Et un pléonasme. L'amour est toujours contre nature. Il est l'antinature absolue. Il est le crime, l'insurrection par excellence contre l'ordre de l'univers, la fausse note dans la musique des sphères. Il est l'homme, c'est-à-dire qu'il s'est échappé du paradis terrestre en pouffant de rire. Il est l'échec des plans de Dieu.

— Et vous appelez cela moral ! blagua Emmanuelle.

— La morale, c'est ce qui fait l'homme homme ! Pas ce qui le fait objet aliéné, captif, esclave eunuque, pénitent ou bouffon. L'amour, cela n'a pas été inventé pour avilir, pour asservir ou pour faire grimacer. Ce n'est pas le cinéma du pauvre ni le tranquillisant de l'agité, pas une distraction, pas un jeu, pas un opium, pas un hochet. L'amour, l'art de l'amour charnel, c'est la réalité de l'homme, le rivage sans leurre, la terre ferme, la seule vraie patrie.

« *Tout ce qui n'est pas l'amour se passe pour moi dans un autre monde, le monde des fantômes. Tout ce qui n'est pas l'amour se passe pour moi en rêve et dans un rêve hideux... Je ne redeviens homme que lors des bras me serrent !* ».

Ce cri de clairvoyance de Don Juan, tant d'autres l'ont entendu et compris, si différente que fût la forme de leur génie. Vous parliez tout à l'heure d'ascétisme ; c'est bien ce qu'est l'érotisme pour certaines sectes hindoues : un devoir. Mais n'est-il pas amusant que ce le soit aussi, plus tendrement conçu, sans doute, et avec quelle enchanteresse pudeur, par la petite hétaïre sacrée d'Amathonte :

« *Penses-tu que l'amour soit un délassement ? Gyrinno, c'est une tâche, et de toutes la plus rude.* »

— Je ne suis pas de cet avis, dit Emmanuelle, et je préfère penser à l'amour comme à un plaisir. D'ailleurs, faire l'amour ne m'a jamais fatiguée.

Mario s'inclina courtoisement.

— Je n'en doute pas, dit-il.

— Est-ce immoral de prendre plaisir à l'amour ? le harcela-t-elle.

— C'est bien le contraire que j'essaye de vous démontrer, répondit-il patiemment. La morale de l'érotisme, c'est que le plaisir fait la morale.

— Un plaisir moral, je trouve que cela perd une bonne partie de sa saveur.

— Pourquoi ? Je ne comprends pas, s'étonna Mario. Est-ce parce que principe moral s'identifie pour vous avec privation, coercition ? Mais si ce principe vous prive de vous priver ? S'il vous oblige à profiter de la vie ? Ah ! je vois ! L'idée de morale vous rebute parce qu'elle se confond dans votre esprit avec celle d'interdit sexuel. Conduite morale, cela veut dire, n'est-ce pas :

« *Luxurieux point ne sera, de corps ni de consentement ; l'œuvre de chair ne désireras qu'en mariage seulement* » ?

Ne laissez pas, je vous prie, ces mystifications compromettre à vos yeux l'honorable mot de morale. D'une supercherie historique depuis longtemps éventée, ne tirez pas prétexte pour réunir dans une même condamnation le bien et le mal, ou — ce qui serait plus grave encore — dire que le bien et le mal n'existent pas !

— Écoutez, Mario, vous devenez de plus en plus sibyllin. Comment voulez-vous que je sache à quoi vous voulez en venir ? Vous êtes parti de l'érotisme et vous finissez par parler comme un prédicateur en chaire ! Je ne sais plus où j'en suis. Qu'appelez-vous le bien et le mal ?

— Nous y reviendrons, soyez rassurée ! Ce que je veux d'abord régler, c'est le compte de ce que *les autres* appellent le bien et le mal. Et, en particulier, ces « vertus » qui, pour vous, semble-t-il, ne font qu'un avec la morale : la modestie, la chasteté, la continence, la fidélité conjugale…

— Pas pour moi seulement ! N'est-ce pas ce que tout le monde appelle la morale ?

— Je le sais. Mais j'en ris ! Car c'est par un abus de confiance d'une bouffonnerie rare que les tabous sexuels se sont fait admettre au royaume de la morale et ont fini par y faire régner leur injuste loi. Ils n'y appartenaient nullement de droit divin. Bien plus ! leur nature et leur dessein sont parfaitement immoraux — nés qu'ils sont d'un calcul terre à terre entre tous : le souci d'assurer au maître foncier la propriété des enfants, instruments de production et signes extérieurs de richesse à l'instar des pioches de silex et des pots.

Mario bondit sur ses pieds et se dirigea vers un rayon chargé de livres, dans la pénombre grenat. Il revint, tenant à la main un volume à dos de cuir et à ferrures.

— Oyez ! dit-il. Je ne choisis pas abusivement mes textes ni ne les sollicite. Je me borne au plus irréfutable des dogmes, au Décalogue, tel que rapporté du Sinaï par Moïse. Et, au dix-septième verset du chapitre XX de l'*Exode,* je lis, gravé dans la pierre, ce qui suit :

« *Tu ne convoiteras point la maison de ton prochain ; tu ne convoiteras point la femme de ton prochain, ni son serviteur, ni sa servante, ni son bœuf, ni son âne, ni rien de ce qui appartient à ton prochain.* »

« Voilà qui est sans équivoque et sans fard : femme, sachez la place où vous a rangée l'Éternel : entre la grange et le bétail, avec le reste de la main-d'œuvre. Et nullement au premier rang ! Maîtresse, vous le cédez à la brique et au chaume. Serve, vous avez moins de prix qu'un valet de ferme, juste un peu plus qu'une bête à cornes ou un baudet.

Mario referma sa Bible et posa la main droite dessus, pastoral :

— Le Moyen Âge a inventé l'amour, dit-on. Le Moyen Âge a bien plutôt quasiment réussi à nous en dégoûter ! Si, aujourd'hui, l'amour garde une chance de revivre, c'est que notre époque fait une hécatombe de mythes. En nous faisant le cadeau empoisonné de sa

« morale », le clerc féodal avait cru nous couper pour les siècles des siècles l'envie de jouir. Voyez ce qui reste de ses complots et de ses machines ! Les ceintures de chasteté du bien et du mal, bouclées par les seigneurs de la terre autour des reins de leurs femmes et de leurs ânesses, tombent en morceaux rouillés des créneaux et des mâchicoulis qui les ont vus naître. Acceptons de leur faire l'honneur de les mettre au musée. Mais notons d'abord que leur fin est éminemment morale — si leur naissance ne le fut pas ! Et admirons que la vraie morale est ce qui subsiste lorsque l'œuvre du temps a fait justice de la fausse.

Un rire ironique fusa de sa gorge :

— L'édifiant à-peu-près des valeurs de la moralité sexuelle n'est-il pas tout entier résumé dans l'aventure du mot latin *pulla,* qui a donné, à la fois, *pucelle* et *poule* ? Vous voyez comme le choix entre bien et mal s'est fait au petit bonheur. L'inverse aurait aussi bien pu arriver : qu'être une poule devînt l'honneur et la vertu suprêmes et se garder pucelle un crime contre Dieu et contre l'Église !

Emmanuelle était songeuse. Elle approuvait le jugement de Mario sur la valeur toute contingente des impératifs de la morale traditionnelle, mais alors, justement, pourquoi perdre son temps à reconstruire une nouvelle éthique sur les ruines de l'ancienne ? Ne pouvait-on faire l'amour à sa guise, librement, sans se casser la tête à édicter un nouveau code et l'annoncer à la ronde ? Était-il vraiment indispensable de se donner des lois ? Il n'existait nulle part de morale, fût-elle « érotique », pensait Emmanuelle, qui pût valoir mieux que pas de morale du tout.

— L'on ne triomphe pas des mauvaises lois par l'anarchie, rétorqua Mario, lorsqu'elle lui eut confié ses doutes. Il ne s'agit pas de retourner à la jungle, mais de reconnaître que certains des pouvoirs de l'homme, que la société actuelle refoule et condamne à l'atrophie, sont justes et qu'ils donnent à notre espèce les moyens du bonheur. La loi nouvelle, la bonne loi, proclame simplement qu'il est bel et bon de faire l'amour et de le faire librement ; que la virginité n'est pas une vertu, le couple une limite ni le mariage une prison ; que l'art de jouir est ce qui importe et que ce n'est pas assez encore de ne jamais se refuser, qu'il faut constamment s'offrir, se donner, unir son corps à toujours plus de corps et tenir pour perdues les heures passées hors de leurs bras.

Il ajouta, l'index levé :

— Si, à cette grande loi, vous m'entendez plus tard en ajouter d'autres, souvenez-vous qu'elles ne constituent rien de plus que des dispositions secondaires, destinées à aider à l'observation du principe que je viens de citer, en prévenant la timidité des âmes et la lassitude de la chair.

— Mais, dit Emmanuelle, si les tabous de la morale bourgeoise sont d'origine économique, l'avènement de votre morale érotique exige une véritable révolution. C'est quelque chose dans le genre du communisme ?

— En aucune façon ! C'est bien plus important et bien plus radical. C'est quelque chose comme la mutation pour laquelle le poisson las de la mer qui devait s'appeler un jour Emmanuelle a voulu savoir si le goût nouveau de la terre lui ferait pousser des jambes et s'est mis à respirer en soulevant ses seins à venir.

Elle sourit à l'évocation :

— L'homme érotique sera donc un nouvel animal ?

— Il sera plus que l'homme et il sera cependant encore l'homme. Simplement plus adulte, plus avancé sur l'échelle de l'évolution. C'est — je vous le rappelais tout à l'heure — l'apparition de l'art sur les parois de ses cavernes qui permet de reconnaître le moment où le premier homme s'est distingué du dernier singe. Le jour approche où, aussi sûrement que les valeurs artistiques ont séparé l'homme de la bête, les valeurs d'érotisme sépareront l'homme glorieux de l'homme honteux qui se terre dans les réduits de la société actuelle en cachant sa nudité et en châtiant son sexe.

Pauvres essais humains que nous sommes, ébauches encore tout enrobées de la boue des marécages pléistocènes ! Épris de nos inhibitions, amoureux de nos frustes souffrances, luttant de tout notre aveuglement et de toutes nos forces de brutes évangéliques contre les courants d'expérance qui tentent de nous tirer de l'enfance !

— Mais qu'est-ce qui vous fait croire que ces courants l'emporteront ? que votre morale triomphera finalement de celle que protègent les lois, les coutumes et la religion ? Et si c'était le contraire qui arrivait ?

— Cela ne sera pas ! Je ne peux pas le croire ! Parce que je ne peux croire que l'homme soit venu de si loin, de si bas, pour s'arrêter là, renoncer tout d'un coup à aller de l'avant, à être autre chose. Il continuera ! A tâtons, certes, parcouru de frissons, mais sans retour. Toujours plus singulier entre les autres espèces. Si nous sommes déjà moins stupides que le cœlacanthe, c'est que nous le serons un jour encore beaucoup moins.

Mario conclut, après avoir laissé son invitée un bref instant pour réfléchir :

— Ce dont nous sommes capables, c'est de tenter d'ajouter à l'intelligence et de faire l'impossible pour être heureux.

Emmanuelle entrouvre les lèvres, mais il continue déjà :

— Certes, aucune promesse ne m'a été faite que je trouverai jamais ce rivage non reconnu que je ne sais appeler que bonheur. Et pourtant, Éluard avait raison de le proclamer :

« *Il n'est pas vrai qu'il faille de tout pour faire un monde. Il faut du bonheur, et rien d'autre.* »

Mais, pour atteindre ce but, que de courage ! N'en a-t-il pas fallu, il est vrai, dès l'enfance, à l'animal humain, pour s'arracher à la nursery de ses dieux ? Et, aujourd'hui encore, plutôt que d'attendre dans la contemplation solitaire le royaume où seront récompensés les doux et les humbles de cœur, quel courage il faut pour courir avec les gens des rues le risque sans paradis de la vie et de la mort !

— Et le risque de se tromper, fit observer Emmanuelle. Celui de se faire illusion sur sa nature. Et des idées qu'on croit siennes sur ses pouvoirs et son importance.

Il la dévisagea avec un soupçon soudain :

— Êtes-vous du côté de ceux pour qui l'aventure de l'homme n'a pas de sens ? interrogea-t-il. Tenez-vous que notre espèce est vouée à l'échec, un échec à la mesure de sa naïveté ? Pensez-vous que nous sommes les jouets de notre propre langage et que notre perte est inscrite sur les souveraines tablettes ? Est-ce votre conviction dédaigneuse que nous avons été inventés, comme le dodo, à la seule fin de disparaître et que c'est bien là tout ce à quoi nous sommes bons ? Peut-être même, à votre sentiment, l'extinction de l'homme est-elle ce qui peut arriver de mieux au monde qu'il dérange, et l'attendez-vous, du haut de votre science inhumaine et glacée, avec cette impartialité masochiste qui est à la mode ?

— Non, dit Emmanuelle, je ne pense pas ainsi. Mais reconnaissez que votre propre confiance est, elle aussi, une foi. Une sorte de religion.

— Ce n'est pas vrai, dit Mario. Si je suis sûr de l'homme, c'est parce que je le vois à l'œuvre. Son progrès, qui est le mien, consiste à croire de moins en moins et à voir de mieux en mieux. Les dieux ne naissent que derrière les paupières fermées.

— Peut-être ne regardez-vous que les Einsteins et pas assez les criminels. Sinon, vous aussi auriez quelquefois peur.

— Ce n'est pas un crime de ne pas être Einstein, dit Mario, mais c'est à coup sûr une faute. Et je n'ai pas le droit de me plaindre que les hommes me tuent, si moi-même je n'ai pas su les guérir de la mort. Je peux mourir, mais je saurai que c'est ma faiblesse et non mon bonheur.

— Vous savez bien que personne ne trouvera de remède à la mort.

— Je sais que c'est l'esprit qui meurt, quand nos mythologies, comme des tumeurs de chair, prennent en lui la place des cellules heureuses. Là où était la chance de notre réalité, s'installe le crève-cœur de leur désordre. Nous ne mourons que d'ignorance et de laideur. La mort n'est qu'une stupeur du savoir.

Mario se recueillit, reprit :

— L'expansion infinie de l'intelligence est asymptote à la mort. Infini, donc, est notre avenir. Nous ne sommes plus les patients du Docteur Éternel, notre patience est épuisée ! Nous oublierons nos matins mortels, comme oublient leur mal ceux qui en sont guéris. Nous trouverons notre monde en quelque havre de l'espace-temps : il sera notre amour et notre raison. Et nous y passerons les longues veilles de notre vie sans leurre à écouter le tapage des quasars. Nous serons heureux...

Il se tut...

Emmanuelle laissa passer un moment suffisant, puis, avec une certaine précaution dans la voix, ramena Mario au sujet :

— Et l'érotisme est capable d'aider à la découverte de ce nouveau monde ?

— Plus que cela : il s'y identifie, il est le progrès même.

— N'exagérez-vous pas ?

— Mais comprenez donc ! Je vous l'ai dit : il ne s'agit pas de réformer la société ; ni même d'en concevoir une autre, d'édifier une république de la luxure ! Il s'agit d'un progrès biologique, d'une transformation, d'un déclic qui se produira un matin de l'avenir dans le cerveau de l'homme. Une lueur — et ça y est ! il pense différemment, il est un autre être. Il a franchi un pas. Les ignorances, les terreurs, les servitudes de son ancienne race ne le concernent plus. Il ne comprend même plus ce qu'elles veulent dire. S'il fait l'amour et comment il le fait, peu importe ! Ce qui est neuf, c'est qu'il le fait l'esprit libre. C'est que, pour lui, le bien est ce qui fait jouir, le mal ce qui fait souffrir. C'est aussi simple que cela. Voilà son bien et voilà son mal. Voilà sa morale. Et son bien, c'est ce qui est beau, c'est ce qui le tente, ce qui le met en érection. Son mal, c'est ce qui est laid, ce qui l'ennuie, ce qui le limite et ce qui le frustre. Les délices et les poisons de l'angoisse et des transes mystiques ne le toucheront plus. Il n'aura plus besoin de champignons hallucinogènes, de philosophes ni d'ermitages pour se guérir du désespoir. Le goût de soi-même et de ses semblables lui suffira. Cet homme, ne vous paraît-il pas un animal plus avancé que le porteur de cilice ? N'a-t-il pas accompli un progrès ?

— Si, je suis d'accord. Mais c'est un progrès individuel, cela n'a de conséquence que pour lui. Tout à l'heure, vous parliez de progrès comme s'il concernait le genre humain.

— Il le concerne. Ce n'est pas par masses, par sociétés entières que les espèces évoluent. Muter a toujours été le fait d'un petit nombre, d'une de ces minorités mal aimées, au cou dressé et aux yeux ouverts, à qui les grandes hardes molles refusaient le partage des pâtures. Mais, lorsque c'est de l'arbre humain que ce rameau mutant se détache, le monde entier en est changé. Qu'un homme demain surgisse pour qui les mots d'impudeur, d'inversion, d'adultère, d'inceste soient des signes privés de sens, un homme qui, même s'il l'essayait, ne pourrait les comprendre, et voilà nos vertus reléguées en vitrines, avec les dents de l'archéoptéryx et la crête du stégosaure.

— Mais alors, puisque cet homme-là n'est pas encore apparu, l'âge érotique n'est qu'une vision du futur. Vous et moi n'avons pas de chance : nous sommes nés trop tôt !

— Qui peut savoir ? dit Mario. Les lois de l'évolution nous demeurent en grande partie cachées. Ce n'est peut-être pas inutile d'essayer de nous mettre nous-mêmes au monde. Peut-être ne sommes-nous pas encore nés ?

— Que faire, pour naître ? s'écria Emmanuelle.

— Faire comme si l'on était maître de la vie. Faire comme si l'on vivait ! C'est le moment ou jamais d'emprunter sa recette à Pascal : mais, au lieu d'eau bénite, ce qui peut nous donner la lumière, c'est la pratique de l'érotisme comme règle de vie. Et ce n'est pas nous seuls qui en serons éclairés : qu'un nombre assez grand d'entre nous adopte sans réserve, en toute clarté, avec éclat, pour seule échelle de valeurs morales l'échelle des valeurs érotiques — tel ce quadrupède qui décida une fois pour toutes qu'il marcherait debout sur ses pattes de derrière, sans s'inquiéter de savoir si le reste de l'animalité préférait continuer de renifler la crotte — cela peut être, pour peu que la chance sourie une fois de plus à notre espèce, le pas décisif, la démarche nécessaire et suffisante pour passer de l'âge de la peur à l'âge de raison.

Il soupira :

— Ah ! certes, nous préférerions être nés dans un million d'années ! Faisons du moins de notre mieux pour rapprocher de nous cet âge de raison. Rien ne mérite d'être fait, d'être dit, écrit, aujourd'hui, si cela ne sert au « passage ». Il faut veiller à ses paroles, à ses moindres gestes : ne rien proférer qui puisse confirmer les hommes dans l'imbécile conviction qu'ils ont déjà trouvé ce qu'ils étaient venus chercher. Rien qui puisse retarder davantage leur puberté. Pour moi, je sais quel est mon devoir : leur répéter sans trêve que leur corps est juste, que ses pouvoirs sont infinis, que la douceur de vivre est aussi la raison d'être de la vie.

Le son de la voix de Quentin fit sursauter Emmanuelle : elle avait oublié sa présence. Elle l'écouta qui parlait à Mario, avec une chaleur et une loquacité imprévues. Leur hôte semblait fort intéressé par ce qu'il entendait. Il poussait de temps en temps des exclamations de plaisir. Finalement, il traduisit à Emmanuelle (laquelle se rendit compte que l'Anglais avait dû suivre l'essentiel de leur conversation plus aisément qu'elle ne l'aurait cru) :

— Ce que m'apprend Quentin permet tous les espoirs. Il semble que le « rameau mutant » — ou, à tout le moins, un bourgeon de ce rameau — existe déjà et, qui mieux est, existe depuis mille ans ! Notre ami a, pendant plusieurs mois, en compagnie d'un sociologue connu — un nommé Verrier Elwin —, été l'hôte d'une tribu de l'Inde, que les Hindous « civilisés » qualifient de primitive, mais dont il y a tout lieu de penser, au contraire, qu'elle représente une avant-garde de l'intelligence. Ces gens s'appellent les Muria. Leur société est entièrement construite autour d'une morale sexuelle qui se situe exactement aux antipodes de la nôtre. Une morale qui n'est pas interdictive, mais formatrice. La pierre angulaire de leur système d'éducation est un dortoir communautaire où les enfants des deux sexes sont admis dès l'âge le plus tendre, pour y faire l'apprentissage de l'art d'aimer. Cette institution s'appelle... *How do you call it ?*

— *Gothul.*

— C'est ça : le Gothul. Là, bien avant la puberté, les petites filles sont initiées à l'amour physique par les grands garçons et les petits garçons par les grandes filles. Et nullement de manière instinctive ou bestiale : les techniques érotiques qui leur sont inculquées ont, paraît-il, après dix siècles de pratique, atteint un niveau d'incomparable raffinement. Ce stage, que tout enfant doit obligatoirement suivre plusieurs années, sert en même temps à sa formation artistique, les pensionnaires du Gothul occupant leurs loisirs — entre deux étreintes — à orner les parois de leur dortoir. Dessins, peintures et sculptures sont invariablement d'inspiration érotique. Quentin me dit qu'ils sont si réussis qu'on ne peut visiter pareille galerie sans être aussitôt transporté par les plus vives sensations. Et, lorsqu'on voit des fillettes et des garçons de onze ans — imitant les figures les plus hardies de ce musée d'amour — exécuter sans se cacher, sans gêne, portes grandes ouvertes, sous le regard de fierté de leurs parents, des tableaux vivants qui, en Europe, les conduiraient droit à la maison de redressement, après avoir fait, sous forme de scandale à la une, la fortune des journaux bien-pensants, l'idée vient vite que ces Muria ne vivent probablement pas avec mille ans de retard, mais avec mille ans d'avance.

Mario s'étant tu, Quentin apporta des précisions qui furent, à leur tour, traduites à Emmanuelle :

— Le plus remarquable, c'est que ces « travaux pratiques » sexuels assignés à tous les enfants de la tribu sont bien l'effet d'un système, d'une règle élaborée et rigoureuse, et non pas d'un relâchement des mœurs ou d'une cécité morale dont cette race souffrirait de façon congénitale. Il n'y a pas licence, mais éthique. La discipline communautaire du Gothul est très stricte, les anciens sont responsables des plus jeunes. La « loi » y interdit rigoureusement tout attachement durable entre garçon et fille. Personne n'a le droit de dire de telle ou telle fille qu'elle est *la sienne,* et l'on punit celui auquel il arrive de passer avec l'une d'elles plus de trois nuits de suite. Tout est organisé pour empêcher les attachements intenses qui traînent en longueur et pour éliminer la jalousie. « Tous appartiennent à tous. » Si un garçon fait montre d'un instinct de propriété et d'exclusive à l'égard d'une fille, si son visage se défait lorsqu'il la voit accomplir l'acte sexuel avec un autre, la communauté se charge de le ramener dans le droit chemin en l'aidant à mater sa nature. Il doit lui-même s'employer activement à faire aimer par tous les autres garçons celle qu'il aime, il doit guider en elle de sa propre main la virilité de ses compagnons, jusqu'à ce qu'il ait appris, non seulement à ne plus en souffrir, mais à le souhaiter et à s'en réjouir. Chez les Muria, le plus grand crime n'est pas le vol, ni le

193

meurtre, *qui n'existent pas,* mais la jalousie. Ainsi, les filles et garçons s'enrichissent-ils d'une science sexuelle unique au monde. Ils appartiennent à un autre âge de la terre : les ombrages, les griefs et les désespoirs de notre civilisation leur sont étrangers. Ils sont du côté du bonheur (1).

Emmanuelle paraissait impressionnée. Elle protesta, pourtant :

— Mario, une morale de ce genre ne peut pas se développer dans un peuple à la suite d'un effort de conscience et de réflexion. Elle a certainement régné de tout temps chez ceux-là. Ce doit être une grâce innée. Rappelez-vous, vous assimiliez tout à l'heure le don d'érotisme au don de poésie. Cela veut bien dire qu'on ne peut pas l'acquérir par la volonté ni l'application. Si on ne l'a reçu de la nature en venant au monde, l'on n'arrivera à rien, quelque morale qu'on se donne.

— Que voilà une illusion commune ! Dois-je vous redire qu'il n'existe pas d'autre poésie dans la nature que celle que l'homme y met ? Pas d'autre harmonie, pas d'autre beauté. Et, à cet homme qui fait tout, rien ne vient, y compris la poésie, y compris le génie, qu'à l'âge de raison. L'exemple des Muria nous démontre, simplement, qu'on peut parvenir à cet âge plus ou moins jeune. L'on ne naît pas poète. L'on ne naît pas peuple élu. L'on ne naît rien. Il faut apprendre. Notre manière, à nous, les vivants, de devenir des hommes, de nous muer en hommes, c'est de rejeter nos ignorances et nos mythes comme le bernard-l'ermite sa vieille coquille et entrer dans la vérité comme dans un costume neuf. Ainsi pouvons-nous indéfiniment naître et renaître : à chaque « mutation brusque », davantage *hommes,* fabriquant notre monde mieux à notre plaisir.

(1) La description des mœurs des Muria n'est pas imaginaire. L'on peut consulter, pour s'en assurer, l'ouvrage d'Elwin : *Maison de jeunes chez les Muria,* dont la version française est parue chez Gallimard en 1958.

Apprendre, c'est apprendre à jouir. Ovide déjà le disait, souvenez-vous : « *Ignoti nulla cupido !* »

Emmanuelle ne se souvenait pas et traduisit mentalement de travers. Mario, sans se soucier de l'éclairer, poursuivit :

— Et que n'avons-nous pas à apprendre ! L'art, la morale, la science : le beau, le bien, le vrai — c'est-à-dire tout (car il n'existe rien d'autre : le temps du sacré est fini). Heureusement, pour nous faciliter la tâche, ce tout s'est fait à soi-même un enfant : Éros. En sorte qu'il suffit de la réflexion, de l'expérience et de la clairvoyance érotiques pour accéder à la poésie, à la morale et à la connaissance — celles-ci n'étant, en définitive, que les reflets divers d'une unique leçon : la *leçon d'homme,* dans le sens où l'on vous parlait à l'école de leçon de choses.

— Votre démonstration devient de plus en plus abstraite, Mario ! Donnez-moi plutôt des exemples de ce qu'on peut faire.

— Imaginer, voir et, au besoin, provoquer ces attitudes, ces rencontres et ces associations inattendues sans lesquelles il n'est pas de situation poétique, voilà, par exemple, une des sources de l'érotisme.

— Vous dites « inattendues » : est-ce que cela signifie que l'on ne peut pas trouver plaisir à quelque chose à quoi l'on s'attend ? N'y a-t-il d'érotique que ce qui déconcerte ?

— A tout le moins, ce qui rompt avec l'habitude. Un plaisir cesse d'avoir qualité artistique si c'est un plaisir usuel. Seul a de prix le non-banal, l'exceptionnel, l'inusité : « ce que jamais l'on ne verra deux fois ». Il n'est de véritablement érotique que l'*insolite*.

— Mais alors, lorsque la morale érotique se sera imposée, l'érotisme n'aura plus d'attrait ? Peut-être, pour les Muria, faire l'amour n'est-il pas plus amusant que de faire la cuisine ?

— Ce n'est pas l'impression que je retire de ce que me rapporte Quentin. Il semble bien, au contraire, qu'experts en art amoureux depuis l'enfance, ils ne mettent, tout au long de leur vie, rien au-dessus des jeux sexuels. Ils sont connus dans l'Inde comme de fervents propagandistes de l'amour physique, des inspirés de Ganesha. Mais je vous concède que leur expérience n'est pas forcément valable pour nous, dont l'esprit reste marqué, estropié pour toujours peut-être, par des traditions d'hypocrisie sexuelle plus fortes que les évidences de la raison. Espérons, certes, que la nature, pour nous, fera un saut. Mais, en tout cas, ne nous flattons pas d'être capables de deviner et de décrire utilement par avance ce que sera la psychologie de notre descendant, le mutant. Ne nous soucions donc que de notre propre anecdote, nous qui n'avons pas encore « franchi le pas ». Et reconnaissons que, pour les prisonniers que nous sommes, le miracle libérateur de l'émotion érotique ne se produit le plus souvent que s'il y a défi aux usages. Il est donc bien vrai, et c'est notre revanche, que, loin de nous nuire, la survivance actuelle de fausses règles morales — ou simplement de conventions sociales (que l'on songe à l'absurde code de décence de la longueur des robes : tourment pour les unes, délectation ô combien adorablement perverse pour les autres) — ajoute à nos plaisirs, en nous donnant, à nous qui les refusons, le pouvoir de choquer — et le stimulant d'être choqués ! N'est pas érotique la femme que son époux féconde dans son lit, avant le sommeil. L'est celle qui, à l'heure du goûter, appelle son fils pour qu'il prépare à sa petite sœur une tartine de sperme. Cela est érotique parce que ce menu n'est' pas encore entré dans les mœurs. Lorsque la bourgeoisie l'aura adopté, il faudra trouver autre chose.

— Donc, Mario, j'avais raison de dire que si l'érotisme a besoin d'extraordinaire, d'inédit, ses progrès mêmes le mettent en danger. Un beau jour, toutes les formules auront servi.

— Vous pouvez même, chère amie, affirmer sans risque que, depuis longtemps, l'on n'invente plus rien.

Néanmoins, vos craintes sont vaines, parce que l'érotisme n'est pas un héritage, il est aventure personnelle. Certes, réjouissons-nous et profitons sans scrupule de ce qu'aujourd'hui la société nous fasse la partie belle en tenant cachées les recettes : que le plaisir de les lui dérober s'ajoute donc à celui de les mettre en pratique. Mais nous pouvons être tranquilles : l'érotisme gardera sa valeur de conquête individuelle même dans une humanité libérée des tabous sexuels. La publicité des lois de la versification a-t-elle jamais dispensé le poète de redécouvrir par lui-même le secret de la poésie ?

Emmanuelle en convint d'un hochement de tête. Mario poursuivit :

— Ce que la société *interdit* s'exprime par des *lois* : lois civiques, lois religieuses, lois morales (qu'il ne faut pas confondre, prenez-y garde, avec les lois logiques qui décrivent, entre autres objets de la science, l'érotisme). Ce que la société *permet* s'exprime par des *modes*. Mais non ! le mot « permet » est impropre : dans la discipline de la cité, aussi bien que dans la physique quantique, tout ce qui n'est pas interdit est obligatoire. Les modes ne vous permettent pas de vous comporter de telle ou telle façon, elles vous y *obligent*. Et elles ne règnent pas que dans la couture : elles sont maîtresses absolues de toutes vos insatisfactions, de tous vos désirs, de toutes vos craintes, de toutes vos vilennies et de toutes vos amours. Vous comprenez, dès lors, pourquoi il ne suffira jamais de raccourcir vos jupes pour déjouer les radars bien-pensants et sauter le mur de la liberté. Certes, lorsque vous marcherez demi-nue dans les rues et que vous vous montrerez tout à fait nue sur les plages, la qualité esthétique de la vie aura fait des progrès. Mais, aussi longtemps que le qu'en-dira-t-on aura le dernier mot, aussi longtemps que des normes collectives intolérantes continueront de vous droguer de leur idéologie de la faute et de leur préparation à la mort, aussi longtemps que, par résignation ou par désespoir plus que par authentique volonté de plaire, vous obéirez à leur hiérarchie d'illusion, votre cerveau restera un cerveau d'esclave. Car c'est la pensée qui ligote, non le corps. C'est dans votre tête, dans vos idées, vos sentiments, vos jugements, c'est dans votre attitude vis-à-vis de ceux que vous aimez que vous devez devenir différente de ce que la mode du moment vous commande d'être. Ne demandez donc pas par quelle grâce divine vous pourrez vous éveiller, un jour, dans un paradis de liberté : commencez plutôt par affranchir l'homme (ou la femme) que vous tenez prisonnier. Si vous ne le faites pas par générosité ou justice, faites-le par égoïsme : pour vous épargner des malheurs évitables. Il n'y a pas de gardien heureux. Vous serez libre la nuit où la liberté de l'autre vous excitera davantage que sa sujétion. Vous saurez que vous aimez un homme quand vous serez contente que d'autres le contentent. Vous serez sûre que cet homme vous aime quand il ne vous fera pas tort d'autres amoureux, mais aimera ceux qui vous aiment, s'instruira par leur intelligence, fera parade de leur passion, jouira quand ils vous font jouir. S'il n'est pas capable de cette prodigalité, s'il ne croit pouvoir vous posséder qu'en dépossédant les autres, c'est vous aussi qui êtes perdante, car vous êtes une autre. Personne n'est pour personne une part réservée, ni une part exclue. L'unicité n'est pas plus sûre que l'éternité.

Emmanuelle se sentait étourdie. Elle plaida pour un répit.

— Ne pensez-vous pas qu'il vaudrait mieux avancer par paliers ? Respirer un peu entre chaque marche ?

Mario ne se laissa pas fléchir.

— Craignez que le temps où vous pourrez vous retourner et admirer le chemin parcouru ne vienne jamais. Le combat contre la possessivité ne sera gagné ni en ce siècle ni en aucun autre. Ce à quoi je vous invite, c'est à vous battre, non pour vaincre seule contre tous les hommes et toutes les femmes, mais pour que vous-même et ceux que vous aimez soyez moins misérables, l'espace d'une vie. Et pour que ceux qui admirent votre beauté aient envie de la partager inventivement avec d'autres : pour votre plaisir, pour le leur. Je puis vous assurer que cela ne sera jamais à la mode.

Emmanuelle, entêtée, revint au sujet de départ.

— Finalement, montrer mes jambes n'a aucune importance ?

— Aucune, si leur nudité est un état physique. Mais toute l'importance du monde, si c'est un état d'esprit. Un état qui échauffe l'esprit. L'esprit a besoin qu'on le tienne au feu comme un fer.

— Ainsi, la ronde de mon corps ne suffit pas à me justifier ?

— Votre rôle n'est pas de faire tourner la planète en rond, mais de l'agiter.

Emmanuelle retrouva toute sa langue :

— Si les milliards de jambes qui ont remué sur cette terre avant que ne poussent les miennes n'ont pas réussi à dégourdir l'air d'une planète que fait courir le sexe, n'est-il pas naïf de compter aujourd'hui sur l'effet subversif que peuvent avoir mes genoux sur un nombre infime de voyeurs ?

Mario prit le ton d'un éducateur de bonne volonté, disposé, puisqu'il le fallait, à se répéter.

— Ce qui justifie l'entreprise de l'artiste, ce n'est pas le fait d'innover pour l'histoire, mais pour soi. A la différence des inventions de la science, les inventions de l'art ne perdent rien à avoir été déjà faites. Que m'importe si ce cheval, l'homme de Lascaux, les Chinois l'ont déjà dessiné ? Pour moi, la première fois que mes doigts le tirent de la tendresse de ma vision, il m'emporte de ses quatre pattes aussi loin que l'univers m'intéresse. C'est-à-dire, notons-le en passant, aussi loin que nous pouvons, lui et moi, être vus ensemble, aussi loin que je puis le montrer. Il y a un instant, nous nous amusions d'avoir la société pour nous cacher, maintenant nous avons besoin d'elle pour nous regarder. Il n'y a pas d'art heureux là où manque le spectateur.

Mario scruta Emmanuelle dans l'attente d'une réaction. Elle ne broncha pas.

— Les enfants Muria, reprit-il, font l'amour devant leurs camarades, devant l'hôte de passage. Seuls à deux dans une chambre, il y a fort à parier qu'ils finiraient par s'ennuyer. Vous craignez que l'accoutumance n'émousse le plaisir. Vous avez raison. Mais le regard d'autrui n'est-il pas là pour vous découvrir des horizons nouveaux ?

La voix de Mario se para de préciosité :

— Vous rencontrez à ce point une seconde loi de l'érotisme : qu'il a besoin d'*asymétrie*.

— Que voulez-vous dire ? D'ailleurs, quelle était la première loi ?

— Celle de l'*insolite*. Mais ce ne sont, l'une et l'autre, comme je vous en ai avertie, que de « petites lois ». La grande loi, la seule nécessaire et suffisante, vous vous en souvenez, est d'une simplicité souveraine...

— Que tout instant passé à autre chose qu'à jouir « avec art », entre des bras toujours renouvelés, est un temps gaspillé. Est-ce cela ?

— A peu près. Quoique l'expression « toujours renouvelés » ne me paraisse pas heureuse. Elle semble impliquer que vous devez rejeter vos anciens partenaires à mesure que vous en acquérez de nouveaux. Ce serait la pire faute ! C'est de leur multiplication et non de leur succession que naîtra la qualité de votre plaisir. Aux cœurs volages, Éros cèle ses secrets ! A quoi sert de vous donner, si c'est pour vous reprendre ? Le monde pour vous n'en serait pas agrandi.

Emmanuelle fronçait les sourcils, elle mordit son pouce, image même de la concentration, cherchant comment améliorer son texte. Cet exercice de style la ravissait et Mario s'en apercevait bien. Il continua :

— En outre, bien que je sache combien l'idée vous

est chère, je ne mettrai pas, quant à moi, l'accent principal sur la *jouissance,* mais, ainsi que je m'en suis déjà expliqué, sur l'*art* : vous me le pardonnerez ?

— Bon ! fit Emmanuelle, conciliante. Disons donc « l'art de jouir », au lieu de « jouir avec art ». Serez-vous satisfait par ceci :

« Tout temps passé à autre chose qu'à l'art de jouir, entre des bras toujours plus nombreux, est un temps perdu. »

— Très bien ! approuva Mario. Vous avez le sens des formules, un don de synthèse. Il faudra que vous l'exerciez. Un de ces jours, je vous commanderai un ouvrage de maximes.

Mario n'avait pas l'air de plaisanter, mais Emmanuelle rit de bon cœur. Elle ne se souciait guère de la portée de son oracle. Mario se chargea de la lui préciser :

— Bien entendu, dans cette sentence, il ne convient pas de donner à l'expression « entre des bras » un sens étroit. Il va de soi qu'elle s'étend à une très large gamme de relations érotiques, allant de vos propres bras à toute autre chose que les bras d'autrui : son regard, son oreille (fût-elle invisible : derrière une porte, ou au bout du fil téléphonique), sa correspondance, voire simplement son image secrète au fond de votre cœur. Et naturellement, les bras n'ont pas davantage de genre que de nombre... Mais ne nous égarons pas plus avant dans la grammaire.

— Et peut-être aussi qu' « art d'aimer » serait plus gracieux qu' « art de jouir » ?

— Plus gracieux, sans doute, mais moins précis. En outre, vous m'avez accordé l'art, je vous ai concédé la jouissance : ne revenons pas sur ce marché. Et ne brûlez pas vos dieux... D'ailleurs, « aimer » est équivoque. Trop limité, aussi : pour aimer, il faut être au moins deux. Tandis qu'on peut jouir seul.

— Naturellement, dit Emmanuelle.

— Et même, il *faut* jouir seul, renchérit Mario. Le

royaume de l'érotisme sera toujours fermé à celui qui ne sait pas en ouvrir les portes à sa solitude.

Il dévisagea son invitée avec sévérité :

— Vous savez vous faire l'amour à vous-même, je suppose ?

Elle inclina affirmativement la tête. Il insista :

— Et cela vous plaît ?

— Oui, beaucoup.

— Vous y recourez souvent ?

— Très souvent.

Elle n'éprouvait aucune honte à le proclamer, au contraire. A cela aussi, son mari l'avait encouragée. Il ne lui serait pas davantage venu à l'idée de se cacher de lui pour se masturber que pour prendre son bain ; et même, trouvant très compréhensible qu'il aimât la regarder, elle faisait de son mieux pour faire l'une et l'autre chose à un moment où il pût la voir. Cela lui paraissait constituer un devoir conjugal au moins aussi important que les autres, et elle savait que Jean pensait de même et l'appréciait.

— Vous n'aurez donc pas de peine à comprendre ce que signifie la loi d'asymétrie, enchaîna Mario.

— Ah ! c'est vrai, je l'avais oubliée ! Je vous avoue que je ne vois pas très bien en quoi elle consiste. L'insolite, oui. Mais pourquoi l'asymétrie ?

— Recourant une fois de plus à l'imagerie de la science, je vous dirai : l'érotisme requiert pour voir le jour, et c'est normal, que soient réunies les mêmes conditions qu'exige l'apparition de toute vie. L'on a dû vous apprendre que la création de la cellule vivante supposait l'existence de grosses molécules protéiques. Or, ces molécules ont ceci de particulier que leur structure, l'arrangement de leurs composants, présente un très haut degré d'asymétrie. Pas d'organisation supérieure de la matière, pas de vie possible, pas de progrès donc, sans un certain déséquilibre au départ. Plus tard, l'*inadaptation* se révélera de même un facteur décisif de l'évolution biologique. L'érotisme, phase avancée de cette évolution, est naturellement régi par les mêmes lois. La vie, donc l'érotisme, ont horreur de l'équilibre.

La longue main de Mario décrivit un orbe devant ses yeux :

— Si, toutefois, nous préférons regarder à nouveau l'érotisme comme un art, nous constatons que, pour que cet art ait son public, il faut encore qu'il y ait asymétrie. Par exemple, que le nombre de ceux qui font l'amour soit impair.

— Oh ! fit Emmanuelle, plus amusée que choquée.

— A coup sûr. Par exemple, *un* est impair : celui qui se masturbe est acteur et spectateur à la fois. C'est pourquoi la masturbation est éminemment érotique : une œuvre d'art. Le seul amour auquel on puisse permettre d'être exclusif :

— « ... *Une vierge à soi-même enlacée,*
Jalouse... Mais de qui, jalouse et menacée ? »

Mario sembla rêver un instant, puis reprit :

— Érotique, encore, l'adultère. Le triangle, rachetant la banalité de la paire. Il n'y a pas d'érotisme possible pour le couple, hormis par l'addition d'un tiers. Il est vrai que celui-ci est rarement absent ! Si ce n'est en personne, du moins dans la pensée d'un des partenaires. Tandis que vous faisiez l'amour, l'image d'un autre que celui dont vous savouriez les caresses ne vous a-t-elle jamais visitée ? Combien plus douce, n'est-ce pas, est la dure chair de l'époux, lorsque, au même moment, vos paupières closes vous donnent en rêve à l'ami du foyer, au mari de l'amie, au passant croisé dans la rue, au héros de l'écran, à l'amant de votre enfance ! Répondez. Aimez-vous cela ? Le faites-vous ?

Emmanuelle, sans plus hésiter que tout à l'heure, fit oui de la tête. Le simple souvenir de tant de fois qu'elle avait connu de cette façon l'étreinte d'autres hommes dans les bras de Jean lui causait un trouble physique si vif qu'elle pensait que Mario devait le voir : la nuit précédente, c'était à lui-même qu'elle s'était ainsi donnée... Comme, le soir de son arrivée, à Christopher. Aux amis d'Ariane, sans même les connaître. Au frère de Jean, depuis qu'elle le connaissait. Et si souvent, ces dernières semaines, aux inconnus de l'avion — au héros grec, surtout. Tous ces visages lui revenaient avec une telle chaleur qu'elle se sentait défaillir, n'osait, de peur de ne pouvoir retenir sa main, faire le moindre geste. Mario continuait, avec un sourire moqueur :

— Vous ne manquerez pas de remarquer que le cachet érotique ferait défaut si les deux partenaires, chacun de leur côté, se conduisaient de même : il faut que, lorsque l'un des deux s'évade, l'autre, au contraire, soit présent de toute la force de son désir, de sa ferveur, de sa jouissance immédiate et physique, toute imagination bouchée par la violence de son exclusive passion, de sa fidélité absurde ! Sinon, il n'y a plus dissymétrie, mais absence simultanée, équilibre, équité : voilà ce qu'il faut éviter.

Mario fit un geste des deux bras, démontrant l'évidence :

— Bien sûr, la réalité, en pareille matière, vaut encore mieux que la fiction : un spectateur de chair est préférable à tout spectateur imaginé. La place naturelle de l'amant est au milieu du couple.

Cette fois, Emmanuelle trouva que les aphorismes de Mario offensaient quelque peu le bon sens. Ne rien répondre était la façon la plus élégante de le lui faire comprendre. Mais il ne se laissa nullement impressionner. Il renchérit, au contraire, sur sa première proposition :

— Encore qu'à vrai dire, un véritable artiste aimera toujours mieux *plusieurs* spectateurs qu'un seul.

Emmanuelle se sentit plus à l'aise sur un terrain où le libertinage pouvait garder le ton de la farce.

— Comme nous l'avons déjà établi et comme, au

besoin, nous le démontrerons encore, affecta-t-elle de pontifier, il n'y a pas d'érotisme sans exhibitionnisme ?

— Heu ! fit Mario, je ne sais pas très bien ce que cette étiquette-là veut dire. Mais je sais, par exemple, que faire l'amour, debout, la nuit, dans la rue où flânent de rares promeneurs dans leurs fourrures et leurs capes de soie, est fait pour stimuler l'esprit.

— Pourquoi pas en plein jour, sur une place remplie de monde ? ironisa-t-elle.

— Parce que l'érotisme — l'érotisme de qualité —, comme tout art, est éloigné des foules. Il fuit la bousculade, le bruit, les lampions de foire, la vulgarité. Il a besoin de subtilité, de nonchalance, de luxe, de décor. Il a ses conventions, à l'instar du théâtre.

Emmanuelle réfléchit. Elle s'enthousiasma de se trouver capable de dire subitement, avec sincérité — alors qu'elle ne l'aurait pas été, inexplicablement, quelques secondes plus tôt :

— Je crois que je pourrais le faire.

— L'amour dans la rue, devant quelques passants attentifs ?

— Oui.

— Pour le plaisir de faire l'amour ou pour celui d'être vue le faisant ?

— Les deux, je suppose.

— Et si l'on vous demandait de simuler ? Si un homme faisait semblant de vous prendre, le seul plaisir de scandaliser vous suffirait-il ?

— Non, dit-elle résolument. Dans ce cas-là, à quoi bon ?

Elle ajouta, se rendant compte qu'elle parlait également pour le moment présent, car elle avait envie de faire l'amour tout de suite, elle avait envie de Mario, ou de se masturber, elle ne savait pas lequel des deux, au juste : le choix de l'un plutôt que l'autre recours ne lui importait pas essentiellement, pourvu que son sexe fût caressé :

— Je veux aussi un plaisir physique.

— « Beaucoup jouir » ? C'est cela, n'est-ce pas ?

— Mais oui, pourquoi pas ? admit Emmanuelle, agressive. Y a-t-il du mal à cela ?

L'imperceptible dérision qu'elle avait perçue dans la réminiscence de Mario lui paraissait insupportable.

Lui hocha la tête gravement :

— Il peut y en avoir.

Il laissa passer un temps, puis énonça :

— L'écueil, en matière d'érotisme, c'est la sensualité.

— Oh, Mario ! Vous êtes fatigant.

— Je vous lasse ?

— Non. Mais vous aimez trop les paradoxes.

— Cela n'en est pas un. Vous savez, naturellement, ce qu'est l'entropie ?

— Oui, dit-elle, essayant, sans succès, de s'en remémorer la formule.

— Eh bien ! l'entropie, c'est-à-dire, en gros, l'usure, la décadence de l'énergie, guette l'érotisme comme l'univers tout entier. Et la forme d'entropie qui est propre à l'érotisme, c'est moins l'accoutumance de la société que l'assouvissement des sens. Une sexualité assouvie est une sexualité qui va vers la mort. Souvenez-vous du mot profond de Don Juan : « *Tout ce qui ne me transporte pas me tue !* » C'est ce que je vous disais déjà, il y a un moment, lorsque je vous parlais d'équilibre. A chaque instant, dans chaque individu, la satiété menace le désir. Elle le menace d'un bonheur étale, d'une paix qui est celle du sommeil éternel. Sur les seins de la mariée, le mot « Fin », large de toutes les dimensions d'illusions de l'écran. Sinistre perspective derrière « the happy end ». La seule défense consiste à refuser la tentation de l'assouvissement, à ne jamais accepter de jouir si l'on n'est pas assuré de pouvoir jouir encore, ou plutôt si l'on n'est pas certain que, l'orgasme achevé, l'on pourra s'exciter encore.

— Mario…

Il leva un doigt doctoral :

— Ce qui est érotique, ce n'est pas l'éjaculation, c'est l'érection.

Emmanuelle ne voulut pas être en reste d'audace.

— Cette remarque, dit-elle, concerne moins, il me semble, les femmes que les hommes. Elles ont là-dessus l'avantage sur la plupart de leurs partenaires masculins.

Il condescendit à sourire :

— « *Psyché est toujours à prendre* », cita-t-il.

Emmanuelle, cependant, n'était pas d'accord avec Mario :

— En somme, selon vous, sous prétexte d'érotisme, il faudrait se priver de faire l'amour, de peur que cela ne vous fasse jouir ! Je vous l'avais prédit, vos théories finissent par rejoindre celles du catéchisme : cultivez votre esprit et mortifiez vos sens ! Je crois bien que je vais m'en tenir à mon premier point de vue : que je me fiche de la morale. Et, tout autant, de l'érotisme, s'il exige tant de vertu ! J'aime mieux jouir autant que je veux. Et tant que je peux. Donner à mon corps tout le plaisir qu'il aime. Je n'ai pas envie de me « doser », même si mon esprit devait y trouver je ne sais quelle excitation perverse.

— Fort bien ! Fort bien ! Si vous pouviez savoir à quel point je vous approuve ! Quelle joie de trouver une femme prête à se consacrer uniquement à la volupté ! Tout ce que je viens de vous recommander n'a jamais eu d'autre objet que de vous aider à y mieux réussir. Je ne vous dis pas : mesurez votre plaisir. Je vous demande : si vous voulez jouir le plus possible et le mieux possible, non seulement dans votre chair, mais dans votre cerveau, que croyez-vous qu'il faille faire ? Et je ne vous engage à rien d'autre qu'à respecter ces lois élémentaires : gardez-vous de l'étreinte isolée, qui ne conduit qu'au sommeil ; à peine avez-vous joui, ne vous tenez pas pour contente : cherchez à jouir encore ; ne laissez pas la facilité de l'assouvissement l'emporter sur l'exigence de l'érotisme ; n'imitez pas la béatitude sans pensée qui conclut le triste accouplement des bêtes ; et ne confondez pas l'idée de coït avec celle de couple : qu'y aurait-il, dans la notion de couple, dont l'homme eût des raisons de s'enorgueillir ? Une si piètre invention ne lui a mérité que d'être embarqué sur l'arche de Noé, en compagnie de l'okapi, du raton et des poux. Rien de bien excitant.

Il partit tout d'un coup d'un grand rire franc :

— Venir me dire, à moi, que je vous exhorte à vous rationner ! Alors que je vous ouvre les portes du sans-limite ! Mais sachez bien que votre horizon sera toujours affreusement borné, si vous n'attendez l'amour que d'un homme. Ce n'est pas l'amour d'un seul, ni de quelques-uns, que je vous enseigne, mais l'amour du plus grand nombre.

Emmanuelle avança les lèvres, en une mimique de persistance dans le doute et le refus qui transporta Mario.

— Que vous êtes belle ! s'écria-t-il.

Il resta un instant silencieux et elle-même n'osait plus bouger. Il murmura :

« *Si tu veux, nous nous aimerons*

« *Avec tes lèvres, sans le dire !* »

Elle secoua ses longs cheveux, comme pour chasser le charme, et sourit à Mario. Celui-ci lui rendit son sourire, avec une expression d'estime qu'elle ne lui avait pas encore connue. Elle se força à parler, pour déjouer l'émotion :

— Que faut-il donc faire ?

Il répondit par une nouvelle citation :

— « *Reste couché, ô mon corps, selon ta mission voluptueuse ! Savoure la jouissance quotidienne et les passions sans lendemain. Ne laisse pas une joie inconnue aux regrets de ta mort.* »

— Eh bien ! c'est ce que je disais ! triompha Emmanuelle.

— Moi aussi.

Elle rit, incapable d'argumenter. Il fallait qu'il eût toujours raison !

— Mais je le disais avec plus de détails, reprit-il.

— Avec trop ! se plaignit-elle. Toutes vos lois.. Je me souviens des deux premières...

— Je viens d'en énoncer une troisième : celle du *nombre*. La multiplicité est, à elle seule, un élément d'érotisme. Et, inversement, il n'y a pas d'érotisme là où il y a limitation. Par exemple, limitation à deux. Je ne clamerai jamais assez haut tout le mal que je pense du couple.

— Mettons-le donc hors la loi, consentit Emmanuelle. Mais où cela nous mène-t-il ? Faut-il refuser de faire l'amour avec un seul homme ? Ne le faire que par trio, quintette, septuor ?

— Si l'on veut, concéda Mario. Mais pas nécessairement. Le nombre ne règne pas que dans l'espace, il existe aussi dans le temps. Et l'on peut faire autre chose que l'additionner ou le multiplier. Par exemple, le diviser ou le soustraire. Au début de cette soirée, je vous ai fâchée, amie, en vous indiquant une façon, entre maintes autres, de vous diviser.

Ce souvenir lui devint presque agréable : une lueur malicieuse éclaira son visage ; elle faillit dire quelque chose, mais se ravisa. Mario continua :

— Quant à vous soustraire : jouez parfois à vous disputer à vos propres sens. Faites reculer devant eux, avant de leur céder (bien sûr !), le château de la fée au bout de la route enchantée. Faites durer le plaisir et durer le désir. Et ne rendez pas ivre de vos charmes inaccessibles que vous-même :

« *Vierge, je fus dans l'ombre une adorable offrande !* »

« Donnez, donnez à pleines mains aux uns ce que vous mesurez aux autres, sans qu'aucun l'ait davantage mérité. A celui qui croit devoir languir des mois et lutter pour vous conquérir ainsi qu'un chevalier du Graal, livrez votre corps d'un seul coup, et tout entier, le premier jour. Tandis qu'à tel autre, à qui vous aurez souvent et longuement permis les caresses les plus intimes, vous refuserez par pur caprice « les derniers dons ». Vous exigerez d'un inconnu qu'il vous prenne sans précautions, mais, à l'ami qui rêve depuis l'enfance de pénétrer doucement en vous, vous ne permettrez de jouir que dans la coupe de vos mains. »

— Vous êtes horrible ! Croyez-vous que je me livre-rai jamais à toutes ces débauches ? Heureusement que vous dites cela pour rire...

— Oui. L'on ne doit jamais dire quoi que ce soit autrement que pour rire. Seule la pudeur est triste. Mais qu'est-ce donc qui, dans ce que je viens de vous suggérer, vous fait horreur ? Est-ce de vous servir de vos mains ?

— Ne soyez pas stupide ! Ce n'est pas cela...

— Vous savez, j'espère, faire bon usage de ces merveilleux instruments de luxure ?

— Mais oui !

— Soyez louée ! Tant de femmes semblent croire que seuls leur ventre, leurs seins ou leur bouche sont doués de pouvoirs. Les mains sont pourtant ce qui nous fait humains ! Pour nous, mâles, qu'existe-t-il qui puisse nous faire hommes plus que des mains de femmes ? Nous pourrions forniquer une biche ou une lionne, caresser ses mamelles et frissonner sur sa langue. Mais seule une femme saura nous faire éjaculer entre ses doigts. Au nom de l'humanisme, cette manière de faire l'amour vaudrait qu'on la préférât à toute autre.

Emmanuelle fit un geste d'équanimité, comme pour signifier qu'elle reconnaissait à tous les goûts un droit égal à l'existence. En fait, elle avait renoncé à disputer à Mario le plaisir évident qu'il éprouvait à prendre le contre-pied de l'opinion commune. Elle se disait que la soirée était bien plus amusante comme cela. Mais une idée la tracassait, sans qu'elle se rendît exactement compte des mobiles obscurs qui lui faisaient accorder à cette « loi » de Mario plus d'importance qu'à toutes les autres. Elle relança le sujet :

— Sous le prétexte de me diviser ou de me soustraire, vous avez l'air de suggérer, en réalité, que je
devrais me donner à pas mal de monde ! A l'un ci, à
l'autre ça. Si vous ne m'encouragez pas à être une
femme facile, vous ne me détournez pas, pour autant,
d'avoir un corps innombrable ! C'est pour cela que je
vous traitais de corrupteur.

— Et pourquoi ne partageriez-vous pas entre beaucoup, entre énormément d'amants, un corps capable de
jouir de tous ? Qu'y voyez-vous à redire ?

— Vous le savez bien, Mario !

Cette protestation, espérait-elle, suffirait à lui faire
entendre raison. Mais il se refusa à coopérer. Elle ne
sut donc que lui retourner la question :

— Et pourquoi le ferais-je ?

— Je vous l'ai dit : par érotisme. Parce que l'érotisme a besoin du *nombre*. Il n'est pas de volupté plus
grande pour une femme que celle de dresser le compte
de ses amants : enfant, sur les doigts de ses mains ;
jeune fille, au rythme des mois de collège et des mois de
vacances ; mariée, dans le secret de l'agenda, marquant
d'un signe mystérieux les jours où la liste s'est augmen-
tée d'un nom : tiens ! presque un mois, depuis le
dernier ? Ou le faux remords : c'est terrible ! deux dans
la même semaine... jusqu'au triomphe accepté, au péan
d'orgueil : ça y est ! cette semaine, un chaque jour ! Et,
serrée contre l'amie intime, à voix très basse, tout près
de son oreille : « Toi, plus de cent ? » — « Pas encore.
Et toi ? » — « Oui. » Oh ! plaisir, plaisir ! C'est mille
corps, dix mille, que votre corps peut contenir ! Vous
ne regretterez que les amants que vous n'avez pas eus.
Souvenez-vous de la définition que je vous ai donnée de
l'érotisme : c'est le plaisir de l'excès.

Emmanuelle secoua la tête.

— Pourtant ! protesta Mario. La loi du nombre n'est
elle-même, si l'on y regarde de près, qu'un corollaire de
cette autre, que vous ne contestez plus, j'en suis sûr :
qu'il faut se garder de l'assouvissement ? Il est facile de

comprendre pourquoi une pluralité de ressources amoureuses est indispensable au plaisir : de peur que vos sens ne transigent et s'avouent repus, ne vous donnez pas à un homme à moins d'être sûre qu'après lui un autre se tient prêt à vous prendre.

— Mais il n'y a pas de raison que cela finisse ! s'exclama Emmanuelle. Après le second, il faudrait qu'il y en ait encore un, puis un autre en réserve ?

— Pourquoi pas ? dit Mario. C'est bien, en effet, à quoi il faut tendre.

Emmanuelle rit de bon cœur :

— Il y a des limites à la résistance humaine, dit-elle.

— Malheureusement, admit Mario, sombre. Mais l'esprit peut les franchir. L'important, c'est que l'esprit ne se satisfasse, ne se rassasie jamais.

— Le plus sûr, si je comprends bien, pour le tenir en éveil, ce serait de faire l'amour sans discontinuer ?

— Pas forcément, s'impatienta Mario. Ce qui compte, ce n'est pas de faire l'amour, mais comment on le fait. L'acte physique à lui seul, serait-il répété à l'infini, ne peut suffire à créer la qualité érotique. Si vous vous livrez à dix, vingt hommes à la file, peut-être sera-ce pour vous un jour d'ineffable félicité — mais peut-être aussi vous consommerez-vous d'ennui. Tout dépend du moment, de ce qui l'a précédé et de ce que vous attendez à la suite. C'est pourquoi, s'il existe des lois, il n'y a pas de règles : pour atteindre à la limite de la perfection érotique, un jour, à ces vingt, vous vous donnerez de façon identique, reproduisant leur chair en vous comme en un manège, les laissant se succéder dans votre corps sans chercher à les distinguer les uns des autres ; un autre jour, par chacun des vingt, vous exigerez d'être comblée de façon différente.

— Les trente-deux positions ? railla Emmanuelle.

— Quoi de plus vulgaire que cet érotisme de pacotille ! Puissiez-vous être protégée de lui par sa vogue même ! L'art érotique digne de vous n'est pas affaire de postures. Il naît de *situations*. Les seules positions qui importent, ce sont celles des circonvolutions de votre cerveau. Faites l'amour avec votre tête. Peuplez-la de plus d'organes et de plus de sensations voluptueuses que ne pourraient vous en procurer tous les mâles de la terre. Que chacun de vos embrassements contienne et présage tous les autres : c'est la présence au sein de l'acte des actes sexuels passés et futurs, des actes commis par d'autres ou avec d'autres, qui lui conférera sa valeur érotique. De même, lorsqu'un homme vous prend, que ce ne soit pas lui qui donne sa grâce au moment, mais celui à côté de vous qui tient notre main ou vous fait lecture d'une page d'Homère.

Emmanuelle s'esclaffa, mais elle était plus impressionnée qu'elle ne voulait l'admettre.

— Lorsque mon mari voudra me faire l'amour, devrai-je lui dire : « Impossible, nous ne sommes que deux ! »

— Il y aurait de la sagesse dans cette attitude, répliqua Mario, sérieux. Mais, ainsi que je vous l'ai dit, lorsque le troisième ne peut être là physiquement, il appartient à votre cerveau de le conjurer.

Cela plaisait à Emmanuelle. Oui, vraiment, pensait-elle, c'était — jusqu'à présent — le plus grand plaisir qu'elle connût : ce transfert chimérique entre les bras d'un autre, choisi à sa guise, lorsque Jean pénétrait en elle. Elle songea que c'était la première trouvaille érotique qu'elle avait faite d'elle-même, et cela dès les premiers temps de leurs amours, peut-être la quatrième ou la cinquième fois qu'il l'avait prise. Au début, elle s'était accordé cet « extra » parcimonieusement, à intervalles espacés, comme une récompense exceptionnelle. Puis, plus souvent. C'était bon ! Cette fréquence était en soi un facteur de jouissance. Désormais, elle avait hâte que son mari lui fît l'amour, non seulement par désir physique, mais parce qu'un autre homme, celui dont elle avait envie sur le moment, apparaissait sur-le-champ et qu'elle n'avait besoin de surmonter aucune gêne, aucune pudeur, aucun principe, aucun usage, pour lui accorder les faveurs les plus intimes et les plus dissolues, faire avec lui en rêve ce que peut-être elle n'aurait pas osé faire en réalité. Et comme son plaisir en était décuplé, ainsi en était-il de celui de Jean, qu'elle ne trompait donc pas, au contraire : chaque jour, elle était pour lui une maîtresse plus ardente et plus sensuelle. Elle se promit que, désormais, elle ferait systématiquement l'amour de cette manière, elle évoquerait chaque fois le « tiers partenaire » requis pour que la loi d'asymétrie fût observée. Elle était si impatiente, à la pensée de cette volupté très raffinée, qu'elle aurait voulu que son mari la prît à l'instant, pour qu'elle pût faire l'amour avec un autre.

Avec qui ? se demanda-t-elle. Évidemment, pas Mario, ce ne serait pas drôle. Avec Quentin.

— Il faudra que je fasse attention à ne pas appeler dans mon lit deux fantômes d'un coup, se moqua-t-elle. Alors, la compagnie deviendrait paire et crac ! tout serait par terre.

Mario sourit :

— Non, car il y aurait asymétrie tout de même, puisque le nombre pair serait inégalement réparti. Certes, je ne vous encouragerai jamais à faire l'amour à quatre, si cela devait consister à vous étreindre deux par deux, fût-ce sur la même couche. Rien n'est plus plat, plus pot-au-feu. Et il convient de laisser ce jeu aux bourgeois méritants qui en sont friands après vêpres. Mais il serait fâcheux d'en conclure qu'il faut jeter l'interdit sur le nombre quatre. Il offre des possibilités intéressantes, pour peu qu'on le rédime de la banalité du carré et qu'on le scinde, par exemple, en trois et un. Ainsi en va-t-il de huit, tout pair qu'il soit, parce qu'il peut signifier six hommes et deux femmes, combinaison des plus élégantes, qui assure trois servants à chaque femme, pour commencer, et l'articulation des deux groupes ainsi formés, pour finir.

Emmanuelle essaya de se représenter le tableau.

— Je conviens, dit Mario, avec un rire de bonhomie,

que la simplicité a aussi bien des charmes et que la manière la plus délectable de faire l'amour restera toujours pour une femme, je le crois — ainsi que vous le notiez tout à l'heure —, de se donner simultanément à deux hommes. (Emmanuelle haussa les sourcils, éberluée de s'entendre attribuer une telle idée.) Il est peu d'expériences qui soient plus parfaites et plus harmonieuses, et l'on comprend que ce soit le régal préféré de toute femme de goût. Entre être prise par un seul homme et l'être par deux, il existe le même abîme qu'entre un alcool de riz et un marc de champagne.

Il souleva le magnum et en servit à Emmanuelle. Elle dégusta avec trouble une goutte de la liqueur mordorée. Mario ne la quittait pas du regard. Il insista :

— Dans les bras d'un seul homme, une femme est déjà à demi délaissée. S'il est vrai qu'un cortège d'amants est la réponse nécessaire aux exigences de votre esprit, c'est le dû non moins légitime de votre chair qu'il ne soit pas fait de discrimination entre ses ressources androgynes et ses candides penchants. Il ne serait pas tolérable qu'à aucun moment une partie de vous fût plus qu'une autre négligée ; que vous fussiez laissée vacante pour moitié, à moitié découverte... Tous les accès de vos sens ont les mêmes titres à l'amour et d'égales vertus. Et puisqu'un seul homme ne peut être à la fois à votre commencement et à votre fin, il convient qu'au moins deux s'ingénient à résoudre en commun le dilemme de votre corps. Seulement lorsqu'ils entonnent en même temps leur volupté gémelle en vos bouches ambiguës, vous connaissez dans sa plénitude la raison d'être femme et sa beauté.

Il s'enquit avec courtoisie :

— Vous aimez ?

Emmanuelle baissa les yeux sur la sphère miroitante, toussota. Il poursuivit, impitoyable :

— Je veux dire : faire l'amour avec deux hommes. Pas seulement en rêve...

Elle choisit la solution de franchise.

— Je ne sais pas, dit-elle.

— Comment cela ? s'étonna Mario, d'une voix composée.

— Je ne l'ai jamais fait.

— Vraiment ? Et pour quelle raison ?

Elle haussa les épaules.

— Vous objectez à cette façon de faire ? questionna-t-il, à peine caustique.

Le visage d'Emmanuelle revêtit une série d'expressions auxquelles il était difficile de donner un sens précis. Mario laissa se prolonger le silence, qui augmentait l'embarras de son invitée. Elle se sentait en accusation, coupable d'elle ne savait trop quel inexpiable péché contre l'esprit.

— Pourquoi vous êtes-vous mariée ? demanda-t-il abruptement.

Elle ne sut que répondre. Elle avait l'impression qu'on venait de la prendre par les épaules et de la faire tourner sur elle-même, comme à colin-maillard, pour lui faire perdre l'orientation. Les yeux bandés, les mains en avant, elle n'osait avancer d'aucun côté, de peur de tomber dans un piège. Elle ne voulait pas avouer à Mario qu'elle s'était mariée par amour pour Jean — ou même pour le plaisir de faire l'amour avec Jean. Heureusement, une idée lui vint, qui lui parut à la hauteur des circonstances.

— Je suis lesbienne, dit-elle.

Mario eut un battement de paupières.

— Bien ! apprécia-t-il.

Puis, soupçonneux :

— Mais l'êtes-vous vraiment toujours — ou l'avez-vous seulement été dans votre enfance ?

— Je le suis toujours, dit Emmanuelle.

En même temps, une vague de détresse, à laquelle elle ne s'était pas attendue, la submergea. Disait-elle vrai ? Pourrait-elle à nouveau serrer un corps de femme dans ses bras ? En perdant Bee, elle avait tout perdu...

— Votre mari connaît-il vos goûts ?

— Naturellement. D'ailleurs, tout le monde les connaît. Ce n'est pas un secret. Je suis fière d'aimer les jolies filles et que les jolies filles m'aiment.

Elle éprouvait maintenant le besoin de claironner des mots de défi ; pourtant, ils ne faisaient de mal qu'à elle.

Mario se leva, arpenta la pièce. Il semblait transporté. Il revint prendre Emmanuelle par la main, l'installa sur le divan, s'agenouilla à ses pieds. A sa surprise, il lui baisa légèrement les genoux, puis entoura ses jambes de ses bras.

— « *Les femmes sont toutes belles*, murmura-t-il, avec une ferveur que sa voix profonde rendait saisissante. *Les femmes seules savent aimer. Reste avec nous, Bilitis ! reste. Et si tu as une âme ardente, tu verras la beauté comme dans un miroir sur le corps de tes amoureuses.* »

Emmanuelle songea, avec une mélancolique ironie, qu'elle n'avait pas de chance : c'était bien d'elle, vraiment, de s'être éprise à la fois d'une femme qui n'était pas assez lesbienne et d'un homme qui l'était trop !

Lui, cependant, avait déjà retrouvé sa nonchalance et poursuivait son interrogatoire :

— Avez-vous eu beaucoup d'amantes ?

— Mais oui !

Elle ne laisserait pas le souvenir de Bee lui gâter cette soirée. Elle affirma :

— J'aime en changer souvent.

— En trouvez-vous autant que vous voulez ?

— Ce n'est pas difficile. Il suffit de le leur proposer.

— N'y en a-t-il pas qui refusent ?

— Peu ! minimisa Emmanuelle qui, en même temps, commença à en avoir assez de crâner. (Il lui hâtait de retrouver sa simplicité et sa franchise.) Bien sûr, corrigea-t-elle avec un rire heureux, il y a des filles qui ne sont pas conquises. Mais c'est tant pis pour elles !

— Exactement, opina Mario. Et vous ? Êtes-vous aisée à conquérir ?

— Oh! oui. J'aime me laisser faire!

Elle sourit de son aveu, ajouta :

— Mais à condition que mes soupirantes soient vraiment jolies. J'ai horreur de toute fille qui n'est pas très belle.

— Excellente mentalité, complimenta à nouveau Mario.

Il revint sur un point qui, selon toute apparence, le passionnait :

— Votre mari, me dites-vous, est au courant de vos amours féminines. Mais les approuve-t-il ?

— Il les encourage, même. Jamais je n'ai eu autant d'amies que depuis que je suis mariée.

— Il n'a pas peur que les caresses vous détournent de lui ?

— Quelle idée ! Faire l'amour avec une femme, c'est autre chose que de le faire avec un homme. L'un ne remplace pas l'autre ; il faut les deux. C'est aussi dommage d'être purement lesbienne que de ne pas l'être du tout.

Pour le coup, l'opinion d'Emmanuelle semblait catégorique et son assurance parut en imposer à Mario même.

— Je présume que votre mari profite, lui aussi, des charmes de vos maîtresses ? s'enquit-il avec égards.

Emmanuelle eut un sourire mutin :

— Ce sont surtout elles qui ne rêvent que de cela, badina-t-elle.

— Vous n'êtes pas jalouse ?

— Ce serait trop ridicule !

— Vous avez raison : le partage est fait pour ajouter à votre plaisir.

Il hocha la tête, semblant évoquer des images délectables. Emmanuelle, de son côté, revoyait les corps nus de ses amies, si nues, si douces à toucher, si belles ! Il n'est pas certain qu'elle avait entendu le dernier commentaire de Mario.

— Et lui ? demanda-t-il, après un instant de silence.

Emmanuelle ouvrit grands les yeux.

— Lui?

— Oui, votre mari. Vous procure-t-il beaucoup d'hommes?

— Quoi? fit-elle, choquée au fond du cœur. Mais non!

Elle se sentit rougir.

— Pas même depuis votre mariage? poursuivit Mario, imperturbable.

Elle ne put retenir un mouvement d'indignation.

— Dans ces conditions, déclara Mario, glacial, je ne vois pas très bien en quoi consiste, pour vous comme pour lui, l'intérêt d'être mariés.

Il prit une gorgée de marc, la savoura, interrogea ensuite, avec une intonation de dédain :

— Vous interdirait-il de faire l'amour avec d'autres hommes?

Emmanuelle se hâta d'affirmer :

— Non, pas du tout.

Elle n'était pas très sûre, au fond d'elle-même, de ne pas enjoliver.

— Vous a-t-il dit que vous pouviez le faire?

Elle se retrouvait au supplice :

— Pas explicitement, bien sûr. Mais il ne me l'a jamais défendu. Et il ne me demande pas si je le fais ou non. Il me laisse libre.

Mario esquissa un mouvement de regret :

— C'est bien ce que vous devriez lui reprocher. Ce n'est pas de cette liberté-là qu'a besoin l'érotisme.

Emmanuelle essaya de comprendre ce que Mario avait voulu dire.

Elle rappela :

— Pourtant, tout à l'heure, vous affirmiez qu'il n'y a pas de gardien heureux?

— Je vous avertissais aussi qu'il n'y a pas d'amour heureux sans participation aux amours de l'aimée.

Elle baissa la tête, à nouveau prise de doutes.

— Lorsque vous étiez seule à Paris et que vous

écriviez à votre mari, reprit-il, lui faisiez-vous la chronique de vos amants ?

Emmanuelle était écrasée par la conscience de sa « banalité ». Elle secoua la tête, puis essaya d'éluder la question.

— Je lui parlais de mes amoureuses, dit-elle.

Mario fit un geste qui pouvait signifier : c'est déjà mieux que rien. De nouveau, ils se turent. Emmanuelle regarda Quentin. Il souriait avec une remarquable persévérance. Elle se demanda s'il comprenait vraiment ce qui se disait ou si ce sourire cherchait simplement à cacher qu'il s'ennuyait.

— Ne croyez surtout pas que Jean soit jaloux, relança-t-elle, voulant racheter la mauvaise impression qu'elle avait conscience d'avoir produite sur Mario. Il ne l'est pas plus que moi. Tenez, c'est lui-même qui m'encourage à montrer mes jambes. C'est pour lui faire plaisir que je porte des robes étroites : de façon que, lorsque je descends de voiture, ma jupe remonte le plus haut possible. Et vous pouvez vous rendre compte que même dans le salon le plus convenable, je m'assieds très impudiquement.

Elle riait.

— Vous voyez que cela ne me choque pas. N'est-ce pas une preuve que lui et moi avons des dispostions pour l'érotisme ?

— Si.

— Et c'est lui qui règle mes décolletés. Connaissez-vous beaucoup de maris qui découvrent aussi généreusement les seins de leur femme ?

— Vous-même, trouvez-vous agréable de montrer vos seins ? Physiquement agréable ?

— Oui, dit Emmanuelle. Mais surtout depuis que Jean me l'a appris. Avant de le connaître, j'aimais qu'on me touche, je veux dire : que des filles me touchent, mais cela m'était égal d'être vue ou non. Je n'en tirais pas de plaisir. Maintenant, si.

Elle ajouta, bravement :

— Je ne suis pas née exhibitionniste ; je le suis devenue ! Grâce à lui.

Et elle répéta :

— Vous voyez !

— Vous êtes-vous demandé pourquoi votre mari s'amusait ainsi à vous rendre aussi publiquement désirable ? s'enquit Mario. Si c'est seulement pour faire de vous une allumeuse, ce n'est guère louable. Et si c'est par simple orgueil, pour faire étalage de la beauté de sa femme comme d'une richesse et narguer son prochain qui n'en a pas autant, cela ne vaut guère mieux.

— Oh ! non, protesta Emmanuelle, qui ne pouvait souffrir qu'on parlât mal de son mari. Ce n'est pas du tout son genre. S'il m'incite à montrer mon corps, c'est plutôt pour en faire profiter les autres...

— Alors, c'est bien ce que je disais ! triompha Mario. Si votre mari s'ingénie à vous faire éveiller la convoitise des hommes, s'il vous présente de la sorte à leur érection, c'est qu'il veut que vous fassiez l'amour avec eux.

— Mais... tenta d'objecter Emmanuelle.

Cette idée ne lui était jamais venue et elle ne trouvait rien qui l'aidât à la réfuter. Pourtant, elle restait perplexe : était-il concevable que Jean attendît cela d'elle ? Elle le dit :

— Enfin, pourquoi Jean souhaiterait-il que je le trompe ? Quelle sorte de plaisir un homme peut-il trouver à ce que d'autres possèdent sa femme ?

— Voyons, fit Mario, et sa voix était sévère, ma chère, en êtes-vous là ? Voulez-vous dire que vous ne comprenez pas qu'un homme évolué puisse vouloir, par raffinement érotique, que sa femme séduise d'autres hommes ? L'*Ecclésiastique*, en tout cas, en savait plus long que vous, qui disait : « *La grâce d'une femme fait la joie de son mari.* » Soyez logique : si le vôtre se réjouit de savoir que vous faites l'amour avec des femmes, pourquoi devrait-il penser différemment des hommes ? Y a-t-il vraiment, entre amour hétéro et homosexuel, une distinction de nature aussi essentielle que vous semblez le croire ? Je tiens, quant à moi, qu'il n'existe qu'un seul amour, et que le faire avec homme ou femme, avec époux, amant, frère, sœur, enfant, est la même chose.

— Mais Jean a toujours su que j'avais un faible pour les filles, avant même qu'il me déflore : c'est moi qui le lui ai dit, le premier jour que je l'ai connu.

Elle ajouta brusquement, saisissant au vol une allusion de Mario :

— Et naturellement, si j'avais eu un frère, j'aurais fait l'amour avec lui. Mais je suis fille unique.

— Et alors ?

— Alors ?... Alors, je veux dire qu'en caressant une femme je ne trompe pas mon mari.

L'hôte parut amusé.

— Lui, enquêta-t-il, aime-t-il les hommes ?

— Non ! — Emmanuelle trouva absurde l'idée que son mari pût être homophile.

— Vous n'êtes pas juste, fit observer Mario, qui avait deviné ses pensées.

— Ce n'est pas pareil !

Mario sourit et elle ne fut plus sûre que ce ne fût pas pareil...

— Préférez-vous, reprit Mario, qu'il couche avec d'autres femmes ?

— Je ne sais pas... Je suppose que oui.

— Alors, triompha-t-il, pourquoi ne penserait-il pas de la même façon, pour ce qui est de vous et des hommes ?

« C'est vrai », songea-t-elle.

— Autre exemple, poursuivit Mario, sans attendre de réponse : vous exposez, avez-vous reconnu, vos jambes et vos seins, non par simple habitude, non par jeu mondain, mais parce que cela vous excite de vous offrir. Nous sommes bien d'accord ?

— M'offrir !...

Le ton mis par Emmanuelle à reprendre ce mot

indiquait qu'elle le trouvait mal choisi... En tout cas, excessif... Mario n'en tint pas compte. Il poursuivit :

— Votre plaisir est-il plus grand si votre mari est présent ?

Elle réfléchit :

— Je crois que oui.

— Sagement assise auprès de votre mari, lorsque son meilleur ami tente de pousser ses regards sous votre robe, ne rêvez-vous pas quelquefois qu'il y glisse aussi les mains, pour ne rien dire du reste ?

— Bien sûr, admit-elle de bonne grâce.

Cela, toutefois, ne la convainquait pas que Jean dût lui-même se délecter à imaginer la même scène. A la seule fin d'embêter Mario, elle se réfugia délibérément dans un conformisme de tout repos :

— J'ai toujours entendu dire et lu dans les livres que l'on ne doit pas faire l'amour avec la femme d'un ami. Cette morale est-elle, elle aussi, périmée ?

Mario ne s'émut pas de la provocation. Il répondit posément :

— Si mon ami a choisi une femme que je ne peux pas désirer, c'est que j'ai mal choisi mon ami.

— Je parlais de devoir, dit Emmanuelle. Pas de pouvoir.

— Et moi, je veux vous faire entendre que notre premier devoir est de faire tout ce dont nous sommes capables.

— Donc, si vous n'êtes pas capable de prendre sa femme à votre ami, c'est vous qui êtes coupable ? questionna-t-elle, d'une voix trop studieuse pour être honnête.

— Je ne prends jamais personne, rectifia patiemment Mario. Comment prendrais-je quelqu'un à quelqu'un ? Les êtres humains ne sont pas des objets d'appropriation. Si je fais l'amour, ce n'est pas pour augmenter mes biens, mais pour échanger un plaisir. Pensez-vous qu'on ne doive pas échanger un plaisir avec un ami ?

Emmanuelle se cramponna aux faibles chances de diversion que lui offrait la sémantique, terrain de dissertation moins personnel que les intentions prêtées à Jean par Mario :

— Une femme qui dit à un homme : « Prends-moi », un homme qui *a* une femme, *sa* femme ; un autre qui se réjouit de *posséder* un corps désiré, sont-ils donc immoraux ?

— Ils sont anachroniques. Ils utilisent un langage en solde. Ils tirent le monde en arrière. Penser, parler, vivre comme l'année passée n'aide les gens d'aucune époque à se comprendre. Encore moins, à s'aimer.

Le silence d'Emmanuelle n'équivalait pas forcément à une reddition. Maria s'en douta et soupira.

— Vous avez encore beaucoup à apprendre. Tout ce qui sépare la simple sexualité de l'art érotique.

Il revint à la charge, ajoutant un accent d'ironie au mot qu'avait utilisé Emmanuelle :

— Si votre mari ne voulait pas que vous le « trompiez », pourquoi vous aurait-il laissée venir seule ici ce soir ? A-t-il fait des objections ?

— Non. Mais peut-être s'est-il dit que dîner chez un homme ne signifiait pas forcément que j'allais me donner à lui.

Emmanuelle jouait avec grâce le naturel. Elle ne sut pas si la pointe avait porté. Mario parut s'abîmer dans la méditation. Au moment où elle commençait à laisser filer ses pensées vers d'autres rives, il demanda :

— Êtes-vous prête à vous donner, ce soir, Emmanuelle ?

C'était la première fois qu'il l'appelait par son nom. Elle fit de son mieux pour cacher la commotion qu'elle éprouvait à s'entendre poser pareille question aussi négligemment. Elle tenta, pour prouver sa liberté, de donner à sa voix le même ton de désinvolture :

— Oui.

— Pourquoi ?

L'embarras la reprit aussitôt.

— Cédez-vous aux hommes facilement ? demanda Mario.

Elle se sentit couverte de honte. Cette conversation ne visait-elle qu'à la mortifier ? Elle éprouva le besoin de se revaloriser :

— C'est tout le contraire, attesta-t-elle, avec une véhémence qui ne lui était pas habituelle. Je vous ai dit que j'avais eu beaucoup d'*amantes,* je ne vous ai pas dit que j'avais eu beaucoup d'amants. Pour tout vous révéler, ajouta-t-elle, mue par une impulsion soudaine (et à son étonnement, car elle n'aimait pas mentir et le faisait le moins possible), je n'en ai jamais eu aucun. Maintenant, vous comprenez pourquoi je n'ai rien eu à avouer à ce sujet à mon mari — jusqu'à présent ? acheva-t-elle, avec un sourire facile à interpréter.

En même temps qu'elle s'attribuait cette vertu, elle pensa qu'en vérité elle n'avait pas tellement tort : car, pouvait-on sérieusement les appeler des amants, ces inconnus qui l'avaient séduite tour à tour dans l'avion ? Marie-Anne était bien d'avis qu'ils ne comptaient pas. Et elle-même en était venue peu à peu à douter de la matérialité de cette aventure et à considérer qu'en cédant à cette sorte de rêve éveillé qui lui avait été donné entre ciel et terre, elle n'avait pas été plus infidèle qu'en goûtant aux étreintes imaginaires des hommes à qui elle se livrait en intention pendant que son mari jouissait chaque nuit dans son corps.

Pour la première fois, elle pensa que peut-être elle était enceinte de l'un des voyageurs : elle le saurait bientôt. Mais cela non plus n'avait pas beaucoup d'importance.

Mario, cependant, semblait éprouver tout à coup un intérêt accru pour son invitée :

— Vous ne vous moquez pas de moi ? J'avais cru, pourtant, vous entendre dire que vous aimiez « aussi » les hommes ?

— Mais oui. Ne me suis-je pas mariée ? Et je viens

de vous répondre que j'étais prête à me donner à un autre homme que mon mari, ce soir même.

— Pour la première fois, alors ?

Emmanuelle confirma d'un signe de tête son demi-mensonge.

(Pourvu, pensa-t-elle avec une brusque angoisse, que Marie-Anne n'eût pas trahi son secret ! Mais non, il était clair que Mario ne savait rien.)

— Peut-être y ai-je été disposée d'autres fois, mais personne n'en a profité *alors,* ajouta-t-elle, avec un grain de sel que son hôte dut sentir, car il la regarda avec un sourire qu'elle n'aima guère.

Il contre-attaqua :

— Pourquoi désirez-vous « tromper » votre mari ? Est-ce parce qu'il vous laisse physiquement insatis-faite ?

— Oh ! non, s'écria Emmanuelle, bouleversée et soudain malheureuse, Oh ! non. Il est un amant merveilleux. Je ne suis pas du tout frustrée, je vous assure. Ce n'est pas pour cela, au contraire...

— Ah ! dit Mario, « au contraire » ? Voilà qui est intéressant. Pourriez-vous me dire ce que vous entendez, par cet « au contraire » ?

Elle était furieuse contre lui. Il lui avait fait un beau discours pour démontrer que Jean lui-même voulait qu'elle eût des amants, et il ne semblait déjà plus s'en souvenir...

Mais pourquoi, en fait, se demandait-elle, acceptait-elle si aisément, aujourd'hui, l'idée d'être infidèle ? Pourquoi avait-elle, pour la première fois de sa vie, et si soudainement, tant envie d'être une femme mariée qui a un amant ? Parce que c'était bien cela qu'elle voulait : être *adultère.* Elle le voulait, sans pourtant aimer Jean avec moins de passion — *au contraire...* Que lui arrivait-il donc ? Elle s'entendit dire, avant même qu'elle ait eu le temps de réfléchir au sens de ses paroles :

— C'est parce que je suis heureuse.. C'est... c'est parce que *je l'aime* !

Mario se pencha vers elle. Il articula :

— En d'autres termes, si vous voulez tromper votre mari, ce n'est pas parce qu'il vous ennuie, ou par faiblesse, ou pour vous venger de lui, mais c'est, *au contraire,* parce qu'il vous rend heureuse. C'est parce qu'il vous a appris à aimer ce qui est beau. A aimer la merveille du plaisir physique donné par la pénétration d'un corps d'homme au plus profond du vôtre. Il vous a appris que l'amour, c'était cet éblouissement des sens lorsque la nudité de l'homme écrase la vôtre. Que ce qui donne sa splendeur sans cesse renaissante à la vie, c'était ce geste de vos mains vers vos épaules pour faire tomber votre robe à votre taille et découvrir vos seins, et ce geste de vos mains vers vos hanches pour faire tomber votre robe à vos pieds et vous faire statue plus adorable que le rêve. Il vous a appris que la beauté, ce n'était pas la solitude de votre corps, mais son foisonnement. Que la beauté, ce n'était pas d'attendre que d'autres mains vous dénudent, mais la hâte et la simplicité de vos doigts vous libérant eux-mêmes de ce qui vous obscurcit et vous tendant comme une clarté à la chair qui vous est destinée. Il vous a appris qu'il n'y avait pas d'autre beauté, qu'il n'y avait pas d'autre bonheur. Que cet élan voulu de votre corps, cette organisation de vos pouvoirs, étaient porteurs d'une intelligence infinie — que seulement l'infini de leur répétition pouvait accomplir. Et qu'aucun acte de conscience n'avait plus de sens, pour les êtres conquis sur l'instinct que nous sommes, que la quête réfléchie et l'étreinte savante de ce seul instant — de cette seconde lucide où la femme se fait la semence de l'homme et son regain. Prodige créateur plus étonnant que celui par quoi le marbre devient torse et la modulation symphonie ! Cette réalité plus humaine que l'héritage de la matière, ce miracle de notre liberté, cette spiritualité physique, cette œuvre d'art faite de vie !

Emmanuelle écoutait, ne sachant si elle devait se laisser envelopper par la ramure des mots, les laisser décider de ce qu'elle était... Elle reprit à Mario le verre gonflé de reflets, leva vers l'homme un regard ferme.

— C'est ainsi que vous vous donnerez ? s'assura-t-il.

Elle inclina la tête.

— Et vous direz à votre maître qu'il peut être fier de vous ?

Elle perdit sa sérénité, fit entendre un son d'alarme :

— Oh ! non.

Puis, après une hésitation :

— Pas tout de suite...

Mario eut une expression d'indulgence.

— Je vois, dit-il. Mais il faudra que vous appreniez.

— Que devrais-je encore apprendre ? protesta-t-elle.

— Le plaisir de raconter : plus subtil, plus raffiné encore que celui du secret. Le jour viendra où la saveur même de vos aventures aura moins de prix que la volupté d'en faire, longuement, en le pimentant de détails qui vous feront jouir plus que des caresses, le récit à l'homme qui est à la fois vous-même et le plus attentif de vos spectateurs. L'homme qui, autant et davantage encore que vous-même, sera heureux de vous savoir multiple.

Il eut un geste de clémence :

— Mais rien ne presse et si, pour le moment, vous cacher est le plus facile, gardez votre mari dans l'ignorance provisoire des progrès de son élève. D'ailleurs — et son sourire se chargea d'une pointe de raillerie — peut-être est-il préférable d'attendre que ces progrès soient tout à fait probants, n'est-ce pas ? La surprise pour lui n'en sera que meilleure. Mais il faut que, pendant ce temps d'épreuve, si ce n'est lui, un autre se fasse votre guide. Car la voie de l'érotisme est parfois abrupte, *ad augusta per angusta,* et, livrée à vous-même, peut-être risqueriez-vous de vous décourager ou de vous égarer. Qu'en pensez-vous ?

Emmanuelle estima que son avis n'était sollicité que pour la forme et jugea donc plus digne de se taire. Mario enchaîna :

— Mais vous savez que la persévérance du disciple doit être sans borne. Nul guide au monde ne peut se substituer à votre volonté : il vous montrera le chemin, mais c'est vous qui devrez marcher d'un pas hardi, sachant où ce pas vous mène. L'initiation à tout art est un temps de labeur plus que de plaisir. Celui dont le cœur fléchit avant que la grâce ne vienne récompenser sa patience mérite-t-il qu'on s'apitoie s'il a laissé passer l'occasion du bonheur ? Un jour, le souvenir de ces durs travaux mêmes vous sera doux. Aujourd'hui, il vous appartient d'en décider librement. Êtes-vous prête à tout essayer ?

— Tout ? s'enquit-elle, circonspecte.

Elle se souvint que cela avait été, peu de temps auparavant, le mot de Marie-Anne.

— C'est cela : tout ! fit Mario, subitement concis.

Emmanuelle essaya de se représenter ce que ce *tout* pourrait être — et ne réussit à imaginer rien d'autre que l'abandon de son corps aux caprices de Mario. Puisque, de toute façon, elle avait décidé de se donner à lui, la manière dont il la prendrait (elle n'avait pas encore, nota-t-elle sans contrition, mis à jour son vocabulaire !) avait-elle beaucoup d'importance ? Elle se disait même, avec un peu d'ironie, que son mentor s'exagérait quelque peu les vertus de ses méthodes amoureuses s'il pensait que l'expérience qu'il lui préparait aurait pour effet de la faire « muter ». Elle n'avait guère la pratique des hommes, elle en convenait, mais elle était tout de même persuadée qu'il fallait qu'une femme fît davantage que de se soumettre aux singularités d'un amant pour devenir capable de progrès. Cette suffisance du mâle l'amusa. Mais elle ne l'irrita pas assez pour lui donner envie de décourager un passage à l'acte.

Ce qui lui causait, cependant, quelque trouble de conscience, c'était de ne pouvoir expliquer pourquoi, en dépit des assurances de Mario, elle préférait que cette liaison restât inconnue de son mari. Ce n'était pas réellement par crainte que Mario ne se fût mépris sur les mobiles de Jean, réfléchit-elle. C'était bien plutôt pour la raison qu'elle avait entrevue tout à l'heure et qu'elle n'avait pas su clairement traduire : « tromper » un mari que l'on aime était une volupté spéciale, très tendre, à laquelle elle n'avait pas pensé jusqu'à ce moment, mais dont la tentation lui faisait désormais battre les tempes d'impatience. Il était bien possible, se disait-elle, que, dans le monde de l'érotisme, la complicité du mari, la confidence de l'adultère, constituât un libertinage plus avancé. Mais elle n'en était pas là encore. Le secret de ses aventures était capable à ses yeux d'ajouter, plus que de retrancher, au plaisir qu'elle attendait. Avant d'apprendre l'art compliqué dont Mario lui avait esquissé les règles, elle voulait se contenter du plus simple. L'adultère à lui seul n'offrait-il pas déjà la possibilité de découvertes merveilleuses ?

En réalité, presque à son insu, un érotisme abstrait l'inspirait plus que la sensualité élémentaire à laquelle elle s'imaginait céder, car c'était moins l'anticipation des voluptés que son amant lui donnerait qui l'incitait à s'abandonner et déjà la faisait défaillir, que le désir de principe de *tromper* Jean, le tromper autant qu'elle l'aimait, le tromper d'urgence, beaucoup, de tout son corps, de toute sa nudité, de toute la suavité de son ventre, où coulerait la semence d'un étranger.

Mario la regardait et ce regard la gênait. Elle changea de position, sur le divan de cuir, montrant ses jambes comme elle avait expliqué qu'elle savait le faire. Elle pensa que Mario lui avait parlé de faire l'amour avec deux hommes sans doute parce qu'il voulait la partager avec son mari. « Soit ! se dit-elle. J'apprendrai. » Elle aurait préféré n'avoir affaire qu'à Mario, ou, s'il n'y avait pas moyen d'éviter Quentin, que celui-ci se contentât du rôle de spectateur, dont Mario prisait si fort l'importance. Mais elle était décidée à ne pas s'opposer aux exigences de son hôte. Peut-être même, reconnut-elle, avait-elle obscurément envie d'être appréciée aussi par Quentin ? Et puisque Mario prétendait que l'amour avec deux hommes était si enchanteur...

— Avez-vous déjà, au moins, fait l'amour avec plusieurs femmes ? demanda son héros.

Elle s'extasia une fois de plus qu'il pût lire en elle si aisément. Il devait savoir, alors, combien elle le désirait. Il admirait ostensiblement ses jambes. Elle en oublia de répondre.

Mario scanda, sur le ton particulier, frémissant, qu'il avait lorsqu'il citait des vers :

— « *Moi si pure ! mes genoux*

« *Pressentent les terreurs de genoux sans défense !* »

Elle fut heureuse qu'il fût sensible à l'éloquence de son corps. Mais il ne se laissait pas si aisément distraire de sa curiosité. Il revint à la charge :

— Avec plusieurs femmes à la fois, j'entends.

— Oui, dit Emmanuelle.

Il parut charmé.

— Eh ! fit-il, vous n'êtes pas si innocente !

— Mais pourquoi le serais-je ? s'insurgea-t-elle. Je n'ai jamais rien prétendu de tel.

La soupçonner de bonnes mœurs était devenu la pire injure qu'on pût lui faire. Si montrer ses jambes ne suffisait pas à la faire respecter, elle allait se lever toute droite sur le divan et se mettre nue. L'impulsion fut si forte qu'elle replia ses chevilles sous elle et s'agenouilla. Et si cette démonstration ne convainquait pas encore son hôte, elle se masturberait devant lui ! Ses seins brûlaient d'ardeur : peut-être était-ce aussi le marc de Mario qui lui donnait soudain tant d'audace. Mais l'Italien, lui, restait nonchalant. Il semblait plus avide d'érotisme verbal que d'action... Il poursuivit son enquête :

— Et comment vous y prenez-vous, lorsque vous échangez des caresses avec deux filles en même temps ?

Emmanuelle s'impatientait. Pour hâter la fin de cet « oral », elle décrivit des scènes où la part de l'imaginaire l'emportait sur celle du réalisme. Elle ne se souciait pas de fouiller en détail ses souvenirs, et un grain d'invention, pensait-elle, fût-il çà et là naïf, devait plaire à Mario plus que la fidélité historique. Il ne fut pas dupe.

— Tout cela me paraît jeu de petite fille, coupa-t-il avec bonhomie. Il est temps de grandir, ma jolie amie.

Vexée, elle voulut porter à l'adversaire un coup qui la vengeât. Lorsqu'elle se rendit compte qu'elle risquait, en laissant échapper ainsi une allusion peu opportune, de nuire à ses propres desseins, elle eut beau se mordre la langue, il était trop tard.

— Et vous, avait-elle dit, savez-vous mieux vous y prendre avec les garçons ?

A la surprise d'Emmanuelle, cependant, Mario ne parut pas le moins du monde embarrassé. Au contraire, sa voix se colora de bonne humeur :

— Nous allons vous montrer cela, chère !

Il adressa une phrase en anglais à Quentin. Emmanuelle se demanda avec émoi si les deux hommes allaient lui faire sur place une démonstration.

6

LE SAM-LO

La ville qui est à moi, j'en dispose.
L'ECCLÉSIASTE, VIII, 12.

Dès le matin, sème ta semence,
Et, le soir, ne laisse pas reposer ta main.
Id. XI, 6.

L'arbre de la science l'enveloppait de son
feuillage, qui était mes bras.

MONTHERLANT (« *Don Juan* »).

LE quartier que découvre Emmanuelle ne ressemble guère aux avenues bordées d'immeubles de béton ou de villas dissimulées dans la verdure des jardins et l'embrasement des flamboyants qu'elle a connues depuis son arrivée à Bangkok. Peut-être rêve-t-elle ? La pleine lune donne au décor une pâleur et un relief animé qui conviennent trop bien à l'espèce de ballet qu'elle exécute pour que tout cela soit réel. Décor est bien le mot, avec ce qu'il évoque de perspective truquée, d'estrades, de murs de cartons, d'assemblages instables, d'échafaudages. Suivant Mario et suivie de Quentin, elle pose avec appréhension, l'un derrière l'autre, ses escarpins aux talons effilés sur une passerelle faite

233

d'une planche longue d'une dizaine de mètres et large d'un pied, jetée entre deux tréteaux que lèche l'eau immobile et grasse d'un canal qui semble être surtout un égout. Le poids des promeneurs infléchit le bois et le fait battre comme un tremplin : Emmanuelle ne doute pas qu'elle sera, tôt ou tard, projetée dans la vase.

Lorsqu'on parvient au tréteau, il faut, pour aller plus loin, passer, d'une enjambée oblique, sur la planche qui suit et qui semble plus vermoulue et branlante encore que celle qu'on vient de quitter. Ainsi fait le trio depuis plusieurs centaines de mètres et rien n'indique que cet étrange cheminement soit proche d'aboutir. A mesure qu'elle avance, Emmanuelle a l'impression de s'éloigner pour toujours du monde connu. L'air même que l'on respire ici a une consistance différente et une autre odeur. La nuit offre un silence si total que l'étrangère se retient de respirer et, davantage encore, de parler, comme par crainte d'un sacrilège. Elle s'aperçoit, à un moment donné, que ce silence est fait, en réalité, du cri uniforme, ininterrompu et strident des grillons.

Emmanuelle et ses guides, une demi-heure plus tôt, ont quitté la maison de rondins sur une barque étroite, qu'à l'appel de Mario un batelier est venu ranger le long de l'embarcadère flottant. Ils ont remonté pendant quelque temps le *khlong*. Puis, sans que la jeune femme eût compris si Mario se décidait au hasard ou si, au contraire, il avait pris repère, ils sont passés de l'embarcation à ce trottoir de bois, orienté perpendiculairement à l'axe du grand canal, au-dessus d'un bief plus étroit et, sans doute, très peu profond, puisque même les légères pirogues siamoises ne peuvent s'y engager.

Ce chenal est bordé, de part et d'autre, de huttes basses, aux murs de tôle rouillée ou de bambou noirci et au toit de palmes, reliées à la passerelle par des ponts-levis plus précaires encore : une mauvaise poutre, voire une branche non équarrie. Portes et fenêtres sont soigneusement barricadées, closes comme pour la peste. Comment respirent-ils ? se demande Emmanuelle. Elle comprend mieux le mode de vie de ceux qui habitent les sampans et dont elle a tout à l'heure croisé la demeure flottante, le long des berges du canal : profitant de la nuit sans pluie, hommes, femmes et enfants dormaient à l'avant, sous les étoiles, corps serrés, la bouche ronde et, parfois, l'œil ouvert. Mais ici, quel mystère cloître ces gens, les pousse à se garder du moindre souffle d'air, dans ces geôles moites ?

Le fantastique s'accentue à mesure que le paysage se prolonge. Il est à peine croyable que cette insociable rue d'eau croupie et de bois mort, où l'on progresse en danseur de corde, puisse tant durer et ne conduire nulle part. Et, en plein jour, lorsque ses riverains sortent de leur antre, comment se croisent-ils, sur cette unique voie d'accès à leur territoire ? Déjà, Emmanuelle redoute les acrobaties qu'il faudra faire si, d'aventure, d'autres noctambules rencontrent leur groupe. A vrai dire, elle doute que le cas se présente, car le pays où l'entraînent ses compagnons est trop lunaire pour que des êtres vivants aient une chance d'y figurer.

Pourtant, l'instant d'après, un homme surgit d'une des masures. Très grand, le torse musclé couleur de braise. Une pièce d'étoffe rouge lui cache les reins. Il la dénoue pensivement, en regardant les trois Farang qui approchent. Maintenant, il est entièrement nu. Et il urine dans l'eau. Emmanuelle n'a jamais vu, même en image, un membre viril au repos qui soit aussi long que celui-ci : la taille, ainsi détendu, qu'aurait en érection celui de son mari. C'est beau ! se dit-elle. Et l'homme tout entier est beau. Lorsqu'ils arrivent à sa hauteur, il la dévisage, à moins d'un mètre d'elle. Elle ne pense qu'à une chose : ce pénis. S'il se redresse... Mais le Siamois reste de glace. Il regarde les seins demi-nus d'Emmanuelle et son membre ne bouge pas. Les étrangers passent et s'éloignent.

Pendant les minutes qui suivent, Emmanuelle perd de vue les hasards qui l'environnent. Ou peut-être cette absence ne dure-t-elle que quelques secondes, car ses pensées de funambule sautent de noir en lune, de tremplin en vide, à un autre rythme que dans la vie ordinaire : elles surgissent plus vite, se succèdent par grand écart, se dissolvent avec la fugacité des lueurs — yeux de chat, luciole, étoile filante, reflet dans le caniveau — qui, à peine apparues, s'éclipsent.

Le temps de ce jeu de lumière, des marionnettes couleur de chair paradent devant elle, sur une scène ordonnée et imaginaire. Mais elle ne reconnaît parmi elles aucune des figures habituelles de la *commedia* : Polichinelle, Arlequin, Pierrot, Colombine. Un seul type de personnage s'offre à son jugement critique de spectatrice : des phallus.

Ils se conduisent bien comme des acteurs, rivalisant de véracité, de métier ; prêts à tout pour se faire aimer. Ils sont en plus grand nombre qu'Emmanuelle n'en a jamais vu. Parce que, tout compte fait, réfléchit-elle, elle en a vu très peu ! Elle s'efforce de recenser les phallus qu'elle a connus. Connus de près... Avec une rapidité de réponse qui ne l'étonne pas, l'écran immatériel qui la précède les affiche aussitôt en grandeur réelle. Leurs traits nets, impossibles à confondre, se substituent aux profils convenus des phallus théâtreux.

Il y a là, d'abord, bien sûr, le phallus de Jean, tel qu'elle l'a mis en mémoire, le jour où il l'a déflorée — et tel qu'il est toujours, se félicite-t-elle. « Ma vedette incomparable ! Même si je m'emballe, un jour, pour d'autres stars, jamais elles ne me détourneront de mon penchant pour le premier phallus qui m'a ouvert à la vraie vie : la vie où l'on joue. Il continue de tenir son rôle comme j'aime qu'on joue : sans gesticulation ni grimaces. La déclamation, le mélo, les clichés, les redites m'endorment. Ce phallus est acteur, oui, mais pas comédien pour un sou. Ni tragédien. Ni mime. Il n'a pas besoin d'user de trucs pour me toucher. Il ne tire pas vanité de me faire momentanément oublier le monde extérieur — pour me le faire, après coup, mieux comprendre. Et je ne me lasse pas de le regarder. Il est

236

beau ! Pourquoi, alors, est-il gêné et rougit-il si je fais l'éloge de sa forme ? C'est un artiste qui fuit la publicité. Sa modestie me plaît aussi, je suppose. Je l'approuverais pourtant de se gonfler d'orgueil quand ses entrées me coupent le souffle. Et je ne demande pas à être son seul public. Je serais même plus fière de lui s'il ne réservait pas qu'à moi la représentation des jetés battus, des piqués, des glissés, des fouettés, des sauts, des pointes, des entrejambes, des entrechats dont le rend capable son physique de ballerin. Je ne sais pas si ce masculin existe, j'espère que non : ce serait du gaspillage. Une queue ballerine, c'est plus joli et tout aussi clair. Du moins, pour une chatte chorégraphe. »

Juste à côté, plastronne le phallus du voisin de cabine d'Emmanuelle, sur la *Licorne envolée*. Assez cabotin, celui-ci ! admet-elle. Mais il est de ceux à qui l'on pardonne, avec une candeur complaisante, ce petit travers : les cascadeurs baraqués, les cavaliers qui tirent plus vite que leur ombre et autres survivants des époques de haute conquête. Ils ont quelques bonnes raisons, après tout, d'avoir l'air content d'eux : ne serait-ce que celle de faire partager ce contentement à leur compagne de chevauchée.

La sculpture classique, la colonne vivante où s'enroule un lierre, la chaleur de marbre du sexe qu'Emmanuelle retrouve aussi sur cette scène accélèrent subitement les battements de son cœur. Elle ne s'attendait pas à se découvrir encore si éprise de la déité du temple en ruine qui, dans ce même envol, l'avait métamorphosée en nymphe à une distance infinie de la terre, l'espace d'une étreinte. Son retour est-il inscrit en langue future dans les boucles du temps ?

Elle n'est pas surprise que son regard identifie sans difficulté un quatrième sexe, qui a pourtant moins de titres à figurer dans ce spectacle. Elle le relie visuellement à l'éphèbe enlevé par les amoureuses errantes des priapées de l'ambassade. Il faut croire que la pulpe presque féminine de ce membre, dont la rigidité agressive choque comme un paradoxe, sa peau végétale sous le satin des lampes, sa verticalité, la taille massive, disproportionnée, de son gland, loin au-dessus de la toison épineuse (comme se perche au bout de sa scandaleuse hampe et s'entoure de pointes noires pénétrantes la fleur d'agave), toutes ces anomalies d'une soirée diplomatique ont impressionné très fortement Emmanuelle, puisqu'elle s'en souvient si bien. A-t-il eu, ce phallus, l'intuition qu'elle regrettait de l'avoir seulement entrevu ? Est-ce pour cela qu'il est revenu ? Mais à quoi bon ? Elle ne peut toujours pas le toucher.

Du texte de Christopher, dont elle n'a rien vu ni touché, rien, c'est logique, n'apparaît sur l'écran. Rien, non plus, de celui de Mario. Rien de Quentin. Quant aux reliefs sous des pantalons bêtes, aux bosselages qui fanfaronnaient contre son pubis quand elle dansait à Paris, ils n'ont pas de place dans ce cortège de fidélité. Emmanuelle n'ajoute foi et ne s'attache qu'à ce qui s'avance à visage découvert.

Le sexe du Siamois qu'elle vient de regarder, lui, même s'il l'a dédaignée, ne fait pas de doute. Elle ne peut simplement le ranger avec les images de livres, les photographies clandestines ou les abstractions pornographiques qu'elle commentait naguère avec ses petites amies. « Car, si j'ai vu peu de phallus " en chair et en os ", s'amuse-t-elle, j'ai, en revanche, beaucoup entendu parler du sujet ! » Elle se remémore ce que les filles, à l'école, à la fac, à la piscine, au tennis, en disaient. Du mal, généralement. Elles trouvaient cet organe inadapté, laid, barbare, prétentieux. Les hommes, assuraient-elles, sont obsédés par ses dimensions et complexé par ses limites. Ils ont bien tort ! Les femmes ne s'intéressent pas autant qu'ils le croient à cet aspect des choses. Elles rêvent de baisers plus que d'être baisées.

Emmanuelle prend mentalement à témoin de son approche différente du problème ses équipiers équilibristes sur le ponton branlant (ils l'intimident encore

238

trop pour qu'elle ose professer tout haut ses convictions) : « Je ne peux pas être d'accord, n'est-ce pas ? avec ces gamines insensibles à la beauté d'un sexe qui bande. La dureté, la douceur, la saveur de ce sexe sont des inconnues que je veux connaître. Sa hauteur, sa couleur, sa cambrure, sa mobilité, sa grosseur motivent ma passion autant que des lèvres qui s'humectent ou qu'un chant d'amour. Moi qui pourrais encore être vierge, je rends grâce à la faiblesse et à la force qui remodèlent, par une mue merveilleuse, le corps des hommes qui me désirent. Je devine ce qu'ils ressentent quand leur volonté d'être en moi devient âme et art. J'aime qu'ils soient plus grands que le passage que je leur offre. Je n'appelle pas sauvage leur excès ni barbare leur démesure. Je ne leur en veux pas que leur longueur interminable en moi me traverse comme une pensée et ressorte en cri par ma bouche. »

Un soupçon, cependant, lui vient : « Ou est-ce moi qui change, comme un phallus qui couve un nouvel orgasme ? Est-ce déjà l'effet des discours qu'on m'a tenus pendant la moitié de la nuit ? »

Elle bute contre un piège du parcours, fait une embardée aveugle et se retient au dos de Mario. Il ne se retourne pas pour s'inquiéter ni l'aider. Elle-même ne songe, en ce moment, qu'au sexe du Siamois. Elle s'exerce à en émouvoir l'image, puisqu'elle n'en a pas ému la réalité ! Voilà ! Elle y réussi. L'angle obtus que la verge sombre faisait avec le ventre laqué d'indigo par la nuit devient, par la volonté de l'observatrice, angle aigu. Le bout du pénis, qui n'était, dans l'espace réel, que la continuation amincie de son corps cylindrique, n'a plus la même mollesse ni ne dessine plus de courbe descendante. La ligne originelle était élusive et inerte. Elle est reconçue ironique et heureuse, expansive et tendre. A force de s'appliquer à cette création, Emmanuelle se fait elle-même phallus. Elle se sent fourmiller de possibilités et impatiente d'éprouver sa puissance. Dès qu'elle le voudra, dès que les deux sexes en présence jugeront que le moment en est venu, Emmanuelle phallus s'introduira dans Emmanuelle vulve. Sa décalque dure occupera le creux doux dont elle rêve. Elle y durera. Elle y vieillira. Elle n'y mourra jamais.

Revoir le sexe de l'homme qui rêvait nu au bord de l'eau morte ! Le revoir — maintenant qu'Emmanuelle l'a rendu conscient de son rêve, qui est de passer avec elle de l'autre côté... Emmanuelle s'arrête net. Elle a décidé de rebrousser chemin.

Devant elle, Mario continue sa progression. Muette, l'ombre de Quentin attend. Mais, comme si une brume s'était insidieusement levée du lit du canal et refroidissait les rayons de lune, le souhait précis que, l'instant d'avant, formait l'exploratrice perd peu à peu de sa clarté, se défait par degrés. Les apparitions nées de son désir commencent à se confondre avec le flou de l'air, puis s'évanouissent à la manière d'amantes surannées et, à la fin, lui échappent. Emmanuelle ne sait plus au juste ce qu'elle admirait tellement. Ses certitudes nocturnes s'oublient dans un éveil d'après fête, lui laissant le vague regret de phosphènes éteints.

Un carrefour. La piste fantomatique se ramifie. Mario hésite. Il consulte Quentin, choisit finalement l'une des branches. Emmanuelle a peur que ce ne soit pas la bonne, car ils marchent encore longtemps. Mais elle n'ose faire de remarque. Elle n'a pas prononcé un mot depuis qu'ils ont quitté la barque. Soudain, pourtant, un cri lui échappe. Le chemin de planches a fait un coude et débouché subitement dans une sorte de cour (Emmanuelle a failli penser : une clairière, tant elle est tentée de se croire perdue dans la jungle !). En face d'eux, haute de vingt mètres, fabuleuse, une silhouette se dresse, qu'elle avait bien aperçue de loin, par-dessus les toits, mais elle l'avait prise pour un arbre. De près, c'est Genghis Khan, moustache drue, yeux sans pitié, poignards à la ceinture et mains aux poignards, muscles saillants et adoucis de clair de lune. Le cœur d'Emmanuelle bat en désordre. Sans nul doute, ce sont les sortilèges qui commencent. Dans un instant, des Mongols grimaçants vont jaillir de leur repaire : Emmanuelle sera livrée aux rites d'une magie sanguinaire. En même temps que son imagination, plus rapide que sa raison, bâtit un monde de chimères, un rire nerveux atteste qu'elle n'a pas perdu tout sang-froid : basculant à demi contre la hanche du conquérant, une ballerine en tutu, qui semble, à côté du géant, une miniature, adresse aux étoiles un sourire réservé. D'autres personnages de carton bariolé s'entassent pêle-mêle, les uns debout, la plupart renversés.

— Cela fait une bizarre impression, ces réclames de cinéma dans un endroit pareil, observa-t-elle, pour que le son de sa voix la rassure. Je me demande comment on a pu les amener là : y a-t-il donc un autre moyen d'accès que cette passerelle invraisemblable ?

(Elle soupçonne un peu son guide de lui avoir infligé une épreuve inutile.)

— Non, dit Mario.

Il ne juge bon d'ajouter aucun commentaire.

Ils traversent le dépôt de pancartes, passant entre les jambes du grand khan, contournent une palissade de tôle ondulée, se retrouvent dans une courette, où une porte entrouverte laisse filer une lumière jaune. Mario s'arrête sur le seuil, lance un appel, puis pénètre sans attendre de réponse. Emmanuelle se sent de moins en moins tranquille. L'endroit est hostile. Une odeur difficile à définir l'imprègne. Quelque chose comme un mélange de poussière, de fumée, de réglisse et de thé. Dans la pièce sans fenêtre où ils sont entrés, une banquette recouverte de cretonne déchirée est le seul meuble. Un rideau sale, d'un bleu affreux, en barre le fond. Presque aussitôt, une main l'écarte ; une femme apparaît.

Sa vue soulage un peu Emmanuelle. C'est une vieille Chinoise (elle a sûrement cent ans, se dit la visiteuse), dont le visage, d'un ovale parfait, est si ridé qu'il ressemble à un crêpe. La teinte en est d'ivoire ancien, presque orangé. Les cheveux blancs brillants sont soigneusement tirés sur les tempes et noués en chignon. Si minces sont les fentes des yeux et des lèvres qu'on les discerne à peine entre les plis de la peau. Ce n'est que lorsque, d'une voix égorgée, la vieille commence à parler, découvrant des dents laquées de noir, qu'Emmanuelle repère avec certitude l'emplacement de sa bouche. Les mains sont cachées dans les manches de la tunique empesée, que la soie luisante des larges pantalons noirs fait paraître plus laiteuse encore, par contraste.

Ayant achevé un assez long discours, auquel Mario n'a paru prêter aucune attention, l'hôtesse se plie en deux, avec une souplesse qui surprend, tant on est tenté de la croire faite de bois mort, pivote sur elle-même et s'enfonce dans les entrailles de la baraque. Ils la suivent sans mot dire. Le réduit qu'ils traversent d'abord est parfaitement obscur. Emmanuelle a l'impression que des ombres s'y meuvent. Elle a franchement peur. Ils pénètrent ensuite dans une toute petite chambre, où elle découvre avec malaise que deux hommes très vieux et comme moisis sont allongés tout nus sur un bat-flanc de bois vernis. Ses yeux cillent, elle a le temps d'apercevoir leurs côtes en relief sous la peau brune tachetée de blanc, leurs pupilles agrandies et songeuses, qui n'ont pas l'air de la voir. En hâte, aussi, elle a jeté un regard sur les pénis ridés et les testicules secs, mais, déjà, le groupe passe dans une autre pièce, peu différente de la précédente, à cela près qu'elle est inoccupée. La vieille Chinoise s'arrête, c'est ici qu'elle les amène. Elle fait un nouveau sermon, puis s'éclipse, comme par une trappe.

— Qu'est-ce qui se passe ? s'inquiète Emmanuelle. Qu'est-ce qu'elle radote ? Et que faisons-nous dans ce coupe-gorge ? Ce que tout y a l'air dégoûtant !

— C'est une idée que vous vous faites, dit Mario. Cela est vétuste, j'en conviens, mais astiqué.

Une autre femme apparaît, beaucoup plus jeune que la première, mais beaucoup plus laide. Elle porte, sur un plateau rond, une lampe à alcool, que surmonte un verre allongé, épais d'un pouce (Emmanuelle n'a jamais vu de verre aussi massif, même sur une loupe), de minuscules petites boîtes rondes en étain, de longues aiguilles d'acier, assez semblables à celles utilisées pour tricoter les bas, des feuilles de palmier séchées et coupées en rectangle, et un instrument qu'Emmanuelle ne parvient pas, d'abord, à identifier : un tuyau de bambou brun, très poli, à peu près de la longueur d'un bras et comparable, par le diamètre, à une flûte. Il semble, à première vue, que ce tube est fermé aux deux bouts par de très beaux bouchons de jade, mais elle s'aperçoit que l'un de ceux-ci est, en réalité, percé d'un trou à peine aussi gros qu'une allumette. Des motifs de vermeil sont incrustés sur toute sa longueur. Aux deux tiers de celle-ci à partir de l'extrémité perforée, une sorte de polyèdre de bois à huit faces, si poli que la flamme de la lampe y danse en changeant de couleur, et assez aplati, de la taille à peu près du poing d'Emmanuelle, semble en équilibre sur le tuyau, auquel il ne tient que par un point de contact étroit : un creuset d'argent, de la taille d'une moitié de noix, faisant corps avec une plaque d'ivoire ouvragée, ambrée par l'âge, où se rengorgent des dragons chryséléphantins et des tigres réjouis. La surface supérieure de l'octaèdre, seule à être bombée, est forée en son centre d'une cavité de la dimension d'une perle, au fond de laquelle on distingue un très petit orifice.

Mario devança les questions de son élève :

— Vous voyez là une pipe à opium, chère. N'est-ce pas un bel objet ?

— Une pipe, ça ! s'esclaffa-t-elle. Ça n'en a pas l'air. Où met-on le tabac ? Dans ce petit trou ridicule ? Ce doit être vite fini.

243

— L'on ne met pas de tabac, mais une boulette d'opium. Et l'on n'en tire qu'une seule bouffée. Puis on recharge le fourneau. Mais il vaut mieux que vous vous rendiez compte par vous-même.

— Vous n'avez pas l'intention de me faire fumer cette drogue ?

— Pourquoi pas ? Je veux que vous sachiez en quoi ce jeu — ou cet art — consiste. Car il ne faut rien ignorer.

— Et... si j'y prenais goût ?

— Où serait le mal ?

Mario rit :

— Mais soyez rassurée : ce n'est pas pour vous convertir à l'opium que je vous ai conduite ici. Il ne sera qu'un prélude.

— Et que se passera-t-il, ensuite ?

— Vous le saurez à temps. Ne soyez pas impatiente, *cara*. La cérémonie de l'opium requiert une parfaite égalité d'âme.

Emmanuelle fit une complète volte-face :

— Si j'aime, je pourrai revenir ?

— Certainement, dit Mario.

Les questions d'Emmanuelle semblaient l'amuser. Il la contemplait avec indulgence, presque attentivement.

— Je croyais qu'il était interdit de fumer l'opium ? demanda-t-elle encore.

— Bien sûr. Et aussi de faire l'amour en dehors du mariage.

— Si la police venait par ici, que ferions-nous ?

— Nous irions en prison.

Mario fit la moue, ajouta :

— Mais non sans avoir tenté d'abord d'acheter les gendarmes en négociant vos charmes.

Emmanuelle sourit avec scepticisme. Elle le taquina :

— Puisque je suis mariée, je ne suis négociable qu'au prix d'un autre crime ?

— Ce crime-là, vous et les représentants de la loi, avec l'aide de Dieu, le commettriez.

Il répéta le geste qu'il avait fait chez lui, découvrit une épaule d'Emmanuelle et tout un sein. Et, tenant ce sein dans la main, la questionna :

— N'est-ce pas ?

Le visage d'Emmanuelle exprima le doute, mais aussi le contentement, car elle était heureuse que Mario la dévêtît et la touchât.

— Vous n'accepteriez pas de nous rendre à tous trois ce service ? interrogea-t-il, scandalisé.

Elle le rassura :

— Si. Vous le savez bien...

Puis, avec une hésitation :

— Et... les policiers, combien sont-ils pour opérer ce genre de rafles ?

— Oh ! pas plus d'une vingtaine.

Elle rit de nouveau.

La servante avait disposé son attirail au centre du bat-flanc. Mario lâcha le sein d'Emmanuelle (qu'elle laissa découvert), lui entoura la taille d'un bras et la fit avancer d'un pas :

— Étendez-vous ici, dit-il.

— Moi ? Mais est-ce propre ? Et cela n'a pas l'air très rembourré !

— Pourquoi l'établissement ferait-il la dépense d'un matelas, quand cette fumée suffit à adoucir tout angle, à rendre moelleuse la couche la plus ingrate ? Au surplus, ne vous en plaignez pas : un matelas se laverait moins facilement que le bois. Que cette pensée apaise vos inquiétudes.

Emmanuelle s'assit avec répugnance à l'extrême bord de la plate-forme vernissée, tandis que ses deux compagnons s'y installaient à l'aise, allongés de chaque côté d'elle, de sorte que les trois faisaient cercle autour de la lampe. Au bout d'un moment, elle triompha de son dégoût et les imita, s'appuyant à leur exemple, sur un coude, la tête dans le creux de sa main. Elle ne pouvait détacher les yeux de la flamme oblongue qui montait, sans vaciller, à l'intérieur de l'épaisse cheminée de verre. Une fascination en émanait.

La Chinoise s'était agenouillée au pied du bat-flanc et avait ouvert une des petites boîtes. Un miel opaque, sombre, presque solide, l'emplissait. La femme en cueillit, de la pointe d'une des longues aiguilles, une goutte grosse comme un grain de blé, la maintint un instant au-dessus de la lampe, la roula sur l'un des fragments de feuille fibreuse qu'elle tenait de l'autre main, puis l'exposa de nouveau à la flamme. La goutte hâlée grésilla, se gonfla, doubla de taille, se teinta de reflets admirables, devint si pure et si brillante que les objets avoisinants s'y miraient, parés de feux ; elle foisonnait de vie.

— C'est beau, murmura Emmanuelle.

Elle pensait, maintenant, que ce spectacle valait bien, à lui seul, d'être venue ici. « Je ne me lasserais pas de regarder cette petite boule. C'est comme une pierre précieuse qui voudrait dire quelque chose. Mais aucune pierre n'est aussi belle. »

Vingt policiers, réfléchit-elle. C'était beaucoup... Mais, pour sauver Mario de la prison, sûrement elle le ferait.

Elle ressentit un regret lorsque l'officiante, qui avait fini par donner à la goutte d'opium la forme d'un minuscule cylindre translucide, exactement proportionné à la cavité de la pipe, l'introduisit dans celle-ci d'un geste vif et retira l'aiguille qui la traversait. Sans perdre de temps, elle retourna la pipe, le fourneau en bas, au-dessus de la lampe, presque à toucher l'orifice du verre brûlant. Elle tendit l'embouchure à Mario, qui y appliqua les lèvres et aspira. La flamme monta, calcinant la perle d'ambre. Le souffle de Mario, qui tirait la bouffée mystérieuse, parut à Emmanuelle inépuisable.

— A votre tour, dit-il. Ne laissez pas la fumée

ressortir par votre nez, ne vous étouffez pas, ne toussez pas, aspirez lentement et de manière continue.

— Jamais je n'y arriverai !

— Cela n'a pas d'importance : il s'agit de vous amuser.

L'acolyte prépara une autre pipe : de nouveau, le soleil brun flamboya au bout de la baguette magique, se boursouflant et pantelant comme sous le désir. Emmanuelle y voyait une image de sexe, appelant de ses lèvres gonflées le bélier de feu qui le traverserait, le laisserait meurtri, brûlé, repu. C'était agréable, pensait-elle, de sentir sa vulve devenir plus humide à mesure que la gouttelette chatoyante s'enflait de volupté au-dessus de la flamme. Ce rite lui plaisait, comme si, en le suivant, elle se préparait publiquement, cérémonialement, à faire l'amour. Elle tenait son sein nu dans la coupe de sa main ; elle était heureuse. Il ne manquait qu'une chose au tableau pour être parfait : que l'assistante fût une beauté, très jeune et très docile, au visage d'innocence et au corps offert, que Mario, Quentin et elle déshabilleraient par degré, et avec qui ils joueraient, ensemble ou tour à tour, chacun selon ses goûts et à l'extrême de son plaisir. Quel dommage que son mentor n'eût pas prévu cela ! Elle fut sur le point de le lui reprocher, puis n'osa pas. Pourtant, pendant un instant, elle eut tant envie de jambes de filles mêlées à ses jambes et d'un sexe de fille où faire entrer ses doigs que la Chinoise lui parut presque belle.

Lorsque le tuyau lui fut tendu, elle laissa brûler l'opium sans aspirer. Du coup, le tirage ne se faisait pas : il fallut que la femme perçât à nouveau de son aiguille d'acier la perle mordorée. A la seconde tentative, la débutante parvint à absorber une maigre bouffée. Elle riait de bon cœur.

— J'aime le goût, dit-elle, et encore plus l'odeur. C'est un peu comme du caramel. Mais ça râpe la gorge.

— Il faut boire du thé.

Mario donna un ordre à la servante, qui se leva,

revint bientôt avec de très petites tasses évasées et sans anse, une théière de terre cuite pas plus grande que les tasses et un samovar d'eau bouillante. La théière lilliputienne était emplie jusqu'au bord de thé vert. Elle y fit entrer avec précision un jet d'eau fumante, en versa immédiatement le contenu dans une tasse : le philtre avait déjà pris une couleur cuivrée. Le parfum qui s'en élevait était pénétrant : davantage celui du jasmin que du thé. Emmanuelle se brûla la langue et poussa un cri.

— Vous devez aspirer une gorgée d'air avec les lèvres, en même temps que vous buvez, pour rafraîchir votre thé, dit Mario. Ou, plus exactement, pour pouvoir le boire brûlant sans que cela vous fasse mal. Comme cela.

Il fit un bruit de gargouille.

— Mais c'est mal élevé comme tout ! s'indigna sa commensale.

— En Chine, c'est poli.

C'était maintenant Quentin qui tirait sur la pipe. Il n'y réussissait pas aussi bien que son ami.

— Je veux recommencer, s'impatienta Emmanuelle, très excitée par la nouveauté de l'expérience. Je suis sûre que, cette fois, j'aurai des sensations formidables. A quoi est-ce que je vais rêver ?

— A rien du tout. Premièrement, l'opium ne fait pas rêver, il rend lucide et vous débarrasse des misères corporelles et des entraves mentales. Deuxièmement, avant de ressentir quelque effet que ce soit, il vous faudrait fumer plusieurs pipes.

— Eh bien ! je vais les fumer !

— Vous en aurez encore une, c'est tout. Si vous alliez au-delà, ce soir, tout le plaisir que vous en tireriez serait que je vous tienne la tête pendant que votre estomac se retournerait.

Emmanuelle ne fut pas trop marrie de l'interdiction de Mario, car la nouvelle pipe lui valut une quinte de toux et elle ne lui trouva pas autant de saveur qu'à la première. Quant à Mario et à Quentin, ni l'un ni l'autre n'accepta même une seconde expérience.

— Avez-vous donc si peur de vous intoxiquer ? persifla leur compagne.

— Ma chère, rétorqua Mario, je vais vous confier un secret fort grave. C'est que l'opium, pris en excès, retire à ses fidèles une bonne partie de leurs ardeurs de mâles. Et nous ne sommes pas venus ici, comme vous le savez, pour les plaisirs de l'esprit, mais pour ceux de la chair.

— Ah, oui ! fit Emmanuelle, de nouveau mal à l'aise.

Elle trouvait que ce cadre minable se prêtait assez mal aux jeux de l'amour (maintenant que son propre désir était passé !). Elle se demandait aussi quel rôle elle devrait y tenir.

— Vous n'oubliez pas, reprit son conseiller, que vous nous avez demandé comment nous nous y prenions avec les jeunes garçons ? Eh bien ! l'excellente personne qui règne, avec la majesté que vous avez vue, sur cette fumerie clandestine, y élève également, pour le repos du pacifique, des jouvenceaux bien tournés, dont nous allons lui demander de nous présenter un assortiment.

Il dit quelques mots à la servante, qui détala. Elle reparut au bout d'un instant avec la Chinoise au masque plissé, laquelle fit ses courbettes... Mario parla brièvement. La vieille s'inclina derechef, puis poussa un glapissement aigu. La laideronne qui avait préparé les pipes s'empressa.

— La douairière ne parle que chinois. Et encore ! un chinois que personne ne connaît, expliqua Mario. Elle a rappelé l'autre pour servir d'interprète.

— Et vous, en quelle langue leur parlez-vous donc ?

— En siamois.

Il s'adressa de nouveau à leurs hôtesses. Les phrases suivirent le circuit compliqué et subirent les métamorphoses que la situation commandait. Après quelques minutes de cet échange, Mario rapporta :

— Elle répond à ma requête en m'offrant autre chose. C'est conforme aux règles du genre.

— Qu'offre-t-elle ?

— Des filles, bien entendu. Je lui ai fait les remontrances qui s'imposaient. Alors, elle suggère de nous montrer des films galants.

— Eh ! fit Emmanuelle. Pourquoi pas ?

— Nous ne sommes pas venus ici pour si peu. Elle propose également de nous organiser un spectacle vivant : deux filles, devant nous, s'aimant d'amour tendre. Il n'y a rien là qui puisse vous intéresser, n'est-ce pas, Emmanuelle ?

Elle se contenta de faire une moue que l'on pouvait interpréter comme on voulait.

Mario reprit ses négociations, puis en rendit compte :

— Je l'ai sommée de nous produire des garçons de douze à quinze ans, dont la langue soit déliée, la fesse attique, la moelle vivace et le membre bien attaché.

Emmanuelle recouvrit son sein. La vieille la regardait avec insistance ; elle parla de nouveau, de ce ton déchirant qui donnait, chaque fois, un choc à la jeune Française. La servante traduisit et Mario répliqua d'un seul mot.

— Pourquoi a-t-elle glapi si fort ? enquête Emmanuelle.

— Pour savoir si les garçons sont destinés à moi ou à vous.

— Et... qu'avez-vous répondu ?

— Aux deux.

Emmanuelle eut l'impression que les murs tournaient un peu : était-ce déjà l'opium ? Mais non, Mario avait dit...

L'aïeule psalmodiait encore. Elle semblait se lamenter avec l'ampleur de souffle d'un Jérémie, multipliait les révérences et acheva enfin sur une note perçante, en levant les bras au ciel.

— Je sens que ça ne s'arrange pas, fit Mario, avant même que la comparse eût commencé de transposer.

— En effet, confirma-t-il plus tard : cette vieille folle s'entête à prétendre qu'elle n'a aucun poulain disponible cette nuit. De nobles étrangers seraient déjà venus décimer ses haras. Elle veut sans doute simplement qu'on la paye un peu plus.

Il relança la discussion. De nouvelles gesticulations de désespoir s'ensuivirent. Mario insistait. Au bout d'un moment, il déclara cependant :

— Elle ne veut pas démordre de sa fable. Il va falloir aller chercher fortune ailleurs.

Il palabra longuement avec Quentin.

— Lui persiste à rester ici, rapporta-t-il à Emmanuelle. Il se dit sûr de finir par obtenir ce qu'il demande. J'en doute, mais c'est son affaire. Je propose que nous le laissions et reprenions notre promenade. Qu'en pensez-vous ?

Emmanuelle ne demandait pas mieux. L'atmosphère de cette baraque commençait à lui peser. Néanmoins, elle éprouva une peine inattendue, presque une pointe de remords, au moment de se séparer de Quentin. « Voilà qui est un peu fort ! se chapitra-t-elle. J'ai accueilli celui-là comme un intrus, comme un gêneur. J'ai passé la soirée à lui en vouloir de sa présence, sauf lorsque je l'oubliais pour de bon ! Nous ne nous sommes pas dit deux mots en tout. Et voilà, maintenant, que je me sens toute remuée et toute faible à son égard. C'est un comble ! Je ne dois pas avoir toute ma tête… »

Il n'empêche qu'elle avait le cœur gros en le quittant là.

Ils repassèrent devant les squelettes aux yeux en allés.

— Ces deux-là ne vous disent rien ? offrit-elle, aigre-douce.

Elle en voulait à Mario et à son ami de leur insistance à se procurer des hommes. Ne pouvaient-ils pas, pour une nuit, s'accommoder d'elle ? S'ils n'aimaient vraiment pas les femmes, alors pourquoi feignaient-ils, aussi bien l'un que l'autre, de lui porter tant d'intérêt ? Et cette idiote de Marie-Anne ! comment pouvait-elle manquer de jugeote au point de la recommander aux bons offices de pédérastes ? Lorsqu'elle remettrait la main sur elle, elle lui ferait avaler ses nattes !

— Qu'est-ce que Quentin trouve donc de si passionnant aux garçons ? attaqua-t-elle. Ce n'est pas très chic de sa part de nous laisser tomber comme ça.

Elle allait ajouter (elle y tenait) qu'il n'avait pas eu l'air si dégoûté des filles au moment où il lui avait caressé les jambes. Mais Mario ne lui en laissa pas le temps :

— L'amour des garçons aura toujours pour l'homme de goût une qualité que celui des femmes ne possède que par exception, dit-il : la qualité d'être *anormal*. Autrement dit, il répond à la définition de l'œuvre d'art telle que je vous la rappelais au début de cette soirée. Faire l'amour avec un garçon est pour moi érotique dans la mesure où c'est, comme le proclament à juste titre les imbéciles, contre nature.

— Vous êtes sûr que ce n'est pas, au contraire, tout simplement dans *votre* nature ?

— J'en suis sûr, dit Mario. J'aime les femmes. Coucher avec un homme m'a longtemps paru difficile à concevoir. Je me suis raisonné. J'en ai fait l'essai pour la première fois l'an dernier. Inutile d'ajouter que je n'ai eu qu'à m'en louer. Vous voyez que, à moi aussi, l'esprit a mis du temps à venir !

Emmanuelle souffrait d'émotions contradictoires. Elle se demandait, en particulier, ce qu'elle devait croire des allégations de Mario.

— Et, après cette première expérience, vous avez pratiqué souvent cet... art ?

— J'ai toujours soin de garder aux choses leur rareté : *bis repetita*... Comme vous le savez, c'est le contraire !

— Mais, insista Emmanuelle, depuis un an, avez-vous fait l'amour avec des femmes ?

Mario éclata de rire :

— Quelle question ! Ai-je l'air d'un parangon de chasteté ?

— Avec beaucoup ? voulut-elle savoir.

— Avec moins, à coup sûr, que je n'aurais eu d'amants si j'avais eu la chance d'être une jolie femme.

Il ajouta, avec un sourire d'hommage à l'adresse de sa compagne :

— D'amants — et d'amantes !

Cette réponse ne satisfit pas Emmanuelle, qui s'énervait :

— Qu'aimez-vous le mieux ? demanda-t-elle, presque avec colère.

Mario s'arrêta : ils étaient arrivés à l'endroit où la clairière faisait place au pont de planches. Il prit Emmanuelle par les épaules et l'attira vers lui ; elle crut qu'il allait l'embrasser.

— J'aime *ce qui est beau* ! dit-il avec force. Et, ce qui est beau, ce n'est jamais quelque chose de déjà fait, et ce n'est jamais quelque chose de facile. C'est ce que, pour la première fois, on fabrique de sa vie, avec un geste de soi et le geste de quelqu'un d'autre, et qu'on jette vers l'infini avant que ce n'ait eu le temps de prendre sa forme morte.

> *L'homme et la femme — un autre monde au milieu du monde créé.*

— Ce qui est beau, c'est ce qui n'existait pas avant vous et n'aurait pas existé sans vous et ne sera plus en votre pouvoir quand l'injustice de la mort vous aura abattue sur cette terre que vous aimiez.

> *Orgueilleux de leur solitaire savoir. Forts de leurs exemplaires desseins.*

— Ce qui est beau, c'est le moment qui n'était rien et que vous avez rendu inoubliable. C'est l'être qui n'était rien et dont vous avez dressé la forme singulière contre la multitude et le destin amorphes.

> *Égarés égareurs, abolissant la carte des chemins tout faits.*

— Ce qui est beau, c'est de surmonter vos piétés envers votre nation et votre siècle, la peur de leur scandale et de votre décri, afin qu'une espèce nouvelle naisse de votre refus de ressembler à vos pères sans hardiesse, vos mères sans visage, vos frères hypocrites et vos sœurs avachies.

> *Différents — mais de quelle laideur ?*
> *Dévoyés — mais de quelle sottise ?*
> *Étrangers — mais à quel troupeau ?*
> *Battus — mais pour quelle revanche ?*
> *Exilés — mais vers quel futur !*

— Ce qui est beau, c'est de vous hâter de découvrir, de prendre votre élan sans peser les dangers et sans vous souvenir des douceurs passées ; c'est de faire ce que vous n'avez pas tenté encore et que vous n'éprouverez pas de nouveau, car les jours et les nuits de votre vie seront seulement ceux et celles que vous aurez enrichis d'un acte extraordinaire. Et qui donc, au ciel ou sur la terre, vous rendra les jours et les nuits que vous aurez perdus ?

> *Le clair de lune les pétrifie : la statue de Mario tient dans ses mains une image de femme.*

— Ce qui est beau, dit la pierre, c'est de tout tenter et de ne refuser rien, c'est d'être capable de tout connaître. Corps innombrables à notre ressemblance, hommes ou femmes, « enfer ou ciel, qu'importe... au fond de l'inconnu pour trouver du nouveau » !

> *Aux quatre coins du carrefour, des passerelles vides, droites, irréelles, toutes semblables.*

— Ce qui est beau, c'est ce qui n'a jamais le même goût et n'a le goût de rien d'autre.

> *Les cheveux noirs sur les épaules nues entre les doigts du condottiere.*

— Ce qui est beau, c'est d'être le contraire de la bête grégaire, effarouchable et paresseuse que l'on est né.

> *La carrure du héros tatare cache la lune.*

— Ce qui est beau, c'est de ne pas vous arrêter, de ne pas vous asseoir ni vous endormir et de ne pas vous retourner.

Les heures de la nuit ont tourné, les astres d'acier gravitent hors de vue dans le ciel éclairé.

— Ce qui est beau, c'est de dire non à la tentation qui vous immobilise, qui vous attache ou qui vous limite. Et de dire oui, toujours oui, si lasse que vous soyez, à celle qui vous multiplie et vous pousse en avant et vous force à faire plus qu'il n'est suffisant ou nécessaire, et plus que les autres se contentent de faire.

L'huis entrouvert sur la lumière jaune : des ombres entrent, des ombres sortent. Nuit sans sommeil.

— Ce qui est beau, c'est de trouver chaque jour un sujet d'étonnement nouveau, une raison de s'émerveiller, un prétexte à effort et à victoire sur la tentation de l'acquis et sur l'assouvissement et la tristesse de l'âge.

Mon cœur s'ouvre à ta voix...

— Ce qui est beau, c'est, inlassablement, de *changer*. Car tout changement est un progrès, toute permanence une tombe. Contentement et résignation ne sont qu'un seul et même désespoir, et celui qui s'arrête et renonce à devenir autre chose a déjà opté pour la mort.

Le gong d'un temple, qu'assourdit le bruit des insectes.

— Certes, il vous est à tout moment loisible de préférer la paix des stèles, de vous embaumer dans la médiocrité d'une existence sans désirs comme une vierge de cire dans sa châsse de gemmes.

Surgis de l'ombre, deux enfants passent, main dans la main.

— Mais moi, qui tente de vous gagner non à la mort mais à la vie, je dis qu'alors mieux eût valu que vous ne fussiez jamais née. Car chaque vie humaine qui se fige est un poids mort sur notre planète et la marche en avant de notre espèce en est freinée.

Ils sont frère et sœur. Ils vont faire l'amour.

— Sachez ceci, Emmanuelle : les lendemains de la terre seront ce que les fera le pouvoir d'invention de votre corps. S'il arrive à votre rêve de s'obscurcir et que vos ailes se referment, si le malheur veut que votre curiosité se fatigue, que faillissent votre clairvoyance et votre constance et chancelle votre volonté de découverte et de renouveau — c'en sera fait des espérances et des chances des hommes : l'avenir sera éternellement pareil au passé.

La ballerine blanche entre les jambes du guerrier.

— L'amour d'aimer est ce qui fait de vous la fiancée du monde. En sorte que le destin de tous dépend de votre passion et de votre courage, et que si vous renonciez à conquérir un seul homme ou une seule femme, ô leur amante fiancée, ce serait assez pour que leur race renonce à conquérir les années-lumière et les nébuleuses.

La voix de Mario fait taire le chant des grillons.

— Le comprenez-vous ? Ce n'est pas le plaisir de l'instant que je vous apporte, mais le plaisir du plus lointain. Le bonheur n'est pas à la place où vous êtes, il est où vous rêvez d'atteindre.

Entre des bras toujours plus nombreux.

— Ah ! oui, Emmanuelle ! Ce n'est pas d'illusions que je vous désaltère, mais de réalité que je vous brûle !

Au centre du triangle formé par les étoiles Alpha du Bouvier, Alpha de la Balance et Alpha de la Vierge.

— Je ne vous enseigne pas le plus commode, je vous enseigne le plus téméraire.

Emmanuelle dit :

— Prenez-moi. Vous ne me connaissez pas encore. J'aurai pour vous une saveur nouvelle.

Elle fut surprise de trouver dans le regard de Mario tant d'estime. Il hocha la tête :

— Ce serait trop facile. Je veux mieux que cela : laissez-moi vous conduire.

Il la poussa devant lui.

— Allez, refaites l'acrobate !

Docile, elle marcha la première. Lorsqu'ils parvinrent au carrefour, Mario décida qu'ils prendraient une autre voie que celle par laquelle ils étaient venus.

— Je vais vous montrer quelque chose hors du commun, promit-il.

Ils arrivèrent bientôt au bord d'un large *khlong* — ou était-ce un ruisseau naturel ? Il semblait serpenter. Ses rives étaient couvertes d'herbes.

— Sommes-nous encore dans Bangkok ?

— En plein. Mais cet endroit n'est pas connu des étrangers.

Ils marchaient maintenant dans une prairie et, comme les talons d'Emmanuelle s'enfonçaient dans la terre meuble, elle ôta ses chaussures.

— Vous allez déchirer vos bas, dit Mario. Ne préférez-vous pas les retirer ?

Elle fut sensible à cette attention. Elle s'assit sur un tronc d'arbre coupé qui se trouvait là. Elle releva sa jupe. L'air frais lui rappela que son slip était dans la poche de Mario. La clarté de la lune était si vive qu'on voyait avec netteté son ventre, tandis qu'elle défaisait son porte-jarretelles.

— Je ne me lasse pas de la beauté de vos jambes, dit Mario. De vos cuisses longues et souples...

— Je croyais que tout vous lassait vite ?

Il se contenta de sourire. Elle n'avait pas envie de bouger.

— Pourquoi n'enlevez-vous pas aussi votre jupe ? suggéra Mario. Vous seriez plus à l'aise pour marcher. Et j'aurais plaisir à vous voir ainsi.

Elle n'hésita pas un instant. Elle se releva et dénoua sa ceinture.

— Que vais-je en faire ? demanda-t-elle, en tendant la jupe à bout de bras.

— Laissez-la sur l'arbre, nous la prendrons au

257

retour. Il nous faut de toute manière passer de nouveau par ici.

— Et si quelqu'un la volait ?

— Quelle importance ? Vous n'auriez pas d'objection à rentrer chez vous sans elle, je suppose ?

Emmanuelle se garda d'en discuter. Ils reprirent leur marche. Au-dessous du pull de soie noire, ses fesses et ses jambes, en dépit de leur hâle, paraissaient étrangement claires dans cette nuit. Mario se tenait à ses côtés ; il lui prit la main.

— Nous y voici, dit-il au bout d'un moment.

Un mur bas, à demi écroulé, se dressait devant eux. Mario aida sa compagne à grimper sur les briques et à sauter de l'autre côté. Lorsqu'elle releva la tête, elle tressaillit. Une forme humaine se tenait accroupie près de là. La main d'Emmanuelle se crispa dans celle de Mario.

— Ne craignez rien. Ce sont des gens paisibles.

Elle voulut dire : mais mon costume ! Une fois de plus, la crainte des sarcasmes de Mario la retint. Mais elle était si honteuse qu'elle se sentait incapable de faire un pas. Elle eût été moins gênée d'être entièrement nue. Mario l'entraîna inexorablement : ils passèrent tout contre l'homme, qui les regarda avec des yeux brûlants. Emmanuelle ne pouvait se retenir de frissonner.

— Regardez, dit Mario, en tendant le doigt, avez-vous jamais vu rien de pareil ?

Elle suivit la direction de son geste. D'un arbre au tronc énorme, veiné d'innombrables racines et de lianes adventices, pendaient d'étranges fruits. En ajustant son regard, Emmanuelle vit que c'étaient des phallus. Elle eut une exclamation plutôt admirative. Était-ce sa vision de l'heure précédente qui se matérialisait ? Ou, plus probablement, rêvait-elle à nouveau debout ? Mario expliqua :

— Les uns sont des ex-voto ; d'autres, des offrandes en vue d'obtenir puissance sexuelle ou fécondité. Leur grosseur est fonction de la richesse du fidèle — ou de l'urgence de sa prière. Nous sommes ici, je tiens à vous le signaler, dans un temple.

L'idée rappela à Emmanuelle l'indécence de sa tenue.

— Si un prêtre me trouvait dans cet appareil...

— Vous ne me semblez pas déplacée ainsi, dans un sanctuaire dédié à Priape, dit Mario en riant. Tout ce qui se rattache à son culte est licite en ce lieu, voire recommandé.

— Est-ce cela qu'on appelle des *lingam* ? s'enquit Emmanuelle, dont la curiosité était plus forte que la confusion.

— Pas exactement. Le *lingam* est hindou, son dessin est généralement stylisé : on le trouve surtout sous forme de pilier fiché verticalement en terre et il faut, la plupart du temps, les yeux de la foi pour identifier de quoi il s'agit. Ici, comme vous pouvez le voir, la facture de l'objet ne laisse rien à l'imagination. Ce sont des répliques de la nature plutôt que des œuvres d'art : les saint-sulpiceries de la Cité des Anges. Tel est, a-t-on dû vous dire, le véritable nom de Bangkok. C'est, plus précisément, son nom abrégé. Pour être parfaitement protocolaire, il faut appeler cette ville : *Krungthep Phra-Maha-Nakhorn Amorn Ratanakosindr Mahinthara Boromaradjathani... Boromnivet... Maha Sathan Burirom, là*. Ce qui n'est aussi qu'un résumé, voulant dire : « Vénérable Cité Capitale des Anges (ou des Dieux, pour être tout à fait étymologique et s'exposer à une polémique inutilement métaphysique), Trésor de joyaux d'Indra, Grandeur du dieu Indra, Suprême Mégapole royale, Auguste site, Souverains parages, Haut lieu, Ville de joie ». Ou à peu près. Le *là* final qui interrompt gaminement ces effusions signifie tout simplement « et cætera », car l'état civil authentique et complet de l'Urbs occupe, en réalité, trois ou quatre pages. Du moins, c'est ce qu'on raconte.

Les phallus suspendus aux branches allaient de la

taille de la banane à celle d'un bazooka, mais le réalisme des détails était le même dans tous les cas. Tous étaient faits de bois sculpté et enluminé. Une petite tache incarnate en ornait le méat. Le prépuce était figuré par des plis profonds en retrait du gland. La cambrure du membre en érection était rendue avec une vitalité saisissante.

Il en pendait ainsi de plusieurs arbres : des centaines. Des cierges de cire étaient piqués çà et là sur des chandeliers de bois à travers ce verger de verges : la plupart étaient éteints, mais, en revanche, de nombreux bâtonnets d'encens, identiques à ceux que l'on allume devant l'image du Bouddha ou sur l'autel des ancêtres et dont l'odeur entêtante ne vous quitte plus, brûlaient dans le jardin. L'extrémité qui se consumait piquait la nuit d'un point rouge.

Emmanuelle s'aperçut avec angoisse que plusieurs de ces lumignons bougeaient. Il ne lui fallut pas faire grand effort, tant la nuit était claire, pour distinguer que des mains humaines les tenaient. Ce n'était pas un, mais quatre, cinq, six, dix hommes au moins qui étaient là. Assis sur leurs talons, comme le premier qu'elle avait rencontré. Un se leva. Elle le vit approcher. Parvenu à quelques pas, il s'accroupit de nouveau. Son regard exprimait un intérêt soutenu et tranquille. Presque aussitôt, deux, puis quatre autres le rejoignirent, s'installèrent à ses côtés. L'un des nouveaux venus paraissait très jeune, presque un enfant. Les autres étaient plus âgés. L'un d'eux, presque un vieillard. Aucun ne disait mot. Ils continuaient de tenir les baguettes odoriférantes entre leurs doigts joints.

— Voilà un parterre sympathique, plaisanta Mario. Qu'allons-nous leur jouer ?

Il décrocha un des phallus, de proportions relativement modestes.

— Je ne sais pas si je commets un sacrilège, dit-il, mais je le commets hardiment. En tout cas, ils n'ont pas l'air de s'en offusquer.

Il tendit le morceau de bois à Emmanuelle.

— N'est-ce pas agréable au toucher ?

Elle le palpa.

— Montrez-leur sur ce simulacre la façon dont vous vous serviriez de vos mains pour lui faire honneur, s'il était vivant.

Emmanuelle s'exécuta sans protester, et même avec un certain soulagement, car elle avait, un instant, eu peur que Mario ne lui demandât d'introduire l'olibos en elle. L'idée de sa rugosité et de sa saleté la révoltait.

Ses doigts caressèrent l'article de piété comme s'ils espéraient vraiment le faire jouir. Elle finit par se prendre elle-même à cette parodie. Bientôt, elle regrettait presque de ne pouvoir se servir de ses lèvres : mais, réellement, l'instrument était trop poussiéreux !

Elle fut consciente que les regards des hommes s'étaient embrasés. Leurs visages semblaient passablement tendus. Mario fit un mouvement. Presque aussitôt, elle vit son sexe dressé, plus gros et plus rouge que le pénis de bois.

— Il convient maintenant que l'illusion cède à la réalité, dit Mario. Que vos mains se montrent aussi tendres à la chair qu'elles l'ont été à la matière inanimée.

Emmanuelle déposa l'objet du culte dans un creux de branche (elle n'avait pas osé le laisser tomber à terre) et se saisit avec obéissance du membre de Mario Lui se tourna face aux hommes accroupis pour qu'ils pussent mieux voir.

Le temps s'arrêta. Nul ne laissa entendre un son. Emmanuelle se souvenait de l' « humanisme » dont Mario lui avait énoncé les principes dans le salon au bord du *khlong* et elle s'appliquait au point d'en avoir le vertige. Elle ne savait plus si les pulsations dans sa main étaient celles de Mario ou celles de son propre cœur. Elle se rappelait aussi son précepte : *à n'en plus finir !* Et elle s'ingéniait jusqu'au miracle à *faire durer.* Néanmoins, finalement vaincu par les raffinements de cette caresse qu'Emmanuelle, à chaque instant, réinventait, Mario lui demanda de l'achever par un plus puissant va-et-vient, une secousse ultime qu'elle sut rendre très aimante, très irrésistible et très longue, et qui le fit se convulser de volupté. Même alors, pour qu'elle ne relâchât pas son effort d'arrachée, il murmura, dominant le grondement de sa gorge :

— Allez !

En même temps, il se retourna vers l'arbre d'où pendaient les fruits priapiques. Un jet d'une longueur et d'une densité peu communes traversa la nuit, aspergeant les phallus de bois, qui oscillèrent sous le choc et pivotèrent au bout de leur liane.

— Maintenant, il faut faire quelque chose pour nos spectateurs, dit aussitôt Mario. Lequel d'entre eux vous tente le plus ?

L'épouvante rendit Emmanuelle muette. Non, non ! Elle ne pouvait pas toucher ces hommes, elle ne voulait pas qu'ils la touchent...

— Le bambino n'est-il pas adorable ? dit Mario. J'aurais volontiers pour lui, moi-même, des faiblesses. Mais, cette nuit, je veux vous le laisser.

Sans consulter plus amplement Emmanuelle, il fit signe au jeune garçon et lui adressa une phrase. Celui-ci se leva lentement et dignement, vint près d'eux, nullement intimidé : il semblait, même, assez dédaigneux.

Mario dit encore quelque chose et l'enfant retira son short. Nu, il était plus beau : Emmanuelle, au milieu de son trouble, en fut réconfortée. Une verge encore juvénile se tenait tendue horizontalement devant elle.

— Sucez et buvez, ordonna Mario, sur le ton de la banalité.

Emmanuelle ne songea pas à s'y soustraire. Elle était, au demeurant, dans un tel état de confusion et de désarroi que les gestes eux-mêmes ne lui paraissaient plus avoir grande importance. Elle se dit seulement qu'elle aurait mieux aimé que ce fût avec l'homme nu qu'ils avaient rencontré tout à l'heure sur le chemin de planches...

Elle se laissa tomber sur les genoux, dans le gazon serré et doux, et prit le membre entre ses doigts, repoussant la peau qui en recouvrait à demi la pointe. Celle-ci augmenta de volume aussitôt. Emmanuelle la mit entre ses lèvres, comme si elle avait voulu d'abord la goûter. Elle la garda ainsi un instant, pendant que sa main glissait le long de la hampe. Puis, avec une résolution soudaine, elle fit entrer la verge jusqu'au fond de sa bouche, si loin que les lèvres touchaient le ventre nu et que son nez s'enfonçait dans le duvet clairsemé. Elle resta un moment ainsi, puis, consciencieusement, avec art, sans chercher à tricher ni à abréger, elle commença de faire aller et venir sa bouche.

Cette épreuve, pourtant, lui était un supplice et, pendant la première minute de sa fellation, elle dut lutter contre une nausée qui montait dans sa gorge. Ce n'était pas qu'elle estimât dégradant, en soi, le fait de se livrer aux gestes de l'amour avec un jeune garçon inconnu. Le même jeu, si Mario l'y avait poussée avec un blondinet pimpant, fleurant l'eau de Cologne, dans le salon bourgeois d'une amie parisienne, lui aurait sans doute secrètement plu. Il s'en était, d'ailleurs, fallu de peu qu'elle ne trompât pour la première fois son mari (sans avoir l'impression de le tromper, parce que, justement, avec un enfant, ç'aurait eu l'air d'être pour rire), avant de quitter Paris, en cédant aux avances du petit frère, fort déluré, d'une de ses propres amantes ! Ils avaient été dérangés une minute trop tôt : le consentement d'Emmanuelle, en tout cas, était déjà acquis, non seulement en esprit, mais très physiquement... L'occasion ne s'en était plus présentée. Elle y pensait, en ce moment, en se disant que, tout bien considéré, elle était assez naturellement dévergondée. Ce petit garçon qui avait connu d'elle un sexe offert et humide et avait commencé d'y entrer, elle avait fait dix fois l'amour en imagination avec lui, depuis lors. Mais, avec celui-ci, ce n'était pas la même chose. Il ne l'excitait nullement. Au contraire, il lui faisait peur. En outre, elle avait d'abord été révulsée à la pensée qu'il pouvait ne pas être propre : heureusement, elle était maintenant rassurée et se rappelait, après coup, avec soulagement, les ablutions minutieuses auxquelles les Siamois se livrent plusieurs fois par jour. Quoi qu'il en soit, cette expérience ne lui causait aucun plaisir. Elle s'y livrait par complaisance à l'égard de Mario, mais ses sens et son goût la refusaient…

Que, du moins, se disait-elle, presque avec violence, elle fît bien son travail ! Une sorte de fierté la poussait à traiter ce garçon d'une façon qui lui laissât un souvenir ineffaçable. Son mari ne lui avait-il pas dit qu'aucune femme au monde ne savait comme elle faire servir sa bouche à l'amour ?

Peu à peu, elle se laissa prendre à son propre jeu, oublia à qui appartenait ce pénis dont elle commençait à aimer la force et la chaleur, et dont elle permettait au gland de fouiller sa gorge et de chercher à son gré la place où il allait achever sa jouissance. Elle sentit ses lèvres, son clitoris, devenir sensibles ; elle finit par fermer les yeux et laisser les sensations se saisir d'elle. Au moment où ses caresses atteignirent leur but, le jaillissement du sperme sur sa langue lui procura autant de plaisir que si ç'avait été celui de Jean. Le goût en était différent ; elle le trouva très bon. Peu importait que tous ces hommes la regardassent : elle avait envie de jouir à son tour. Avant que la verge ne se fût retirée de sa bouche, elle effleura du bout de ses doigts le bourgeon de son sexe et s'abandonna à l'orgasme dans les bras de Mario qui embrassait ses lèvres pour la première fois.

— N'avais-je pas promis de vous donner en détail ? dit-il, après qu'ils eurent franchi en sens inverse le mur en ruine. Êtes-vous contente ?

Elle l'était. Mais elle n'était pas pour autant délivrée de sa gêne. Elle resta silencieuse. Il commenta rêveusement :

— Il est très important, pour une femme, de boire beaucoup de sperme et aux sources les plus diverses.

Sa voix devint soudain ardente :

— Vous *devez* faire cela parce que vous êtes belle, pressa-t-il.

— N'est-il pas possible d'être jolie et de rester honnête ? soupira-t-elle.

— On le peut, certes, mais à ses propres dépens. Est-il pardonnable de ne pas utiliser le pouvoir de sa beauté pour obtenir ce que tant de femmes sans grâce appellent toute leur vie vainement de leurs vœux ?

— Vous semblez penser que toutes les femmes n'aspirent qu'à la luxure.

— Existe-t-il d'autre bien ?

Personne n'avait dérobé la jupe. Elle la passa et regretta son confort précédent. Ils prirent de nouveau une direction différente de celle qu'elle connaissait. Elle se demandait s'ils allaient marcher longtemps encore. Au moment où elle s'apprêtait à se plaindre, ils débouchèrent sur une véritable rue.

— Nous allons prendre un *sam-lo,* si nous en trouvons un, dit Mario.

Emmanuelle n'avait jamais utilisé ce moyen de transport, devenu rare, et l'idée de l'essayer lui plut. Il était plus tentant de se laisser conduire au rythme indolent d'un cyclopousse sous le ciel lumineux que de risquer la mort à chaque virage dans un taxi. Ils longèrent la rue pendant quelques centaines de mètres avant de rencontrer un véhicule libre. Son conducteur (que l'on appelle, lui aussi, *sam-lo,* « trois roues », le confondant avec sa monture, exposa Mario) était assis par terre, méditatif. Dès qu'il les aperçut, il leur désigna d'un geste d'invite l'étroite banquette couverte de moleskine rouge.

Mario dialogua un moment, convenant probablement du montant de la course, puis fit signe à Emmanuelle de s'installer ; lui-même s'assit auprès d'elle. Bien qu'ils fussent tous deux remarquablement sveltes, ils étaient écrasés l'un contre l'autre. Le tricycle s'ébranla. Mario passa un bras autour des épaules de sa compagne et elle se serra contre lui, heureuse. En s'asseyant, elle avait remonté sa jupe jusqu'au haut de ses jambes, puisqu'il lui avait dit qu'il les aimait. Subitement, une idée lui vint, qu'elle jugea elle-même fantastique et folle. Jamais encore elle n'avait, de son propre chef, fait chose pareille et, qui pis est, ainsi, en pleine rue ! Mais elle allait le faire. Elle rassembla tout son courage.

Elle se tourna un peu de côté, vers Mario. D'une main, qu'elle s'efforçait de rendre ferme, elle défit un bouton. Puis, hâtivement, les autres, en descendant. Elle glissa la main et prit entre ses doigts le sexe endormi. Alors seulement, elle respira.

— C'est bien, cela, Emmanuelle ! dit Mario. Je suis très fier de vous.

— Vraiment ?

— Oui. Votre geste a droit de cité au royaume de l'érotisme, parce que l'usage veut que les hommes aient l'initiative et les femmes se laissent faire. Une femme qui prend les devants, à un moment où un homme s'y attend le moins, crée une situation érotique du plus haut prix. Bravo ! Ou, plus justement dit, dans ma langue natale : *brava !*

Elle sentait dans sa main que l'approbation de Mario n'était pas purement morale.

— Souvenez-vous de cette formule en d'autres circonstances, continua-t-il, et vous vous en trouverez bien. Il va sans dire qu'elle reste, selon la règle, soumise à la clause de nouveauté.

— Comment cela ? interrogea-t-elle.

Elle commençait de caresser doucement Mario.

— Si vous êtes la maîtresse attitrée d'un monsieur et

que vous ôtez vos vêtements devant lui, même sans qu'il vous y invite, où est l'imprévu ? Et donc, où est l'érotisme ? Mais que votre ambassadeur, à l'heure du déjeuner, vous ait présenté un diplomate de passage, pour que vous lui fassiez visiter le temple du Bouddha Couché, et que vous, l'ayant convié à prendre le thé dans votre petit salon, pour se remettre des fatigues de ce tour de ville, et, vous étant assise à son côté sur votre meilleur sofa de soie blanche, retiriez tout simplement votre corsage en secouant avec naturel votre chevelure, ce geste spontané laissera dans la mémoire de votre hôte une marque impérissable. A son lit de mort, ce sera votre image qui viendra, la dernière, le hanter et le consoler. Après ce début, naturellement, toute une gamme de possibilités vous est offerte. Ou bien vous limitez provisoirement là votre intiative et, les seins nus, lui versez cérémonieusement son thé sans omettre de lui demander s'il le prend d'ordinaire avec un ou deux sucres. Il y a de fortes chances qu'il soit à ce moment incapable de s'en souvenir. C'est d'ailleurs à ce trait que vous reconnaîtrez quelle mesure ultérieure est la plus appropriée : s'il est troublé au point de dire : huit, ou quatorze, ou un mètre, n'attendez point de lui qu'il fasse le pas suivant ; optez pour deux morceaux et rapprochez-vous. Opérez alors comme vous venez de le faire avec moi et demandez-lui ce qu'il préfère : jouir avant ou après avoir bu son thé et de quelle façon, dans votre main, dans votre bouche ou dans votre vagin. A partir de ce moment, le reste a peu d'importance. Le climat est créé. Et le chef-d'œuvre, comme vous aimez à dire, en bonne voie. Si, par contre, votre visiteur a conservé un semblant de sang-froid, laissez-le faire lui-même ce qu'il convient, c'est-à-dire se jeter sur vous et se conduire comme le faune que vous avez déchaîné en lui : vous n'y trouverez que votre avantage. Une autre fois, pour varier, vous n'ôterez pas seulement votre blouse, vous vous mettrez entièrement nue, sans cesser une minute d'être femme du monde et sans manifester la plus fugitive émotion. Lorsque, retenant votre jupe de la main gauche, vous en aurez de vos longues jambes de danseuse enjambé le cercle et l'aurez avec décence laissée choir sur un pouf, lorsque vous aurez, si vous en portez un, retiré votre slip et l'aurez mis en lieu sûr dans le vase d'orchidées, vous vous assiérez de nouveau à la gauche du voyageur et vous vous renverserez légèrement sur les coussins du sofa, avec un sourire de bonne compagnie. Si votre invité se révèle paralysé par la surprise, racontez-lui, pour le mettre à l'aise, comment, la veille, vous avez été violée par deux Noirs armés de coupe-coupe et le plaisir que vous y avez pris. Décrivez longuement le sexe de vos tourmenteurs et les libertés qu'ils ont prises avec votre corps. S'il ne bouge toujours pas, masturbez-vous devant lui. Enfin, lors d'une troisième expérience, avec un autre invité de marque, vous ne vous dévêtirez pas, mais, après avoir soulevé la théière, et avant de l'interroger sur le sujet du sucre, vous lui demanderez très simplement : « Lorsque nous aurons pris le thé, désirez-vous que nous fassions l'amour ? Mon mari ne sera pas de retour avant une heure. » Si, d'aventure, l'individu se dérobait, prétextant une blessure ancienne, un vœu prononcé au chevet de sa marraine carmélite, ou une disposition du Code d'Hammourabi interdisant de jouir avant le coucher du soleil, vous diriez, sur le ton juste et sans manifester de dépit : « Vous avez raison : où avais-je la tête ? Moi-même, en me mariant, ai promis d'être fidèle et, puisque je n'ai jamais trompé mon époux, il est plus convenable que je ne commence pas aujourd'hui. » L'imbécile ne se consolera pas d'avoir laissé échapper la perle rare que vous êtes. S'il se ravise, soyez désormais intraitable. Qu'il tente d'abuser de votre innocence et vous appelez la police, le faites condamner au maximum de la peine. Aucun jury n'ajoutera foi aux allégations insensées qu'il avancera pour sa défense : la vérité !

Emmanuelle était enchantée de la dimension qu'avait prise, par ses soins, le membre de Mario. Elle ne lui dit pas moins, sans chercher à atténuer le sarcasme :

— Monsieur le professeur, les paroles que vous me recommandez de prononcer sont très exactement, si j'ai bonne mémoire, celles que je vous ai adressées il y a moins d'une heure. Puisque vous m'avez injurieusement repoussée, je vais vous livrer au premier gendarme de passage.

Mario sourit avec bonhomie.

— J'adore votre main, dit-il, ne changez pas votre manière. Ma chère, n'essayez pas de vous faire passer pour plus sotte que vous n'êtes. Vous savez très bien qu'il n'y a aucun point commun entre la situation que je vous décris et nos relations.

Emmanuelle ne voyait absolument pas où résidait la différence, à moins que ce ne fût dans l'absence de thé. Néanmoins, elle n'était pas en humeur ni en état d'argumenter : la caresse qu'elle donnait enflammait ses propres sens ; même les trépidations du tricycle mal suspendu sur le sol rugueux ajoutaient à son plaisir.

— Ce *sam-lo* ne sait pas le spectacle qu'il est en train de manquer, remarqua Mario.

Il siffla. Aussitôt, l'homme tourna la tête : ses yeux allèrent de l'un à l'autre de ses passagers, s'éclairèrent d'un large sourire.

— Nous lui plaisons, constata Emmanuelle.

— Oui, nous avons trouvé un complice, dit Mario. Rien d'étonnant à cela, car il est beau. Il existe une franc-maçonnerie internationale de la beauté. Un certain nombre de choses ne sont permises qu'à ceux qui sont beaux. Montherlant, écrivant à Pierre Brasseur, remarquait fort justement, un jour, que « polissonnerie n'est pas du tout vulgarité : c'est la pruderie qui est vulgarité ».

— Courteline avait dit avant lui, cita Emmanuelle, pour ne pas être en reste : « La vraie pudeur consiste à cacher ce qui n'est pas beau. »

— Avez-vous donc honte de vos seins ?

— Oh! non.

De la main qui ne caressait pas Mario, elle tira son pull hors de sa jupe et tenta de le faire passer par-dessus sa tête. Mario l'y aida. Elle dut bien, un moment, lâcher le sexe érigé, mais ce ne fut qu'un bref interlude.

— Maintenant, j'aimerais que nous fassions quelque rencontre, dit Mario.

— Le *sam-lo* ne suffit-il pas, comme témoin? plaida Emmanuelle, malgré elle.

— Il n'est plus témoin, il est juge et partie.

Mario le héla de nouveau et le Siamois se retourna sur sa selle. Il sembla vivement impressionné par la quasi-nudité de sa passagère et le tricycle fit une embardée. Tous trois rirent bruyamment. Emmanuelle avait l'impression d'être un peu ivre. Il était bien tard pour que ce fût l'effet du chianti.

Le vœu de Mario fut exaucé. Une auto les dépassa, freina brusquement. Emmanuelle crut qu'elle allait s'arrêter et le cœur lui manqua. La voiture, cependant, repartit. Il avait été impossible de distinguer les visages de ses occupants.

— Peut-être quelqu'un de vos amis? suggéra cruellement Mario.

Elle ne répliqua rien, la gorge serrée. Elle préférait ne penser qu'à le caresser bien. Un autre *sam-lo,* où s'entassaient deux marins américains, venait à leur rencontre : ceux-ci poussèrent des cris de paon en découvrant le spectacle. Mario et Emmanuelle feignirent de ne les voir ni les entendre. Les autres gesticulèrent désespérément, tentant de faire stopper les deux véhicules, mais leurs conducteurs ne bronchèrent pas, continuant l'un et l'autre à peser d'un rythme égal sur les pédales.

— Où préférez-vous jouir? demanda Emmanuelle : dans ma main, dans ma bouche ou dans mon vagin?

Il ne répondit pas sur-le-champ. Elle, courbant la taille, le prit entre ses lèvres, le fit entrer profondément dans sa bouche. Elle l'entendit qui récitait :

Jusqu'à tant que je te die :
Las, je n'en puis plus, ma vie !
Las, mon Dieu, je n'en puis plus !
Lors ta bouchelette retire,
Afin que mort je soupire,
Puis me donne le surplus.

La curiosité lui fit interrompre son œuvre ; elle se redressa et demanda :

— C'est de vous, ce poème galant ?

— Absolument pas, protesta Mario. Il est extrait de *La Première Journée de la Bergerie,* d'un de vos compatriotes du XVIe siècle, Rémy Belleau.

— Eh bien ! s'esclaffa-t-elle.

Avant qu'elle n'ait eu le temps de reprendre position, ils se trouvèrent devant la grille du jardin de Mario.

Celui-ci, échappant aux mains de sa compagne, sauta du tricycle et réajusta sa toilette. Emmanuelle descendit à son tour, mais ne jugea pas nécessaire de remettre son pull-over, qu'elle balançait au bout de son bras, en même temps que son sac. Ses seins prenaient une courbure admirable sous la lune.

Mario ouvrit la grille. Le *sam-lo* avait mis pied à terre et, sans émotion visible, attendait apparemment son dû. L'Italien bondit si soudainement sur la selle que l'homme n'eut pas le temps d'esquisser un geste : déjà son véhicule était dans le jardin, Mario pédalant à toute allure. Le Siamois et Emmanuelle restèrent face à face. Ils partirent en même temps d'un grand éclat de rire. Le jeune homme prenait du bon côté la facétie de son client. Pour le moment, à vrai dire, il semblait davantage préoccupé d'admirer les contours d'Emmanuelle que de récupérer son bien. Ce fut elle qui se mit la première à la poursuite du fuyard. Elle le retrouva devant le perron de troncs d'arbres, exultant. Il était debout et tenait l'engin par le guidon.

— Quel fou vous êtes! réprimanda tendrement la jeune femme.

— J'aime également vos seins, annonça-t-il, comme une décision longuement mûrie.

— J'ai de la chance!

Elle était plus flattée qu'elle ne voulait l'admettre. Le *sam-lo* les rejoignit, hilare et sans hâte. Mario lui parla: un véritable discours, avec des intonations, des silences, des effets d'éloquence. Emmanuelle se demandait ce qu'il pouvait bien dire. Le visage du Siamois ne reflétait rien qui permît d'étayer des hypothèses. Subitement, il répliqua, regardant en même temps Emmanuelle. Mario reprit son exposé. Le garçon hocha affirmativement la tête.

— Voilà qui est conclu et mon héros est tout trouvé! dit Mario. Comme quoi l'on va chercher bien loin ce qu'il est aisé d'obtenir à sa porte!

— Quoi? Vous voulez dire...

— Mais oui. Ne l'estimez-vous pas digne de mes faveurs?

Cette fois, Emmanuelle se sentit presque sur le point de pleurer. Les gentillesses de Mario tout le long du parcours lui avaient fait oublier ses rebuffades antérieures. Elle s'attendait, plus ou moins consciemment, à ce que, une fois dans sa maison, il la prît dans ses bras. Elle était prête à y passer le reste de la nuit, s'il le désirait, et ne pensait même plus à rentrer chez elle. Il aurait pu faire d'elle ce qu'il voulait. Et voilà! Il ne voulait rien. La seule chose qu'il eût en tête, c'était de trouver pour son lit un garçon! Emmanuelle posa sur celui-ci des yeux embués de larmes: elle ne le voyait plus distinctement. Était-il donc vraiment si beau? Elle se souvenait de lui avoir trouvé un faciès de boxer...

— *Cara!* Ne recommencez pas à vous tourmenter par avance, fit gaiement Mario, interrompant à son ordinaire les sombres réflexions d'Emmanuelle. Vous allez voir, j'ai une idée mirobolante. Une fois de plus, vous me rendrez grâce. Entrez vite.

Il ouvrit la porte, l'attira, la tenant par la taille. Elle se laissait faire sans cesser de bouder. Elle en avait assez des idées de Mario. Elle fut tout de même heureuse de retrouver le salon aux zones d'ombres et de clarté, le divan de cuir rouge et l'odeur épicée du *khlong*. Il ne semblait pas que beaucoup de barques y passassent encore. Il était si tard — ou si tôt ! Elle sentit soudain l'atteinte du sommeil. Quelle nuit !

Mario apporta des verres énormes où des cristaux scintillaient dans une liqueur verte.

— Menthe poivrée « on the rocks », annonça-t-il : voilà qui redonnera cœur à ma bien-aimée !

Sa bien-aimée ? Emmanuelle ébaucha un sourire amer. Le *sam-lo* se tenait au milieu de la pièce, quelque peu emprunté. Il prit avec une gêne évidente la boisson que Mario lui tendait. Tous trois burent en silence. Elle avait si soif qu'elle vida son verre d'un coup. Mario avait raison : elle se sentit requinquée. Il s'assit brusquement près d'elle, l'entoura de ses bras, posa ses lèvres sur son sein gauche.

— Je vais vous prendre, dit-il.

Il attendit pour juger de l'effet produit.

Emmanuelle était trop abasourdie pour manifester quoi que ce fût. En outre, elle n'était pas convaincue.

— Je vais vous prendre à travers ce beau pâtre, continua Mario. A travers, au sens propre du mot. C'est-à-dire que je vais le traverser pour vous atteindre. Je vous posséderai comme vous ne l'avez jamais été et comme je n'ai jamais possédé une femme. Vous serez davantage à moi qu'aucun être n'a encore appartenu à un autre.

Il incurva une main devant elle, comme pour la protéger ; expliqua :

— Mais vous savez bien que je n'emploie ces mots : « prendre », « posséder », « appartenir », que pour le plaisir d'aussitôt m'en dédire ! Car ce n'est pas vous prendre que je veux, mais vous donner. Je vous prodiguerai, vous dilapiderai comme un trésor trouvé, qu'un chanceux honnête ne songe pas à garder pour lui seul. Je ne suis pas devant vous pour vous détenir ; je suis venu limer les barreaux d'un cachot où vous et moi sommes reclus depuis des millénaires. Vous n'êtes pas ni ne serez jamais pour moi une possession. Après que nous aurons fait l'amour ensemble, vous ne m'appartiendrez pas davantage que vous n'appartenez sur terre à quelque homme, à quelque famille, à quelque secte, à quelque règle que ce soit. Vous n'appartenez qu'à votre propre rêve, un rêve que vous avez choisi de ne pas rêver seule. Ce rêve, le *sam-lo* et moi allons le rêver avec vous. L'espace d'une nuit, le temps d'une étreinte, nous vivrons à trois la vie que nous aurons nous-mêmes créée : là sera notre amour ; là sera notre vie éternelle.

Ses yeux plongeaient dans ceux d'Emmanuelle comme dans cette mer d'infini où il l'invitait à la découverte. Sa voix semblait venir déjà du large.

Elle répondit, mais c'était comme si elle se parlait à elle-même :

— C'est seulement la nuit qu'on peut connaître de nouvelles étoiles.

Mario leva la tête vers le ciel visible à travers l'auvent de roseaux.

— Peut-être l'une d'elles, la plus inconnue, la plus lointaine, attend-elle de porter votre nom, dit-il.

Elle décida :

— Allons ensemble à sa recherche !

Une seconde fois, il l'embrassa sur les lèvres. Pour Emmanuelle, cette nuit était plus que jamais lumineuse. Elle était prête ; et impatiente…

— Votre premier amant ! s'exalta Mario. Vous allez l'avoir à présent.

Elle ressentit une brève honte de l'avoir trompé, de ne pas lui avoir avoué ses aventures de l'avion. Mais était-ce important ? En un sens, parce que c'était la première fois qu'elle y apportait son entier consentement, qu'en toute lucidité et en toute connaissance de cause, avec préméditation, elle *voulait* être adultère, l'enlacement multiple qui se préparait serait bien celui qui la fiancerait à son premier amant...

— Le premier de beaucoup d'autres ? interrogea-t-il, comme pour s'assurer qu'elle avait assimilé sa leçon.

— Oui, dit Emmanuelle.

Quelle merveille c'était de s'abandonner aussi complètement au désir ! La femme qui s'unit à un seul ne peut savoir quel pas franchit celle qui, en une fois, se promet tout entière à plusieurs, à un nombre illimité d'hommes. Aucune femme, jamais, ne serait aussi adultère qu'elle l'était en ce moment. Qui d'autre pouvait réussir le miracle, trompant pour la première fois son mari, de le tromper avec tous ceux qui désormais voudraient d'elle ?

— Vous ne vous refuserez plus ? insista Mario.

Elle secoua la tête pour attester que non. Elle pensait : « Si l'idée nous vient, à lui et à moi, que je me donne cette nuit à dix hommes, je le ferai. »

Il ne lui demanda de se donner qu'au *sam-lo*. Elle se débarrassa de sa jupe et resta sur le divan, adossée à l'épaisseur des coussins, dont la douceur l'enchantait. Ses talons se calèrent dans la laine bourrue du tapis et elle entoura de ses bras les reins de l'homme lorsqu'il commença de s'introduire précautionneusement en elle. Quand il y fut complètement parvenu, Mario, qui jusque-là était resté au côté d'Emmanuelle, la tenant embrassée, se leva et alla se placer derrière le *sam-lo*. Ses mains le saisirent aux flancs et Emmanuelle les sentit qui touchaient les siennes.

Elle l'entendit qui laissait échapper des gémissements de plaisir. A certains moments, ce furent presque des cris.

— Maintenant, je suis en vous, dit Mario. Je vous perce d'un glaive deux fois plus aigu que ne l'est celui du commun des hommes. Le sentez-vous ?

— Oui. Je suis heureuse, dit Emmanuelle.

Le dur pénis du Siamois se retira aux trois quarts d'elle, revint inexorablement, recommença en accélérant sa course. Elle ne chercha pas à savoir si Mario lui permettait de jouir : elle hurla tout de suite ; son corps se convulsait sur le cuir satiné. Les deux hommes joignaient leurs plaintes aux siennes. Leur appel confondu déchirait la nuit et des chiens, à distance, y répondirent par un concert interminable d'abois. Mais eux n'en avaient cure. Ils existaient dans un autre monde. Une harmonie intérieure semblait régler leur trio comme les rouages d'une montre. Ils avaient réussi à constituer une unité profonde, sans fissure, plus parfaite qu'un couple n'en peut former. Les mains du Siamois pressaient les seins d'Emmanuelle et elle sanglotait de plaisir, cambrant les reins pour qu'il entrât plus loin en elle, haletant qu'elle était plus heureuse qu'elle ne pouvait le supporter et suppliant qu'on la déchirât — de ne pas l'épargner et de jouir en elle.

Mario sentait que les forces du *sam-lo* étaient inépuisables, mais lui n'en pouvait plus. Il enfonça ses ongles dans la chair de son partenaire, comme pour un signal. Les deux hommes éjaculèrent simultanément, le *sam-lo* au fond du corps d'Emmanuelle, lui-même défaillant sous une autre poussée. Emmanuelle cria plus fort encore qu'elle n'avait crié jusqu'à présent, sentant monter dans sa gorge le goût âpre de la semence qui l'inondait. Sa voix ricochait sur l'eau noire, sans qu'aucun pût dire à qui ce cri s'adressait :

— J'aime ! J'aime ! J'aime !

LA PETITE MEAULNESSE

A douze ans de l'an 2000, il n'y a sans doute plus grand risque à parier que d'ici là aucun autre roman ne viendra plus disputer à *Emmanuelle* son titre incontes: jusqu'à présent : « l'érotique du siècle ».

Histoire d'O, le chef-d'œuvre auquel l'auteur d'*Emmanuelle* a d'ailleurs spontanément rendu hommage (dans *L'Hypothèse d'Eros*), n'est pas ici en cause. Ne nous plaçons que de ce point de vue moderne qui classe si volontiers les livres par ordre de succès. Palmarès souvent dérisoire pour le gros de la liste, mais où le relevé des titres champions pourrait apprendre beaucoup à l'historien des attitudes et des mentalités de notre époque. Il y a toujours à réfléchir sur les très grands succès de librairie et le profil de leur carrière. *Du côté de chez Swann*, publié en 1913, tient incomparablement plus de place dans les histoires des littératures que *Le Grand Meaulnes* sorti des presses la même année. Mais la longue marche vers le grand public de Charles Swann (assez analogue en fin de compte à celle d'O et de son *Histoire*) est moins frappante peut-être, dans la mise en perspective des mentalités françaises du XXe siècle, que le triomphal parcours, pendant cinquante années au moins, d'Augustin Meaulnes, héros d'un des plus considérables et des plus profonds succès de librairie de tous les temps.

Emmanuelle est notre Grand Meaulnes, sorte de

ravissante Petite Meaulnesse (d'ailleurs tout à l'opposé, pour le mental au moins, de son triste et désincarné grand frère).

Quant au pourquoi de ces retentissements spectaculaires d'un ouvrage de l'esprit, c'est une tout autre affaire. Ah, bien sûr, dans le cas d'*Emmanuelle*, il y a l'érotisme !

Qui n'explique rien du tout Une évidence méconnue, qu'il a toujours été très difficile de faire accepter (surtout à des juges et à des policiers, en général mal payés), c'est que jamais *l'érotisme en soi* n'a fait vendre un seul livre. Hors les collections spécialisées, de diffusion toujours limitée, l'érotisme n'a jamais été incitation pure à la lecture, du moins en France. Cela pour des raisons complexes, qui tiennent au simple fait que l'érotisme en soi n'existe pas, inséparable qu'il est du sentiment amoureux, de la métaphysique, de l'imaginaire personnels, et j'en passe.

Bref, *Emmanuelle*. Eh bien, Emmanuelle, comme tous les personnages qui s'imposent à l'Histoire, n'est pas née un beau jour du hasard, ni du seul caprice tout armée de sa nudité triomphante. Nous sommes tout juste à l'orée des années 60, très précisément en 1959, quand paraît la première édition du livre, malheureusement clandestine, par les soins d'Éric Losfeld à Paris. Les procès Miller, Vian (1946-1947), Sade (1947-1955), la publication d'*Histoire d'O* (1954) et ses péripéties ont témoigné des réactions des gardiens de l'Ordre moral face aux cristallisations littéraires d'un mouvement de sensibilité que Raymond Abellio décrit comme « la seconde phase, d'*intensité* cette fois, d'une montée d'érotisme qui ne s'était depuis un tiers de siècle développée qu'en ampleur (1) ».

(1) Raymond Abellio, *Sol invictus*. On peut trouver une tentative de description de ce mouvement de sensibilité dans les deux derniers volumes de l'*Anthologie historique des lectures érotiques : de Guillaume Apollinaire à Philippe Pétain*, et, précisément, d'*Eisenhower à Emmanuelle*.

Un public important est donc en 1959, sans bien s'en rendre compte, dans l'attente d'un texte qui lui apporte enfin « tout ce que vous voulez savoir sur cet érotisme dont on parle tant, sans avoir jamais osé le demander ». Il n'a pas trouvé ce qu'il cherchait dans Sade, trop dur, trop fort (et tout le malentendu de la lecture de Sade à l'époque vient de là), ni dans Miller, « trop américain », ni dans *Histoire d'O*, livre disponible malgré ses trois interdictions mais censuré par la presse, par les libraires, par les lecteurs eux-mêmes, parfois subjugués, mais plus généralement glacés par la férocité hautaine du texte, par la préface de Paulhan, par un farouche « conte de fées », trop loin de sa réalité quotidienne. Le public avait fait un triomphe, treize ans auparavant, à *J'irai cracher sur vos tombes*, mais treize ans ont passé ; cet érotisme de série noire, brutal, sanglant, désespéré, *noir*, justement, n'est plus dans l'air du temps. *Caroline chérie*, en 1946, *Angélique*, en 1956, et même *Bonjour tristesse*, en 1954, ont vaguement trompé son attente en lui proposant des héroïnes soit décemment libertines, soit, chez Sagan, tranquillement amorales, à l'image de cette jeune Brigitte Bardot qui explose en 1956 avec *Et Dieu créa la femme*. Mais rien qui annonce vraiment les années 60.

Tout est donc prêt pour *Emmanuelle*, qui survient à son heure, l'année de *Lolita*, l'année où la dernière exposition du surréalisme prend pour thème *l'érotisme*. Et le livre touche immédiatement tellement juste, tellement profond, il remplit tellement l'attente générale, qu'il se passe coup sur coup des choses inimaginables pour un livre clandestin : André Breton le signale élogieusement en première page de *Arts,* André S. Labarthe lui consacre toute sa chronique d'un important mensuel de l'époque, *Constellation* : « Que voilà un beau livre, et qu'il sonne juste à nos oreilles [...] Le terme de morale retrouve ici son sens humain : c'est parce que la morale est un art de vivre qu'*Emmanuelle* est le livre du bonheur [...] *Emmanuelle* prend rang dans l'histoire scandaleuse de l'émancipation de l'homme à côté de ces repères du progrès humain qui s'appellent Sade, Baudelaire, Fourier, Engels... », et quelques courageux libraires, devant la demande, prennent le risque de vendre « le petit livre à couverture bleue ».

Ce qu'apportait *Emmanuelle*, c'est André Pieyre de Mandiargues qui l'a précisé le mieux à l'époque dans un compte rendu de, mais oui, la *Nouvelle Revue française* :

> « Comme les histoires policières ou de science-fiction, les écrits érotiques, on le sait, sont généralement prisonniers d'un cadre, d'un système et de règles qui tiennent à leur catégorie. En outre, ils visent à un but assez précis, pour quoi on les achète. Mais il y en a qui sortent de ce cadre, qui brisent ce système ou ces règles et pour lequel ce but est accessoire. Portant la marque spirituelle de leur auteur, ils sont originaux et font partie de la littérature. [...] »

Mandiargues loue beaucoup ensuite « le premier chapitre [...] admirable. Il rappelle à la fois, par la tension et par la puissance de surprise, les meilleurs épisodes charnels de Balzac et ces " sommets du récit " qui dominent superbement les romans de Lawrence Durrell » ; il fait de menues réserves sur la suite, « quoique Emmanuelle Arsan nous fasse apercevoir certains dessous de la capitale siamoise qui ne sont pas moins fiévreux et troubles que ceux d'Alexandrie », et conclut :

> « [...] Dans la dernière partie, l'intérêt se déplace. C'est que l'auteur, jeune femme asiatique, paraît-il, a chargé l'un de ses personnages, un pédéraste italien nommé Mario, d'exprimer

ses propres idées sur l'érotisme et sur le rôle qui lui est dévolu par rapport à l'homme et à l'avenir du monde. Un peu appliqués et enfantins (charmants à cause de cela aussi, peut-être bien), ces discours ouvrent curieusement la fenêtre sur des horizons où la nature est écrasée par le triomphe de l'esprit moderne. Ainsi l'auteur d'*Emmanuelle* fait-elle la contrepartie de ce que nous avons lu chez Lawrence, par exemple, et là elle se rapproche de certaine attitude de Baudelaire. [...] »

Mais surtout :

« Elle s'éloigne pareillement des idées que nous expose souvent Georges Bataille. Sa conception de l'érotisme est optimiste, radieuse, rayonnante, à l'image d'un édifice affirmant la gloire de l'homme dégagé de la glèbe et des servitudes anciennes. »

« Optimiste, radieuse, rayonnante »... Là était bien la nouveauté érotique en 1959. Et si durable sera « l'effet Emmanuelle », considérable phénomène de société, que Jean-Jacques Brochier, dans *Le Magazine littéraire*, pourra écrire en 1967, quelques semaines après la mise en vente, enfin, d'une *Emmanuelle* officielle (1) :

« *Emmanuelle* [...], c'est l'harmonie d'une existence où la sexualité, reconnue dans son importance, n'est finalement qu'un élément de la vie heureuse. De là ce phénomène rare en littérature : l'érotisme d'Emmanuelle n'est pas pathologique, contrairement aux érotismes de la révolte. Il est une part capitale de la satisfaction de l'individu, qui ne se sent menacé par rien, qui se déploie dans sa consonance avec le monde : un érotisme de l'accord parfait. [...] »

(1) A laquelle Françoise Giroud, dans *l'Express*, consacrera une page entière sans jamais citer le titre !

Et même, allant plus loin, et cette déclaration, rétrospectivement, prend une singulière résonance, replacée à quelques mois de mai 1968, dont on n'a pas oublié la connotation érotique, Brochier ajoutera :

> « L'apparition à la vitrine des libraires de *Tombeau pour cinq cent mille soldats* ou d'*Emmanuelle* est inséparable de l'acceptation — tacite ou non — du divorce, des produits anticonceptionnels, de la légalisation des " minorités érotiques " en Angleterre... »

Aujourd'hui, l' « effet *Emmanuelle* », prolongé par six films, des dizaines de millions de spectateurs, des millions de cassettes (on verra bientôt une série télévisée hebdomadaire sur *un an*), semble n'avoir rien perdu de sa force.

Or, curieusement, après avoir connu des tirages assez prodigieux, le livre était devenu introuvable en France. Sollicitée, Emmanuelle Arsan a non seulement autorisé la présente édition, mais encore elle en a revu le texte, qu'elle a pour de nombreux endroits (environ deux cent quatre-vingts) complété de passages qui, pour des raisons qui n'ont pas leur place ici, ne figuraient pas dans les précédentes éditions.

On trouvera donc ici la *première édition intégrale* d'*Emmanuelle*.

J.-J. P.

TABLE DES MATIÈRES

1. La Licorne envolée   13
2. Vert paradis   41
3. Des seins, des déesses et des roses   75
4. Cavatine, ou l'amour de Bee   109
5. La loi   163
6. Le sam-lo   233

Postface de Jean-Jacques Pauvert   277

Achevé d'imprimer en mars 1991
sur les presses de l'Imprimerie Bussière
à Saint-Amand (Cher)

PRESSES POCKET - 8, rue Garancière - 75285 Paris
Tél. : 46-34-12-80

— N° d'imp. 694. —
Dépôt légal : mai 1989.

Imprimé en France

2153 N. Ave.